# 21世紀の変革思想へ向けて

―環境・農・デジタルの視点から―

尾関周二

本の泉社

装丁・尾関はるか

21世紀の変革思想に向けて ―環境・農・デジタルの視点から―〈目次〉

## 第Ⅱ部 歴史観の深化と新たな変革視点

# 第Ⅲ部 人類史の中の労働・技術・情報と現代社会での展開

# 21世紀の変革思想へ向けて

——環境・農・デジタルの視点から——

# 序にかえて――21世紀の今、変革思想を考える

この本は、20世紀には当然と思われた社会・自然・技術の諸条件が21世紀になって大きく変化し、現代社会の多くの問題を解決するためには新たな変革思想が必要とされているのではないかという問題意識から出発している。そして、その変革思想のバックボーンとなる社会理論としては、20世紀型から脱皮し、21世紀型の社会理論の構築へ向かう必要があると考えることにある。21世紀初頭には、2001年の9・11同時多発テロ、2008年のリーマン・ショックなどが21世紀の幕開けを劇的に象徴したと言える。2011年の東日本大震災を経て、気づけば、すでに21世紀最初の四半世紀が終わりに近づきつつある。そして、2030年は大きなターニング・ポイントと語られ、21世紀の課題も次第に明確な形を取って現れてきているように思われる。

(1)ここ2、3年ほど前に、イスラエルの歴史学者ユヴァル・ノア・ハラリの『サピエンス全史』が出版され、これは、世界中で1500万部以上のベストセラーになり、それに続く『ホモ・デウス』も600万部を超える世界的なベストセラーとなった。『サピエンス全史』は

ビル・ゲイツやマーク・ザッカーバーグ、バラク・オバマ、カズオ・イシグロなどの国際的な著名人たちが共感し称賛したこともあり、色々な意味で大きな話題になった。日本でも著名人が高い評価を述べ、ＮＨＫでも両著や著者にかかわる幾つかの番組をつくって、「現代を読み解く羅針盤」「衝撃の書」などと絶賛した。

ハラリの両著のポイントを私なりにごく簡単に述べれば次のようになる。

『サピエンス全史』では、７万年前の「認知革命」によってホモ・サピエンスが獲得した言語によるフィクションの能力、それに由来する「想像上の秩序」や「共同主観的なもの」が人間の協力を生み出し、これが人間の「歴史」の原動力になっているとする。そして、これに続く、「農耕革命」、さらに「科学革命」、これら三つの革命が人類の歴史の道筋を決めたとする。

続編である『ホモ・デウス』では、科学革命の登場とともに神への信仰から人間自身への信仰への転換が起こり、「人間至上主義（humanism）」が生まれる。この人間至上主義と科学技術主義によって一部の人間は生命工学や人工知能を利用して「神のような人間（ホモ・デウス）」となり、その他の大多数の者は「無用者階級」となる。つまり、人類の大きな分断が起こるだろうとする。さらに、その追求の果てには、皮肉にもデータ至上主義によって人間は強大な情報処理システムのチップとなりはてるかもしれないとする。

こういったハラリの著書、特に前著が爆発的とも言って良い世界的な人気を博したのはなぜだろうか。私なりに考えてみるに、次のような事情が浮かぶのである。まさに、20世紀を支配した歴史観、社会理論、人間観といったものが現代世界を理解する上で知的な力を失っているにもかかわらず、それに代わりうるものがいまだ登場しない状況のなかで、大変刺激的でわかりやすいものが登場したということが大きいのではないかと思う。確かに20世紀の歴史観、社会理論の代表的なものの一つはマルクス主義が提供してきたと言えるが、それからのハラリ批判の声はほとんど聞かれなかった。従来の多くのマルクス主義者にとっては、ハラリの議論があまりに異次元の感じがして、取り上げる気にもならなかったのではないだろうか。

たとえば、ハラリの本には、環境思想の中から生まれた「動物解放」や「自然の権利」や「自然中心主義」の視点からの議論が、――たとえば、農耕革命において人間の立場からだけでなく、家畜化・栽培化された動植物の視点から――見られることも環境思想に馴染みのない読者にインパクトを与えたと思われるが、従来のマルクス主義者にとっては、暴論にしか映らなかったかもしれない。

私は、このハラリの著書は歴史観、社会理論、変革思想に関して、20世紀型のそれから21世紀型のそれへの大きな転換過程の「あだ花」ではないかと思う。おそらく人々は21世紀の世界を説明し、そこに蓄積された様々な問題を解決していく変革思想を潜在的に求めていることがハラリの本の爆発的な人気の背景にあるのではないかと思う。ただ、『サピエンス全史』を読んだ読者は、『ホモ・デウス』でもう少し社会変革的な「フィクション」が提示されるかと思ったかもしれないが、その点が期待はずれだったことが、この本の売り上げに出ているように思う。

この私の本では、新たな21世紀の変革思想のための社会理論の構築を探求することを行いたい。その際に、三つの視点、環境、農、デジタルという視点を中心に行いたいが、これらは、ハラリの両書の問題意識と重なる一面をもつ。しかし、彼の議論には社会変革の視点はほとんどないが、私はこの点を重視したいのである。

そして、2、3年前以来、軌を一にして、日本の政府と財界は、大きく歴史を展望して、「Society 5.0」という将来社会構想を提起して、ここへ向かっての社会変革を提起しているのである。「デジタル革命」によって経済発展と社会的課題が同時に解決される社会の到来を提言している。先行するドイツの「インダストリー4・0」が産業分野の革命を提示するものであるが、これに対して「Society 5.0」は人類史的視点から産業分野だけでなく、社会生活全般の変革を呼び掛ける壮大なものである。

これはいささかペシミステックなハラリの未来社会論に比べるとオプティミステックなものであるが、GAFAなどの巨大デジタル企業を擁する米国や中国などのデジタル革新への遅れで焦りも感じさせるものでもある。従って、経済発展と社会的課題の両方を解決する構想と語られるわりには、経済発展ほど熱心に社会的課題が語られることはない。このコロナ禍で一層深刻化した格差問題も箇条書きに羅列した社会的課題の一つとして挙げられてはいるがもとより真剣さは感じられない。

関連して思い起こすのは、21世紀に入ってグローバル資本主義による格差・貧困問題も深刻さは増し、2011年には〝We are the 99%〟というスローガンを掲げた「ウオール街を占拠せよ」という変革の運動が起こったことも記憶に生々しい。このスローガンは世界中の多くの人びとの共感を得たが、問題はどうしたら、様々な分断をはねのけてこの99％の人びとが連帯しうるかということである。そのための変革思想構築の視座はどのようなものかということである。

詳しくは本論を読んでもらいたいが、21世紀の社会変革の推進力は、20世紀に提唱された「労農同盟」とは異なる性格の新たな労働者と農民の連帯であり、これを私は「労農アソシエーション」と呼んでみた。もとより、この「労働者」には、かつてのような工業労働者のみならず、情報・デジタル技術に関わる知識労働者や医療・介護などの生活・生命に関わる労働者も含めている。もちろん、正規・非正規に関わりのなく含めているが、非正規の労働者が活躍できる条件づくりがこのアソシエーションの大きな課題でもある。もうひとつ「農民」に関しては、20世紀型変革思想においては没落していく階層としてしか見られなかった小農や家族農業の現代的なエコロジー的意義を重視している。

ところで、じつは、この本をほとんど書き終えたところで、新型コロナの中国・武漢の感染爆発が伝えられた。そして、みるみるまに日本、さらには世界中でも蔓延し、WHO（世界保健機構）がパンデミックの宣言をする事態になった。そして、このコロナ禍がもたらす社会的インパクトやアフター・コロナについて様々に語られるようになった。私にとって大きかったことは、コロナ禍によってこれまで装飾やぜい肉によってよく見えなかった社会構造が、「エッセンシャルワーク」という言葉に象徴されるように浮かびあがってきたことである。幸いなことは、このコロナ禍によって暴かれた現実を前にしても、この本を書き直さねばならないことはほとんどなく、むしろこの本で主張したいことを補強するものであると思った。ただ、しばらくは、コロナ禍の推移を見守りつつ推敲を重ねることにした。そして、1年あまり経ったが、やはり論旨を大きく変える必要はなく、コロナ禍を考える中で、より議論を深めることができた。

この本は、簡単にいえば、地球環境問題、農業問題、AI・ITなどのデジタル問題の視点を統合しつつ、社会変革へ向けての新たな21世紀の社会理論を構築しようとする意欲を触発しようとするものである。その意味で、今回のコロナ禍はいずれの問題が提起する意味合いともふれあうものとなっている。実際、本論でもふれたが、ドイツの環境史の大家であるヨアヒム・ラートナウは、環境史の中心的課題として「農業の歴史」とともに「疫病の歴史」を挙げているのである。こういった視点は20世紀型の社会理論では、あまりエッセンシャルなものとは思われてこなかった。この理由もまた本論を読まれれば理解されるであろう。

地球環境問題についても、２０３０年へ向けてのこの10年の脱炭素の努力は未来を決める10年と言われている。２０３０年までに脱炭素が予定通りに進まなければ、温暖化は30年には後戻りできない限界点に達するとされる。ここ数年の気候変動による大雨、大洪水、大雪、台風の巨大化などの異常気象は誰もが感じるところとなっている。また、環境問題が語られるようになった20世紀の後半になって、感染症の蔓延は、かつてのように数十年、１００年単位と違って10年以内に頻繁に起こるようになった。開発による熱帯雨林の破壊や気候変動やグローバル化によって野生動物と人類の接触が急速に拡大してきたことがその背景にあるということはこれまでよく言われてきた。いずれにせよ、地球生態系への経済活動の関わり方や農業のあり方などが感染症の蔓延と深く関係していることから、人類と地球という自然との物質代謝の問題として、この本で議論した幾つかの論点と深くかかわっていることは明らかである。

また、農業をめぐる様々な問題についても、コロナ禍はなによりも生活・生命の基礎である農業・食料生産の重要性を明らかにした。日本の食料自給率は37%という先進資本主義国の中でも異常な低水準であるが、今回、食料輸出国の一部では自国民優先で世界最大の米輸出国のインドや3位のベトナムが一時的とはいえ米の輸出を停止したこと、また、ロシアやウクライナが小麦の輸出を禁止したことの意味である。私はこの本で社会変革の視点から、労働者と農民の新たな連帯とともに、〈農〉[1]の営みや小規模農業や広義の地産地消を重視したが、これは符号するのである。また、都市と農村の関係から東京一極集中へといった大都市への人口集中を問題にしたが、これもコロナ禍がその問題性を明るみにだした。

それとともに、20世紀中頃に始まった情報化は今日「デジタル革命」という言葉とともに、人工知能（ＡＩ）や情報通信技術（ＩＣＴ）の飛躍的発展が社会と人間に大きな影響を与えているが、その否定面とともに、積極面を指摘して変革思想の構築との関わりを議論した。これも今回のコロナ禍はデジタル技術の多面的可能性や問題性を明らかにしたと言えよう。とくに働き方に関して、テレワーク、リモートワークといった在宅勤務は必要に迫られたものであるが、世界的に行われたことは、働き方を世界的に考える機会になったと言えよう。そして、この方式の今後についてメディアによるアンケート結果によると、勤務者の賛成が予想以上に多いとされているが、これは、労働問題だけでなく、上記の都市と農村関係や脱・大都市一極集中の方向性を可能にする社会理論を示唆しているように思われる。テレビで見た事例だが、東京の会社でのテレワークを機会に出身の田舎に住んで年老いた両親の農業を手伝うという事例が幾つか紹介されていたが、これは脱サラをして故郷に帰った塩見直紀が20年前に提起した「半農半Ｘ」が、広範に展開できる技術的条件が出来てきたというふうにも言えよう。

そしてなによりも、この本の最終章で様々な世界的課題への取り組みについて国家間の協力の重要性を主張したが、このコロナ禍はきわめて明瞭に今後の国際的協力のあり方を提示していると思われる。このパンデミック問題は、今日「アメリカファスト」のスローガンに象徴されるような様々な逆流現象の中で、20世紀初頭以来様々に模索・提起されてきた諸国家の国際的な協力・連帯が改めて重要であることを示しているのである。

従って、パンデミックのコロナ禍の視点が照射する諸点を本論の必要な箇所に書き加えることにした。そのために発刊が少々遅れても、この本で述べた主張がより説得力を増すと思ったのである。加筆修正を進めるなかで、本論で詳しく述べるが、私は歴史観に関わる主張として、従来の「生産力史観」や「経済成長史観」ともいうべきものに代えて、マルクスが重視した「人間と自然の物質代謝」概念を私なりに発展させて「物質代謝史観」を提起したのだが、その意義を再確認した。これは、自然環境が人間社会に与える影響を重視するものであるが、このパンデミック・コロナ禍問題が物質代謝史観を一層適正なものと確証してくれるものと思った。コロナ禍の発生は、まさに資本主義システムや近現代文明による「物質代謝の亀裂、攪乱」に由来するものと言えるように思われる。

最近話題になっている「人新世（アントロポセン）」――これは、人間の巨大な活動が地質年代的なレベルの変化に関わっているのではないかという問題意識から語られた言葉であるが――は、資本主義システムによる地球生態系の破壊によってもたらされていると言われることと符号しているのではないか。20世紀後半以降の急激な資本主義の経済成長と環境破壊が歩調を併せて「人新世」と呼ばれる深刻な事態が引き起こされるようになったとされるが、同じように、種々のウイルスなどの感染症が頻繁に起こるようになったのではないか、と言えるのである。

新型コロナ問題は、情報通信技術（ＩＣＴ）の活用を促し、新たな社会活動・政治活動のあり方を示すことにもなっている。大学の授業や学会関係では、新型コロナのためにリアルな対面式の講義や会議を開催することが難しくなり、Zoom などのオンライン会議が開催されることが多くなり、私が関係している学会でもこれをいろいろ使用することになった。リアルな対面式とは違う不便な面はもちろんあるが、これまで首都圏在住の役員と首都圏から離れたところの役員の会議参加の便宜が平等になったのはメリットを感じるところである。

そういうなかで、２０２０年5月に社会運動と関連して興味深い経験をした。核兵器廃絶に取り組むピースボートがコロナ禍のためリアルな会議が難しいということで、「勝手に開催！『オンラインＮＰＴ再検討会議２０２０』」を催すことを知り、傍聴の登録をして参加した。Zoom と YouTube とを結びつけたものであった。第1部の会議はＮＰＴ（核拡散防止条約）の事前学習のビデオの提供があり、それを踏まえて三人の講師も短いながら要点を押さえた講演で、わかりやすいものであった。また、第2部は、様々な核兵器反対活動にかかわっている諸団体や小さなグループや国会議員などが各々2分程度で主張や意見を対等に述べた。６００名を超える参加があったとのことであったが、大変有意義なものと思われた（数日後に、朝日新聞の夕刊一面（2020.5.16）で取り上げられた。記事は、これを平和運動の新たな可能性を示すものとして紹介し、主催者のピースボートの畑山さんの言葉「リアルな集会だったら時間や費用がもっとかかって難しかった。ネットだからこそ開催できた」を載せていた。また、10代の若者から年配の被爆者までの参加した様々な方々の声や写真を掲載していた)。そして、うれしいことに、核兵器廃絶条約はこの年の10月25日に50か国によって批准され、2021年2月より発効することになった。これもまた、さきにふれた逆流・停滞に抗しての大きな前進と言えると思う。これはこの本の思想を大きくサポートするものと言える。

(2)今日、現代社会を考え、未来社会を構想していく上で、平和問題や格差問題と並んで環境問題と科学・技術問題は大きな論点である。前者は、すでにふれた「人新世」という言葉とともに、地球環境問題の一層の深刻さが21世紀にはますます議論されていくであろう。また、後者は、「AI」や「IoT」という言葉とともに、「ゲノム編集」と言われる遺伝子レベルでの情報操作の簡便化など、情報デジタル化を核に加速しつつある科学・技術のあり方が大きな問題になってきている。「デジタル革命」という言葉もしばしば聞かれるようになった。日本の政財界もこういった科学技術の急展開を背景に新たな人類史観として、すでにふれたように「Society 5.0」を目指すという旗を振りはじめたが、これについて詳細は本論で詳しく言及することになる。

この本では、マルクス、ハーバマス、ウォーラーステインなど社会理論にかかわる多くの研究者の議論を参照しつつ、環境と農とデジタルへのアプローチを社会理論の視点から試みるとともに、逆にこれらを統合する視点から新たな変革思想構築へのアプローチを試みてみたい。現代において、社会変革を志向する社会理論にとって、革新的な左派的運動とエコロジズムとの対立・分断、或はまた労働者（都市住民）と農民の運動との分断を克服していくことに貢献できる社会理論の構築が21世紀においては重要であろうと考えている。それがまた変革思想を活性化していく鍵になっていくのではと思っている。

ところで、「変革思想」といえば、マルクスの変革思想が20世紀において果たした役割は大きなものがあったことは誰もが同意するであろう。ただ、1991年にソ連・東欧の「社会主義」が崩壊して以降、しばしばソ連型社会主義のバックボーンであったマルクス主義がマルクスの思想と同一視され、多くの人びとにとってマルクスの思想はもはやその意義は認められないものとなった。しかし、新自由主義的グローバリゼーションによって貧困や格差が拡大し、とりわけリーマン・ショックによって、資本主義システムの問題性が大きく露呈してくるなかで、改めてマルクスの思想への関心が大きくなってきていると思われる。この本では、マルクスの言葉をしばしば引用することもあるが、これは、もちろん、マルクスの様々な文言を教条的に利用することでないことは言うまでもない。資本主義に真っ向から立ち向かったマルクス思想のうちに現代の課題に答える変革思想構築のための示唆を受け取ろうとするものと考えてほしい。従って、私のスタンスとしては、従来のような20世紀に一般的であったマルクス理解とはかなり異なったスタイルをとることになった。もちろん、体系的・文献的な研究の重要性はわかっているが、21世紀の変革思想の構築へ向けての私の研究姿勢としては、この本ではそれは取らないということである。

2018年はマルクス生誕200年ということもあり、講演や原稿執筆のために私なりに改めて少しマルクスを勉強してみた。その結果、やはりマルクスを現代に生かす可能性は大いにあり、21世紀の変革思想を考える上で、その意義は大きいと感じた。私は、現在マルクスの思想を巡っては、ある意味で不幸な状況があるのではないかと思う。

一方で、ソ連・東欧の崩壊に言及して、マルクスの思想はもはや現代の問題を解決する力も未来社会を構想する力もないという見解がある。それどころか、マルクスの思想はナチズムやスターリン主義と同様な全体主義の思想だとする見解さえもある。

他方で、マルクス思想の新たな理解といっても、崩壊したソ連・東欧のバックボーンにあったいわゆる「マルクス・レーニン主義」的理解の大枠を保持したスタンスから理解されたマルクスの思想に依拠して、現代の問題を理解しようとする傾向も残っている。21世紀世界の大きな変化を見ることとなく、20世紀型マルクス主義の若干の手直しで21世紀の世界理解が可能なように受け取られている。

つまり、マルクスの思想を巡って、その現代的可能性を全く否定する見解とマルクス思想の20世紀的理解によるスタンスで肯定する両極があるのである。こういった理論的な両極の理解はいわばふれあうことがなく、論争にもなりえない状況である。そして、私見によれば、こういった状況の大きな問題性は、マルクスの思想のポテンシャルが結局は21世紀の現代において真に生かされない状況をもたらしているのではという危惧があるのである。

私はマルクスの思想の最良の部分は現代の問題を考え解決する上で、大きな示唆に富むものをもっており、またそれを生かすことなしには21世紀世界を十分に捉えることはできないし、また現代の分断された民衆状況を克服する思想を形成できないのではとは思うのである。様々な民衆の状況のあり方を反映して様々な思想潮流があるが、すでにふれたように、ウォール街オキュパイ運動の参加者が「我々は99％だ」と叫んだが、ただ、99％の人々が協同して1％の支配層への闘いに進むためには、やはりマルクスの最良の理論的思想的な部分を現代に生かすスタンスが必要ではないかと思うのである。

特にマルクスの思想のなかにある現代的に生かせる萌芽や潜在的可能性を、21世紀の現代の問題を考え、それとの絡み合いのなかで積極的に展開するよう試みることが重要ではないだろうか。マルクスの文献学的な研究の重要性は認めるが、それにあまりに細かく固執するとやはりマルクスを現代に生かす機会を失うことになるのではなかろうか。つまり、誤解を恐れずにいえば、マルクスに依拠しながらマルクスを超えるというスタンスが重要なのではないだろうか。

こういった視点から私は、自らの人生の前半は、主に、言語やコミュニケーションという現代的なテーマの一大領域とマルクス思想との架橋を試みて、『言語と人間』や『言語的コミュニケーションと労働の弁証法』という本を著わした。それによって、言語・コミュニケーションの現代的な問題に対する社会的・実践的観点を明らかにすることによって、マルクス思想による解決の潜在力を示すとともに、教条にとらわれることなく、マルクス思想そのものの深化を試みたと思っている。その意味では、今回、環境問題、農業問題、デジタル問題など、さらにはそれらを踏まえて変革思想の構築という現代的な大きな問題について、適宜マルクスを参照しつつ議論することになったのは、同じ趣旨と考えてもらってよいと思う。

(3) 次に、この本の内容を簡単に述べておこう。

第Ⅰ部の第1章では、環境問題にかかわる様々な環境思想のなかで、環境正義と環境倫理の大きな論点を取り上げて、環境思想が従来にない独自の論点を社会理論に提起していることを探った。周知のように環境問題といえば「持続可能な社会」がセットのようにして語られており、それはそれで正当ではあるが、環境正義の視点を抜いてはならないことを強調しておきたい。環境倫理もまた重要ではあるが、論者によっては、しばしば社会理論との接点の重要性の認識を欠く場合が多かったことによって、3・11東日本大震災以後、一部で急速に影響力を失った部分もあると言われる。

それで、第Ⅰ部では、環境思想と社会理論の交差・関わり合いを見てみる。第1章では、多様な環境思想に紹介的にふれつつ、特に環境正義の幾つかの形態と社会理論との接点にふれて環境思想への社会理論的意味合いを考えた。続いて、環境倫理をはじめとする環境哲学が提起した重要な論点として、近代批判とともに、人間中心主義と自然中心主義（非人間中心主義）の対立の問題に注目する。そして、自然は人間を離れてもそれ自身が価値をもつのかという問題、つまり「自然の内在的価値」の有無、それと関連する環境思想における「人間中心主義」と「自然中心主義」の論争にふれる。環境思想の多くの急進的な論者は「自然中心主義」と「自然の内在的価値」を肯定する立場を取った。これに対して、私は、近代主義批判の立場から「自然の内在的価値」を認めつつも「自然中心主義」の立場を取らないとした。そしてまた、「人間中心主義」vs「自然中心主義」を超える有意義な立場として、初期マルクスの人間―自然関係の理解を参照することにし、社会理論への通路を考える。

第Ⅰ部の第2章では、まず若きマルクスが前章の環境思想における「人間中心主義 vs 自然中心主義」に似た「人間主義 vs 自然主義」という対立・論争に対して、「人間主義と自然主義の統一」というテーゼを掲げていたことを紹介する。そして、後にこの思想が農学者のリービッヒに由来する「人間と自然の物質代謝」概念への着目につながる背景になっていることを示唆する。そして、マルクスが『資本論』で労働概念と関係させて語った「人間と自然の物質代謝」概念が、現代の環境問題を考慮に入れたエコロジカルなポテンシャルを持った有力な社会理論を構築する礎石になることをいろいろな視点から議論した。

この概念がマルクスにおいて、労働とともに自然と生命の循環の思想と結びつけられたことの意義を明らかにする。つまり、この概念は生態学的意味を含む社会理論的概念である点が重要なのである。マルクスの社会観や人間観の背景には、近代啓蒙主義の理性主義と違って、人間の生物的・自然的基底の重要性を見据えていることがあるのである。マルクスの社会理論といえば、近代の工業化社会における大工業と労働者を重視する思想をバックボーンとするものとして構築されてきたが、この「人間と自然の物質代謝」概念は晩期マルクスによる農業・農民を重視する志向性とも連関していることを明らかにする。

第Ⅱ部の第3章、第4章では、「人間と自然の物質代謝」概念を人類史の理解の深化に役立てることによって歴史の新たな社会理論の軸を提起してみたい。これまでの理論では、生産力と生産関係の矛盾による生産様式の変化として人類史の発展段階を見てきたが、私としては、それの基底として「人間と自然の物質代謝」の様式の変化を捉える必要があるのではないかという問題提起である。そして、これを簡略化して「物質代謝史観」と呼んだ。まず、第3章では、従来の史的唯物論の生産力史観を相対化して物質代謝史観に埋め込むことを考えて見る。そして、生産力と生産関係を基軸とした従来の歴史理解の基底に物質代謝様式の歴史理解をおいて人類史を把握する仕方で概観してみる（もとより、人類史のなかの階級社会の時代では、他の時代に比べて生産力と生産関係の矛盾・対立が前面に出てくる）。さらに、これと関連させて「生活過程」概念との関係を考えることにする。たとえば、今日大きな話題になっているプラスチックゴミ問題は、生産のあり方以上に我々の生活のあり方の問題でもある。

それとともに、人類史における物質代謝様式の違いとともに、物質代謝過程の社会的主体の変化に注目する。物質代謝過程の社会的主体の基礎には生物の物質代謝過程への連続性があり、その基礎の上に生命の統合主体の形成に働く「ホメオスタシス（homeostasis）」[2]があることに注目する。「物質代謝（メタボリズム）」概念がリービッヒ、マルクスによって生物的次元だけでなく、「社会的物質代謝」として社会的次元においても用いられたように、「ホメオスタシス」概念も生物学的次元だけでなく、神経科学者のアントニオ・ダマシオなどを参照して私なりに社会的次元でも用いることにする。そして、人類史におけるホメオスタシスの発展を物質代謝の発展とともに種々の広義の「共同体」の歴史的展開に見てみる。

第4章では、まずマルクスの「共同体」論にふれながら、人類史を様々な「共同体」の展開過程を軸に見てみるとともに、共同体、民族、ネーションなどのカテゴリーについて論争にもふれながら論じる。特に、近代の国民国家のネーションについて、ベネディクト・アンダーソンの「想像の共同体」を私なりの理解の仕方でその意義を考える。そして、国民国家と資本主義システムとの関係についての議論だけでなく、国家、ネーション（国民、民族共同体）、資本主義システムの三者の関係を考える必要があることを指摘する。さらに階級社会的視点と共同体社会の視点の複合的視点が人類史と現代の理解にとって重要ではないかという問題提起をする。

第Ⅱ部、第5章では、前章で見た新たな歴史理解を踏まえて、農業・小農の意義を改めて議論する。従来のマルクス主義において小農や農業共同体は歴史の発展のなかで必然的に没落・解体するものと理解されていたが、じつはマルクスは、パリ・コミューンの敗北(1871)以後、小農や農業共同体への関心を深め、新メガの最近の研究によれば、この方面の研究を深めたことが明らかである。そして、最晩年(1881)には、ロシアの女性革命家への手紙などで、当時のヨーロッパの状況のなかでロシアの農業共同体のあり方如何では、資本主義を経ることなく共産主義へ前進することができると考えていたことを重視する。そして、そのマルクスによる小農や農業共同体の重視は、今日の小農による自然共生農業の意義や世界的なアグロエコロジーを掲げる小農の運動にも接続できることを指摘する。2018年に国連総会で「小農の権利宣言」が可決されたことの意義を考える必要があるのである。そして、そのように考えることは、労働者と農民の連帯に関して、従来のようなお互いの敬意と信頼を欠いた「労農同盟」から今日的な敬意と信頼を踏まえた労働者(都市住民)と小農の連帯、つまり、私の造語である「労農アソシエーション」につながることを述べる。このことは、環境論的、所有論的に根拠づけることできるとする。

第Ⅲ部の第6章、改めて、人類史的視点から「労働」を通観しつつ、また、特に資本主義社会における「労働」の特殊な性格と「所有」概念との関係を述べる。また、農業労働と工業労働の違い、さらに技術とは何かについて、生産力や生産手段の視点からの技術論だけでなく、環境と主体の大枠を設定する三木清の技術論を参照しながら議論してみる。その中で、情報に関わる技術が20世紀後半に急速に展開してきて、21世紀には「デジタル革命」と呼ばれる事態が出現してくることに注目する。今日では、コミュニケーション・メディアとコンピュータ・ソフトウエアのデジタル的統合によって、情報技術（IT）は、デジタル技術と呼ばれることが多くなったが、そういった技術の複合体について説明し考える。

第7章では、現代の「デジタル革命」の推進力とされる人工知能（AI）や情報通信技術（ICT）などのデジタル・テクノロジーが持つ現代社会へのインパクトを、政府主導の将来社会構想「Society 5.0」の批判を幾つかの社会分野における研究者とともに考える。それに先立って、「大量失業」の悪夢など大きな問題を提起している人工知能（AI）について、そもそも「コンピュータとは何か」という問いについて考察する。そして、社会生活の各分野でのデジタル技術が政府の「Society 5.0」のスローガンのもとに実施される場合の問題性を考える。また、それらの農業への利用は、「スマート農業」と呼ばれているが、その評価を試みる。そして、「スマート農業」は、その基本的立場如何で、工業的農業を一層促進するものにもなるし、逆に自然共生型農業をより発展させ、これまで農業に関わってこなかった多くの人々にその機会を提供することになることを主張する。

最終章では、これまで述べてきたことを踏まえて、「労農アソシエーション」を基礎にした様々な社会運動を通じて、将来社会を展望しつつ資本主義からの漸次的脱出・統制や国民国家の変容・深化へ向けて、何をすべきかを考える。同時にまた、世界的課題を様々なレベルで取り組むとともに、それらを通じて国際連帯国家とグローカルなガバナンスの形成を考える。

【注】

1 私は「農」ということで、広く農林水産業を意味したいが、特に「〈農〉」という表現で、主に、自然循環を考慮し、人間と自然の共生・生命的交流を基礎にもつ広く環境保全的、自然共生的な農林水産業を意味することにしたいと思う。

2 「ホメオスタシス（homeostasis）」は、生理学者のキャノンによってhomeo〈同一〉とstasisis〈平衡状態〉を結びつけて、1932年に提案された。日本語では「恒常性」を意味する生物学・生理学における概念であるが、生態学などでも使用される。生物体または生物群システムが間断なく外的および内的環境の変化を受けながらも、個体またはシステムとしての秩序を安定した状態に保つ働きをいう。詳しくは、第四章の該当箇所で述べる。

# 第Ⅰ部

# 環境思想と社会理論の交差

# 第1章　環境思想の社会理論への通路

## はじめに――環境思想の概観もかねて

現代の社会運動のなかに次のような二つの相反する傾向がみられるのを感じている人は少なくないのではなかろうか。一方で、気候変動などの地球環境問題に関して近年大きな世界的な関心がもたれているが、こういった関心を基に環境保護運動をする人々のバックボーンには環境思想がある。ただ、こういった人々の中には、しばしば自然保護の倫理的行為に強い関心をもっているが、人間社会の格差や貧困に関して関心が薄い場合がある。他方で、格差・貧困に深い関心をもち社会変革を目指す人びとの中には、逆に、地球環境を守る闘いには関心が薄い場合がみられる。

確かにエコロジストのなかには、世界ではじめて「環境倫理学」の講義をしたと言われる米国のJ・ベアード・キャリコットのような人間の命よりも希少な動物の命の方が重要だとして、「希少な蛇より人間を撃ち殺す方がましだ」などと発言する者がいる。また、沿岸漁業の一環として伝統的にイルカ漁をしてきた漁師に対して悪罵を投げつけ妨害するエコロジストたちがいるのに対して、格差や貧困で闘っている人たちが連帯感をもてないのは理解される。こういった過激な環境倫理思想は主に米国を中心に拡大してきた。しかし、こういった米国の流れの環境運動の中にも、格差や抑圧された人々に共感を深め「環境正義」ということで闘いを起こしている事例もある。この章では、「環境思想」の一般的理解とともに、「環境正義」という考えを通じて環境思想と社会理論とのつながりを理解することにしょう。

実際、環境思想は、哲学、倫理学、政治学、経済学、教育学、歴史学など種々の研究分野の環境にかかわる思想的側面を包括するものであるが、当初は米国の哲学・倫理学者が主に主導し、このほぼ半世紀の間に若い人々に拡がるとともに、じつに様々な潮流が生まれてきたと言えよう。環境思想に少し疎い方もおられるかもしれないので、まずはそれを少し概観しておこう。[1]

20世紀半ば以降、環境思想は、公害・環境問題の深刻さを背景に環境破壊の原因や保護の根拠をめぐって、自然科学的な探究と平行して展開してきた。自然・環境保護運動の刺激によって主に文系諸学問において議論が深められる中で学際的な領域が形成されてきた。環境問題に対して〈思想〉の重要性を最初に強調した論者として歴史学者のリン・ホワイトが有名である。彼は「現在の生態学的危機の歴史的根源」(1967)という論文で、今日の危機の淵源は欧米社会の土台にあるキリスト教思想にあるのではないかとした。つまり、キリスト教では、神は世界を創造し、神の似姿の人間が自然を支配するのは当然としているからだとする問題提起をなした。これは賛否両論の大きな議論を巻き起こした。

さて、米国の自然保護運動は、「原生的自然（ウィルダネス）」を守るということがもともとの原点で、1872年にイエローストーンが世界ではじめての国立公園なったという、長い歴史と伝統がある。しかし、そういった流れとは別にレイチェル・カーソンの『沈黙の春』（1962）に象徴されるような、工業化された農業、たとえば、農薬によって池に魚は住まず鳥も鳴かなくなったとして自然環境破壊を鋭く告発する流れも1960年代以降生まれてきた。これ以降、自然保護にかかわる倫理的問題への関心が高まり、従来の倫理学の枠組みが現在の人間と社会しか対象にしていなかったことを反省し、倫理的対象を人間以外の自然・生物に、また未来の人間世代に拡げる問題意識が生まれた。そして、その根拠づけを学問的に問うことで「環境倫理学」の流れが生まれたと言える。1970年代のアメリカでのJ・ミュアーら保存主義者（preservationist）とG・ピンショーら保全主義者（conservationist）との論争がその始まりとされ、前者は、自然を原生のままで残すべきと主張し、後者は自然の「賢明な利用」、つまり人間の要求を満たすために計画的に管理されるべきとした。環境倫理学の祖は、「土地倫理」（landethics）の考えを提起したA・レオポルトとされ、ここでの「土地」とは生態系のことであり、人間による一方的な土地の利用・処分は不当で、土地の側にも権利を認めねばならないとする。こういった考えは、後にユニークな「自然の権利」訴訟の運動につながっていくとともに、従来の倫理学の立場を「人間中心主義」と呼んで批判し自らの立場を「自然中心主義」（非人間中心主義）と称する環境倫理学の主流に立脚点を与えた。[2] 人間中心主義とは、人間の視点から世界を見る見方であり、人間―自然関係においては人間を優位に置く見方であるとされる。[3]

環境倫理学において、自然保護の根拠を問うて、自然それ自体に「内在的な価値」（或いは「固有の価値」）があるから自然を守るのか、或は、人間にとって何らかの価値があるから守るのかという論争が行われた。またこういった価値は個々の生物に限定されるのか（個体論）、無機物も含めた生態系全体か（全体論）ということが論争された。この問題は倫理学の範囲を超えて哲学的な価値論や存在論、進化論思想に議論を広げて行った。そして、従来の哲学史や非ヨーロッパ思想の抜本的見直しをも迫り、より哲学的考察を重視する流れが生まれ「環境哲学」の構築が提起された。ノルウエーの哲学者アルネ・ネスが、従来の環境保護思想は近代主義の考えに囚われているとして、それを「人間中心主義」として「シャロウエコロジー」と呼び、それに対して近代批判を遂行する自らの立場を「生命圏中心主義」として「ディープエコロジー」と称して独自の環境哲学を主張した。これは、米国にも多くの共感者が生まれてカリフォルニアなどの反体制派カルチヤーなどに影響を与えた。またちなみに、アルネ・ネスほどその影響力はもたなかったが、米国のアナーキズムの系統の論者としてマレー・ブクチンが良く知られている。

1972年にローマ・クラブによって『成長の限界』が発刊されてからは、自然保護運動家の範囲を超えて、環境・資源問題が国際的に議論される機運が高まり国際会議がいろいろ開催されるようになった。また、80年代には「緑の党」と呼ばれる急進的な政治勢力がドイツをはじめとして各地で活動をするようになる。そして、国連に設けられた「環境と開発の世界委員会」（通称：ブルントラント委員会）が１９８７年に出した報告書『地球の未来を守るために』の中で提起された「持続可能な発展（開発）」の理念が提起されてからは、この理念を巡る思想的論争も様々に行われることとなった。それとともにまた、本書でも重視することになる、「持続可能性」を測る評価基準が探究され、特に有名なのは「エコロジカル・フットプリント」[4]などの提唱である。これによって先進資本主義国が行っている生活を途上国もまた行うようになったら、地球がいくつあっても足りないことが視覚化されることになった。

ただ、ソ連圏が崩壊し、90年代以降、グローバリゼーションと新自由主義が世界を席巻するなかで、先進資本主義国では、環境倫理学の現実的な影響力の弱さもあって、経済と環境を両立させつつ科学技術の発展によって経済成長をはかる考えとして「エコロジー的近代化」論が大きな力を得てきている。この流れは今日のコロナ禍とも関連させて、「グリーン・リカヴァリー」として新たに展開しつつある。

このように環境思想の流れは様々な潮流を包括しているが、ここでは、「環境正義」概念とそれと持続可能な社会との関連について少し立ち入って考察したいと思う。持続可能な社会を真に実現するためには、環境倫理だけでなく環境正義の視点が不可欠と思われるからである。おもに、その議論の主要な環をなす「環境正義」について、米国で始まったその提唱の経緯からはじめて、つまり、狭義の環境正義論からはじめて、「自然の権利」論や地球環境問題に絡めて幾つかの環境正義論の論点を通観するなかで広義の環境正義論が浮かび上がってくるような議論をしたいと思う。

これらによって、「環境正義」概念は従来の社会正義論には収まらない問題を提起しており、環境思想の諸論点を念頭においておくことが、21世紀の変革思想を構築していく上で、意義のあることが示せたらと思う。

## 1 「環境正義」をめぐって

### (1) アメリカの「環境正義」と日本の「公害」闘争の伝統

「環境正義（environmental justice）」という言葉は、アメリカの環境思想の展開の中から生まれてきたものとされている。そこで、そのあたりをまずは見てみることにしよう。

すでにふれたように、米国の環境思想は、原生自然（wilderness）の保護という点を原点にもっている。もともと「環境倫理学」とその諸論点もその背景から生まれ育ってきたものと言える。それは、人間—自然関係に焦点を持つものであった。従って、少なくとも米国における「環境正義」の登場は、こういった「環境倫理学」の不十分さ、限界を自覚する中で、登場してきたものとされる。

「環境倫理が人間と自然の関係に焦点を当てる一方で、環境正義は、人間と自然の関係が常にすべての人々に一定ではないことが判明したときに、活動家と研究者の両方の関心から現れたものである」(Jamieson 2003: 426)

この動向を象徴的に示すものとして言えるのは、かつて環境倫理学の草分け的存在で、その基本的な枠組みを与えたことで著名なシュレーダー・フレチェットは『環境正義(Environmental Justice)』(2002)という本で、「環境主義から環境正義へ」という言葉とともに、次のように述べていることがこのことを端的に示していよう。

「環境ファシズムや人間嫌いの生命中心主義に反対して、この本では、人々と地球の保護が手を携えて進むことが主張されている。そのポイントは貧しい人々やマイノリティが、環境破壊を含むすべての社会的リスクの最も頻繁な犠牲者であるということである」(Shrader-Frechette 2002: 5)

そしてさらに、環境正義への関心がこれまでアメリカの環境保護主義者の間になかったことの理由を以下のように要約して述べている。

第1はアメリカにおいて初期の環境保護主義者は、ルーズベルト大統領に象徴されるように最も富と教養、権力を持った人々であったということである。バードウオッチングや高額なエコツーリズムは念頭にあるが、貧困者の住む汚染地域は思い浮かばなかったのである。

第２は、環境保護主義者と政府との間に重要な紛争はなかったことである。第３は、多くの環境倫理学者が地球環境破壊の責任は人間中心主義にあると非難したが、これまでの環境保護主義者の力点が人間よりも自然の保護にあったことである（Ibid.4-5pp）。

以上を持続可能な社会という視点から考えてみると、環境問題は、人間―自然関係だけでなく、人間―人間関係を考慮に入れる必要があるということが、アメリカの「環境倫理学」の主な担い手においても理解されてきたということであろう。「環境正義」という言葉は、もともと学者の理論の用語として作り出されたのでなく、まさに運動の中から生まれてきたことが興味深く、その言葉は、１９８７年にベンジャミン・Ｆ・チャビス・ジュニア師によって造られたと広く認められている。そして以下見られるように、「環境正義」という言葉が、特に人種差別反対運動との絡みで主張されたことに注目されるべきであろう。こういった種類の環境正義の闘いは、特に「環境レイシズム（environmental racism）」と呼ばれている。[6]

ところで、このアメリカ合衆国で「環境正義」の闘争と言われているものは、日本では、長らく「公害」闘争として語られてきたものと基本的に同じ性格をもっているものと言えよう。日本での環境をめぐる闘争思想は、水俣水銀事件に象徴されるように「公害」と呼ばれる仕方で、社会的弱者である農民や漁師などの民衆の生産条件や生活条件、すなわち、生存条件の破壊といった性格を色濃く反映してきたのが大きな特徴である。日本での環境運動は、アメリカの場合とは違って、自然環境の破壊は、以下に見るように当時の資本主義の発展を担った大企業による垂れ流しによる自然環境と生活の破壊、それに対する民衆の生存条件の回復、それをめぐる抗争を伴っているのである（アメリカにおいても遡って先住民、ネイティヴの立場からすれば、西部開拓などは自然環境破壊であると同時に生存破壊であったが）。

日本では、戦後の水俣事件をはじめ、いわゆる四大公害事件と言われるものにみられるような事態は、さらにそれ以前に遡ることができるのである。それは、戦前の田中正造の足尾鉱毒事件であり、さらに一層遡っていえば、江戸中期の安藤昌益の場合である。昌益の背景にも鉱山開発による河川の汚染や乱開発による飢饉によって苦しむ農民がいた。しかも彼らには、農民の抵抗の〈経験〉を背景に独自の人間観・自然観を基礎にした環境思想の形成がみられる。日本の環境運動の場合は、狭い島国において商品経済、資本主義的近代化が進展する中で引き起こされた、自然に深く関わって生業を営む民衆の生存の危機という社会的問題が、自然破壊の問題と当初から深く関わっているということである。とりわけ田中正造の場合などには、実践を通じて現代に通じる近代批判と脱近代の萌芽が生まれている点で今日的視点からも注目すべきものである（小松 2001：669）。

つまり、日本の環境思想の系譜は、もともと自然破壊と民衆の生存を巡る闘争が一体のものになっている点にその特徴がある。日本の環境運動は、すでにアメリカにおけるような「環境的正義」の問題意識を当初から内包していたと言ってもよいのである。

## （2）「環境正義」の提起の背景

さて、話を少し戻すと「環境正義」という言葉がアメリカ合衆国で現れた背景には、ノースカロライナ州ウォレン郡アフトンのコミュニティ（共同体）で、環境レイシズムに反対した最初の大きな闘いがあったことによるとされる。以下、前述の本を参考にして述べておくことにしょう。

ウォレン郡にはノースカロライナ州のなかでも高い割合のアフリカ系アメリカ人が住んでおり、アフトンのコミュニティには、84％のアフリカ系アメリカ人がいたとされる。しかも、ウォレン郡は、ノースカロライナ州において、2番目に高い貧困状態にあり、13・3％もの失業があった。1982年、「統一キリスト教会の人種正義の委員会」（UCC-CRJ）の会長である、チャールズ・E・コッブは、ウォレン郡のPCB埋立地に抗議して、アフリカ系アメリカ人や貧困者にほかのコミュニティよりも重い環境負担に耐えさせていると主張した。このことは、非暴力の市民不服従の運動を引き起こし、ついには、PCBに汚染された土壌を運搬するトラックを防ぐ抗議運動において頂点に達したが、それは結果として、500人以上の逮捕者を出しつつも、メディアの大きな注目を引くこととなったのである。

ウォレン郡の抗議運動とともに、これらの研究によって、環境的価値と、貧困者や有色人種に関わる社会正義への関心との間の関係を明らかにする会議や集会が開催されるようになった。しばしば強調されるのは、1991年にワシントンDCで行われた、第1回全国有色人種環境指導首脳会議（the First People of Color Environmental Leadership Summit）である。この会議で、環境正義活動の行動綱領を概説している「環境正義原則」という文書を作成するに至る。ここでの「環境正義」という言葉は、1987年に、ベンジャミン・F・チャビス・ジュニア師によって「環境レイシズム」とのかかわりで造り出されたものとされるのである。

以上、アメリカにおいて「環境正義」が、「環境レイシズム」とともに提起されるようになった背景を具体的イメージがもたれるように述べてきた（レイシズムといえば、コロナ禍で、黒人男性が警察官によって殺され、「ブラック・ライヴズ・マター」というスローガンによる大きな運動が起こったことを思い出す）。

環境に関わる政策や実践は様々な集団・コミュニティに様々に異なる影響を与えるが、環境的受益と環境的負担は往々にして不平等と思えるような結果を与えるのである。従って、アメリカで運動を通じて提起された「環境正義」論とは、社会正義の一環として、環境問題と社会正義との間にある概念的な連関性と因果関係を探求するものと言える。

日本で最初に「環境正義」について包括的な議論を展開した論者に戸田清がいるが、彼もまたアメリカの上記の運動を念頭におきながら、次のようにまとめている。

「環境正義（environmental justice）とは、人間社会と自然的物理的環境の相互作用において、意思決定の手続きが適正であるか（手続き的正義）、受益と受苦が公平に分配されているか（分配

的正義）を問う概念であると私は理解している」（戸田 1998：273）

そして、戸田もまた、この「環境正義運動」が登場することによって、環境運動の担い手と争点は従来の「原生自然の保護」を中心とする「白人男性中心の自然保護運動」から広く大きく展開し、深化することになったとしている。

## （3）環境正義の二つの次元

さて、環境正義には、一般に「配分的正義（Distributive Justice）」と「参加的正義（Participative Justice）」の二つの次元があるとされる。さきに戸田が環境正義を「分配的正義（Distributive Justice）」と「手続き的正義（Procedural Justice）」に二つに分けたが、戸田の場合、「手続き的正義」が広い意味で使われているようなので、「参加的正義」とほぼ重なると言えるが、「手続き的正義」という言葉は、負担と受益の配分の公平な配分を保障する方法に関わる意味合いが強いと思われるので、ここでは後述するように、配分的正義の対になるものとしては、意思決定の問題に関わる意味合いを強調する「参加的正義」という表現を採用しておこう[7]。それではまず「配分的正義」について見ていこう。

（a）環境正義の配分的次元における関心は、有色人種、貧困者、先住民などの政治的発言力の弱い集団・コミュニティが、不利な環境的負担を負わせられているという認識から始まる。たとえば、この場合、環境的負担には、危険な物質や有毒な廃棄物にさらされること、汚染、健康の危機や危険な職場、開発によって失われる地域の自然資源と結びついた伝統的な習慣が含まれる。環境的受益は、安全な職場、きれいな水と空気、自然環境や公園への簡単なアクセス、環境的負担への公平な補償、地域の自然資源と結びついた伝統的な習慣などの保護を含む。不公平は必ずしも不正であるわけではないが、何らかの恣意的な特徴や原理にもとづいて不公平な分配が行われているところでは、環境的差別が行われていると言ってよい。

いうまでもなく、人種的特徴にもとづく不公平は、環境的負担の分配における社会経済的不公平の他のたいていの場合と同様に、確かに道徳的に疑わしいものである。米国や世界のいくつかの地域において、もっとも議論し、討議されている環境的不公平は環境レイシズムなのである。しかも、環境的不公平はしばしば社会経済的不公平と関わっている。かなりの環境負担を絶えず受けている個人または団体がある一方で、それらの負担を回避した結果、受益を得ている者がある。

（b）環境正義の参加的次元における関心は以下の事実に注意を向ける。それは、（国内的には）有色人種や貧困者、先住民などが、また、（世界的には）工業化していない南の国々やそこの人々が、環境保護運動や、また、どのように環境的受益や負担を割り当てるかの議論に関して、みずから意見を反映させることができるということは、ほとんどないという事実である。彼らは、主流的な環境保護グループに参加したり、環境保護の政策立案に参加すること、また地方、国、そして世界というレベルの環境保護機関に代表を送ること、環境の負担や受益の配置において意思決定することからは意図的、無意図的に除外されているのである。従って、これまで、環境正義に関しては主に、配分的正義の次元の議論がもっぱらであったが、次第に参加的不公平の問題に焦点が当てられてきているのである。

## （4）地球環境正義をめぐって[8]

1972年にローマ・クラブによって『成長の限界』が発刊されて以来、1980年代に環境への関心はグローバルな政治的議題において主要な関心事となりはじめ、1990年代までには地球環境問題は国際政治のなかで安全や経済に加えて第3の主要な問題領域として位置づけられることになった。大気汚染、酸性雨、有害廃棄物の輸出、公害企業の海外移転、多国籍企業の活動、そして地球温暖化といった多くの環境的影響は国境を越えるものであり、これらの影響は「地球環境正義」の観念を生み出してきた（最近は大雨など異常気象が各地で起こり、気候変動に関心が大きく向けられ、「気候正義」という言葉も生まれている）。地球環境正義は、国境を越え個々の国民国家がコントロールできない活動や影響に対する環境的関心から生まれ、国家間の配分的不平等や参加的不平等を問題にするのである。[9]

グローバルな「コモンズ」の概念が1980年代に現れて、1992年の最初の地球サミットではグローバルな環境に対する関心がこの概念をめぐって示されることになった。しかし、地球環境正義の観点からすると、このグローバルなエコロジーの見地は批判的意識を欠く場合には、ある種の地球管理主義が生み出されてくるのであって、以下のような批判がなされている。

つまり、地球環境問題がますます少数の世界的に活動している政治的・経済的権力をもつ人々によって管理されていく事態にかかわる。国家的なレベル、国連の機関といった複数の国家に関わるレベル、多国籍企業、主要なNGO、そして世界銀行などの国際的な機関に関わる人々が決定権を握ることになるのである。それに加えて、地球生態環境の調査研究は、国際政治の政策決定に関わっている相対的に少数の科学者によって指揮されている。かくして地球環境に関する政治は、きわめて少数のエリート層が他の圧倒的大多数の人々を支配し、意思決定を行うという構図を描くことになる。従って、ここでも、参加的正義が第1の関心事にならないかぎり、地球生態系への関心の移行は世界政治をよりいっそうの非民主化へ導くかもしれないのである。

従って、地球環境正義に関わって、「北」の人々が、「南」の人々や将来世代、さらに非人間的な自然への関わりに関して、いかにして「責任」や「義務」を果たす議論を社会理論的に構築できるかという問題意識をもつ必要がある。この場合、グローバル化した諸個人の生産・消費のあり方というローカルとグローバルをつなぐ物質的な関係に言及していくことである。

## 2 「自然の権利」論と現代コモンズ論

### （1）「自然の権利」論と訴訟運動

アンドリュー・ヴィンセントは、「環境的正義は誤称なのか」という論文で、以上述べてきたような社会運動から提起された「環境正義」とは別に、この「環境正義」概念を人間―自然関係にも直接適応して、これまでの「環境倫理」として議論されてきた、自然の権利、動物の権利、自然中心主義なども包括する見解もあるとしている。そして、彼自身は、「環境正義」がこのように使われていることに対して、慎重な批判的議論を展開し、結局動物を含めた自然への関わりにおいて「環境正義」を使用することは「誤称」ではないかとして、環境への関わりで問題になる正義論は、人間と人間の関係における配分的正義であると考えるべきとしている。

確かに理論としてはそうであろう。そして、従来の労働運動や社会運動に関わっている者からすると、しばしば「自然の権利」（また、「動物の解放」）という言葉は強い違和感を抱くものになっているようである。ただしかし、実際の「自然の権利」訴訟運動などの法廷闘争はある種の「環境正義」の闘いとみられ、しかも近代法の問題性を明るみに出す面があるので、ここには興味深い論点があるようにも思われる。この点についてここで少し考えてみよう。

「自然の権利」という言葉が明確に提唱されたのは、カリフォルニア大学の法哲学教授クリストファー・ストーンによるとされている。彼は、シエラ・ネバダ山のウォルト・ディズニー社によるリゾート開発の差し止め請求を起こした自然保護団体のシエラ・クラブを支援して1972年に「樹木の当事者適格——自然物の法的権利について」[10]という有名な論文を書いて当該裁判の最高裁の判事たちに送った。裁判は僅差で敗訴したが、ジャーナリズムによって「樹木訴訟」として全米の大きな話題となり、それ以来、この運動は世界各地にひろがったのである。それに続いて、ロデリック・ナッシュが『自然の権利——環境倫理の歴史』を発刊して、奴隷や女性の人権の拡大に類比して動物や生物への権利の拡大をわかりやすく描いて運動を補強することになった。

「自然の権利」訴訟は、裁判そのものとしては敗訴の場合でも実質的に勝訴と言ってもよいような状況をもたらす場合が多く、この点からしても自然保護の運動としては有意義な運動と言えよう。このことは、私も院生らとともに実地調査した、日本で最初の「自然の権利」訴訟（1995）であった奄美「自然の権利」訴訟の場合の判決からもうかがえる。[11]鹿児島の企業が奄美大島にゴルフ場を建設しようとしたのに反対して行われた裁判闘争である。この裁判では、自然保護活動家Aらのほか「アマミノクロウサギ」など動物4種が原告として訴状に名を連ねた。判決では、現行法上からは「原告適格」と認められないとして退けながらも、この提訴の意義を積極的に認めている点が特徴的であった。この点を以下、引用してみよう。

「ところで、わが国の法制度は、権利や義務の主体を個人(自然人)と法人に限っており、原告ら主張する動植物ないし森林等の自然そのものは、それが如何に我々人類にとつて希少価値を有する貴重な存在であっても、それ自体、権利の客体となることはあつても権利の主体となることはないとするのが、これまでのわが国法体系の当然の大前提であった(例えば、野生の動物は、民法二三九条の『無主の動産』に当たるとされ、所有の客体と解されている)。従って、現行の行政訴訟における争訟適格としての『原告適格』を、個人(自然人)又は法人に、限るとするのは現行行政法の当然の帰結と言わなければならない」

判決文はこのように「原告適格」に関しては、当初から提訴者によって予想された結論を展開しつつも、これで終わることなく、次のような課題を明確に述べている点で画期的とも言えるのであった。

「しかしながら、個別の動産、不動産に対する近代所有権が、それらの総体としての自然そのものまでを支配し得ると言えるのかどうか、あるいは、自然が人間のために存在するとの考え方をこのまま押し進めてよいのかどうかについては、深刻な環境破壊が進行している現今において、国民の英知を集めて改めて検討すべき重要な課題というべきである」

裁判所がこのような所有権について興味深い認識を示したことだけでもこの法廷闘争の意義は大きなものであったと言えよう。奄美「自然の権利」訴訟は、敗訴したとはいえ、その後ゴルフ場の開発が行われていない状況が続いている。関係者は実質的な勝訴として判決の晩に祝杯をあげたと語られているが、裁判所が提訴に共感を示し、近代法の限界を裁判官自ら指摘した点で大きな意義をもったものと言える。裁判所のこういった認識は、「自然の権利」訴訟を契機に社会正義の近代的理解への疑義を提示したものと理解されよう。

この裁判に最初からかかわっていた山田隆夫弁護士は、判決が出る前に論文において近代法の所有権との関わりにおける自然の位置づけについて述べていたが、近代法の限界について非常に明確な認識をもった上での裁判闘争が、このような判決を導き出す一因にもなったのではないかと推察されるものである（山田 1996：30-31）。いずれにせよ、「自然の権利」訴訟運動は司法の場に近代以降の通念となっていた所有観念を揺るがし、正義の番人たる司法の関係者に新たな正義感を触発し、問題提起をする力をもっていることが理解できる。

また、良く知られているように、沖縄ジュゴン「自然の権利」訴訟運動が展開されているが、これもきわめて興味深い有意義な運動と言える。普天間飛行場代替施設建設地におけるジュゴンの生息を根拠に、米国国家歴史保存法（National Historic Preservation Act＝NHPA）違反を理由に、２００３年に米国連邦裁判所にアメリカ国防省などを被告として裁判を起こした。２０１８年８月１日付けでエドワード・チェン判事が訴えを棄却したので、弁護団は控訴し、弁護団の声明「沖縄ジュゴン「自然の権利」訴訟控訴に向けての弁護団声明」（2019.9.25）を発表した。この裁判闘争は、〈環境〉と〈平和〉の闘いを統合するものとして非常に大きな意義のあるものと言えよう。

以上見てきたように、「自然の権利」訴訟運動は、近代的所有権の問題性を明るみに出したが、こういった所有権問題は、次に述べるコモンズ論にも関係してくる。

## （２）現代コモンズ論と公共圏

米国の生物学者ギャレット・ハーディンは「コモンズの悲劇」（1968）という論文で、コモンズ（共有地）は、多数者が自由に利用できるため資源の枯渇がおきると問題提起して議論を巻き起こした。ハーディンのコモンズ論はオープン・アクセスを前提にしていることが問題だということでハーディン自身も後に認めた。これに対して、現代コモンズ論は、伝統的な共同体がコモンズの使用などの規則や制度によって自然生態系を守ってきたことに注目し、この発想を現代に生かそうとする。特にエコロジー系の経済学――多辺田正弘の『コモンズの経済学』が代表的であるが――では、近代以降、伝統的共同体が「解体」されたと言われる場合でさえ、実際には、しばしば広義のコモンズ（母なる自然や共同体の相互扶助関係）が貨幣経済（民間の市場経済など）を下支えしていることを強調する。そして、市場経済の一層の拡大によるコモンズの侵食が今日の環境や人間の危機をもたらしているとするのである。

現代コモンズ論によれば、コモンズは、市場経済といった社会システムに抗して〈共〉的領域を確保しようとするものである。この〈共〉的領域は、つまり、ここでいう共同体は、生命地域主義（bioregionalism）の言うような自然生態系に位置づけられ、〈農〉的労働によって生存の自立を確保したコモンズ的共同体の構想である。そして、ある地域生態系に即した地域の重層的な共同体（community of communities）として、ローカルな共同体からナショナルなレベル、さらにはリージョナルな共同体へと重層化していくイメージである。所有権自身も近代の私的所有のように排他的でなく、重層的な性格をもっていると考える。そして、それぞれのネットワークの結節点を核にして自由なコミュニケーション空間を意味する公共圏が各レベルのコモンズ的共同体と相互補完的関係のなかで重層的に形成されるということである。それとともに、重層化された公共圏は共同体を開かれた共同体へともたらす役割をもつ。共同体の成員は公共圏にかかわり、そこにおけるコミュニケーション合意を通じて、共同体相互の連帯とともに、国家機構や市場経済に影響を与え、とりわけ物象化をもたらす市場経済システムの規制や縮減を実現していく。さらに情報ネットワークを通じてグローバルな公共圏にもつながっていくとされる。

この市民社会とコモンズの両者を関わらせる発想に関しては、森林社会学者の井上真が『コモンズの思想を求めて』で論じている事例がわかりやすい。彼はインドネシア・カリマンタンのフィールド研究で得た経験を基に、市民社会論（公共圏）とコモンズ論の相互補完的な具体的事例を提示している。

「これまで具体的な地域社会（ある意味で閉じた社会）を対象として展開されてきたローカル・コモンズの議論は、『協治』の概念を導入することによって、抽象的な公共空間・公共圏、あるいは市民社会を対象として展開されてきた公共性の議論と接合される。つまり、『協治』はローカル・コモンズと公共空間・公共圏・市民社会を媒介とするのである」（井上 2004：146）

私が興味深く思うのは、従来、伝統的な共同体が「排他的」とか「閉鎖的」とか言われ、〈進歩〉のためにはまずそれが解体されねばならないという通念があったが、それが地球環境問題の視点から森林保護が要請される状況のなかで、伝統的共同体が解体されることなくその役割を果たしつつ、このように外に向かって開かれていく可能性が語られることである。つまり、伝統的共同体の地元住民が、ＮＧＯとかＮＰＯとか、いわゆる「よそ者」と言われる人たちと関わることによって開かれてくる。そして、それを通じてさらにグローバルな公共圏とさえ関わってくるということである。逆に公共圏やアソシエーションによって構成される自由なコミュニケーション空間のほうも、コモンズとしての地域共同体と関わることによって足が地についてくる。ともすれば公共圏は、地域レベルからナショナルなレベル、さらにいえばグローバルなレベルへと抽象的に拡大していく、このことによって希薄化していくものがある。しかし、やはり我々はリアルに考えるためには、ローカルな労働に根差す共同体に足をすえて考える必要がある。こういったコモンズ論は、後の章で議論するロシアの農業共同体に関するマルクスの晩年の思想と共振するところがあるのである。

## 3　環境思想の哲学的論争点——人間中心主義 vs 自然中心主義

前節までで環境思想の大きな流れとともに、その中での環境正義を巡る幾つかの議論を見て、社会理論への通路を探索したが、今節では、20世紀後半以降、環境倫理学・哲学において最も先鋭な対立をなした論争である、「人間中心主義と自然中心主義の論争」の意味を考えてみることにしたい。これは社会理論にとってどういう意義があるのか、これを通じて人間—自然関係をどう考えるべきかを、次章の初期マルクスの人間—自然関係の考え方や後期の『資本論』での「人間と自然の物質代謝」論へのつながりを念頭において述べてみたい。

### （1）人間中心主義 vs 自然中心主義

すでに前節で述べたように、20世紀の後半以降、地球環境問題が意識されるようになるにつれ、「環境倫理」が強調され、これまでのように人間の視点（利益や効用）から自然保護を考えるのでなく、自然それ自身が価値をもち自然の視点から自然保護を考えるべきであるというわゆる「自然中心主義」（非人間中心主義）と呼ばれる思潮が環境思想の流れで力をもつようになってきた。そして、こういった自然中心主義の立場からは、従来の環境保護の立場は「人間中心主義」であり、近代主義的な立場であるとされた。そういった立場からは、マルクス主義も基本的に「人間中心主義」の立場であるとされた。これに対して、グルントマンなどのマルクス主義者は、『マルクス主義とエコロジー』で、自らの立場を「人間中心主義」と明確に位置づけ、むしろその正当化を主張した。[12] グルントマンほど明確にではないかもしれないが、従来のマルクス主義者はこの対立において「人間中心主義」の立場を取ることが多いと思われる。ここから、自然中心主義を取るエコロジストからは、マルクス主義のみならずマルクスに対しても不信感をもつことになる。しかし、私ははたしてマルクス自身の思想もまた人間中心主義と呼べるか、むしろその両者の対立を超えるスタンスではないかと思うが、その点は次章で詳しく議論したい。

そしてまた、自然中心主義者からすると、前述の「自然の権利」は、「自然の内在的価値」に根拠づけられるものであると主張された。彼らによれば、人間による価値付与を離れても自然自身に価値があるということを「自然の内在的価値」(または、「自然の固有の価値」)は意味するのである(ナッシュ 1993:396)。[13] しかも、これは、人権思想の前提とされる人間的価値(特に尊厳価値＝dignity)に類比されるものと考えられているのである。

このことによって人権思想の拡大として「自然の権利」が語り得ると主張される。この「自然の権利」の考えによって、人類史上、かつて奴隷が、また女性が「倫理的共同体」のメンバーでなかった状態からその一員に迎えられる中で搾取や抑圧から解放されてきたのに類比して、いま動物や植物、生態系、生物圏もその成員とするような、より拡大された「倫理的共同体」の実現が求められているというのである（ナッシュ[14]）。

この「人権の拡大」として「自然の権利」を捉えるような自然中心主義者の立場からすると、「動物の権利」も「自然の権利」のなかに位置づけられることは容易に理解されよう。これによって、思想の大きな統合性が得られる反面、本来の意味の〈人権〉の相対化という危うさも生まれると言われることになる。[15]自然中心主義と人間中心主義の対立をめぐる試金石は「自然の内在的価値」を認めるかどうかがポイントと言われ論争されてきた。ただ、私は、自然中心主義と人間中心主義の対立をめぐる論争と「自然の内在的価値」の有無の問題は切り離せるのではないかと思う。私の立場としては、人間中心主義者のように人間を離れて自然に価値はないという立場でなく、人間を離れても生命的自然には価値が満ち溢れているという立場を取りたいと思うが、そのことは、同時に、自然中心主義者の主張する「自然の権利」を根拠づけるものとしてのそれではないということも強調しておきたい。その点を次に見てみよう。

### （2）自然の内在的価値

さて、「自然の権利」を根拠づけるものとしての「自然の内在的価値」という自然中心主義的な理解を離れて、自然には人間による価値付与なしに、それ自体において「価値」という事態があるかどうかと問われれば、繰り返しになるが、私は、それはあると答えたい。しばしば「価値」という言葉や概念は人間にしかないという理由で、たとえば、人間に近い動物などにも「価値」はないと主張されるが、対応する言葉や概念があるかどうかということと、それに対応する類似的な事態が生起しているかどうかということは区別する必要がある。

実際、われわれが進化論を否定しない限り、人間に固有とされる意識作用や心的能力に関しても、すでにダーウィンもまた『人間の由来』において主張していたように、人間と類人猿との間の基本的な連続性を否定することはできないと思われる。そして、人間の本質的特徴が、労働や言語の獲得によって形成され、動物的社会から人間的社会への飛躍が行われたとされるのも、この連続性を大前提にしての話であると理解する。この意味では、人間に固有とされる価値付与の心的作用や価値評価的な心的態度は、ちょうど人間の種々の認知的態度・能力が、霊長類の多くの認知実験によって多かれ少なかれその萌芽が類人猿に認められたように、[16]類人猿に原初的な仕方で存在することを想定することは自然であろう。

つまり、人類と共通の祖先から別れたチンパンジーなどの類人猿に人間の認知や感情の起源的ありようが認められる。従って、木の実の殻を石で割ったり、シロアリ釣りに見られるような、原初的ではあるが、道具使用を伴って欲求充足活動という共通の生命活動を営む類人猿に、原初的な認知的主体が想定されるように、原初的な価値評価主体が想定されてよいと思われる。そして、このことはさらに、進化の連続性に従って、多かれ少なかれ他の生物へとその萌芽を遡っていくことを想定しうるのである。[17]そこから次のように言えよう。

一般的にいえば、欲求充足活動をする生命体が存在する場合、そしてそこに、少なくともその生命体にとって選択すべき対象や行動がある以上、そこにはその生命体にとって良きものと悪しきものという「価値的な」事態が発生していると言えるのではないか。つまり、当の生命体の維持・繁殖にプラスのものは「価値あるもの」であろうし、マイナスなものは「反価値的なもの」と言えるのではなかろうか。この意味での「価値的なもの」の評価主体として生命体を考えられるのではなかろうか。そのことはまた、生命主体自身に何らかの価値の源泉を考えることであり、生命主体の価値実現としての欲求充足活動に関わる手段・対象にその生物自身にとっての何らかの価値を認めることになると言えよう。それは、人間的な〈価値〉ではないにせよ、生物的な次元での「価値」と言える。このヒトも含めてあらゆる生物に共通する生物的次元で考えられる生命体の維持に関わる価値を「生命的価値」と呼ぶことにしよう。

### （3）生命的価値と人間的価値

生命的価値の源泉は生命それ自身である。この点から上述のことを別の仕方でいえば、生物に生命があるということ、つまり〈生きている〉ということは、生と死との不断の闘争にあるということである。生きるということはその否定の不断の克服なしには不可能である。つまり、ある意味でその現実の生命存在がいわば「存在と当為の関係」、〈Sein（ある）と

Sollen（べし）の関係〉を構造的に含んでいると考えてよいと思われるのである。だから、生命、即ち、〈生きている〉ということは、単に「ある」ということではないのである。それはドイツのヴァイツゼッカーが言うように、生命体は「ある」ということに還元されない〈意味ある矛盾（sinvoller Widerspruch）〉の存在様式をもっているということである。従って、自然に「内在的な価値」があるか、と問われるならば、少なくとも生命的自然に関して、この「生命的価値」という意味において存在すると答えたい。だから、進化の過程は生物的生命から人間的生命を創出したのであるから、生命的価値は人間にとっても土台であると言える。

ただ、この人間以外の生物がもつ生命的価値は、自然中心主義者が期待するような仕方で、人間に直ちに道徳的な〈当為〉（べし＝sollen）や義務を引き起こすものではない。人間は自然の事物や生物に対して、手段的価値や美的価値、さらには宗教的価値等を付与し、価値ある物とするが、こういった価値物が人間の道徳的な当為を含めて種々の行動を直接引き起こしたり規制したりすると言える。こういった価値評価の主体としての人間によって付与された価値を「人間的価値」と呼ぶとすれば、生命的価値は人間的価値とは区別されよう（もちろん、人間もまた生命体として「生命的価値」をもつが、それは社会的文化的次元によって浸透されているので、動物一般のそれとは同一の性格をもつとはいえないであろう）。従って、人間が環境的自然に関わる倫理的行為を近代の道徳や法理論の発想で直接基礎付けることを意図するならば、「自然の権利」論にみられるように人間的価値を投影せざるを得なくなるのである。[18] だから、「自然の内在的価値」として上述のような意味で「生命的価値」を認めるだけでは、「環境倫理」的な意味での自然保護の即戦力にはならないかもしれないが、とはいえ、我々人間が自らの生命的価値のもつ意義に気づくならば、同じように生命的価値をもつ他の生命体を尊重し敬意しょうとする可能性が現れることに留意すべきである。この点は、とりわけ動物などに関わる際の態度、たとえば共感的態度に大きな影響を与える点で意義深いと思われるのである[19]。

従って、繰り返しになるが、私は人間の価値付与を離れて自然に価値はないという立場でなく、生命的自然、生命圏には価値が満ち溢れているという立場を取りたいと思う。しかし、それは、自然中心主義者たちが主張するような「自然の権利」を根拠づける「自然の内在的価値」（また「自然の内在的価値」）ではないと言える。自然中心主義者が「自然の権利」に類比する人権は社会的性格をもつものだからである。しかし、生命圏に満ち溢れる「生命的価値」は社会的性格をもたないものである。自然中心主義者が想定する自然の価値は、「自然の権利」が人権に類比されているように（そして、人権を基礎づける価値は「人間の尊厳」と呼ばれる至上の社会的価値であるが）、やはり近代法の人権を基礎づける「人間の尊厳」価値の類比として考えられ、自然中心主義者にみられるように「生命平等主義」が語られているからである。そして、こういった自然中心主義にもとづく「自然の権利」思想は近代的人間観の否定面を批判するだけでなく、その積極面をも否定し、逆に人権思想の核心を曖昧にさせる危険性をも秘めていると言えよう。生命圏は価値主体の集合体ではあるが、「人権」を根拠づけるに類比した権利主体の集合体ではありえないであろう。生命圏には、食物連鎖というお互いの主体を否定しあうことによってのみ自己保存が可能であるような関係性が厳然としてあるからである。しばしば「生命共同体」という言葉が語れるが、私は、比喩としての有意義さは認めつつも厳密な意味では「共同体」は人間社会にとっておくべきであろうと思う。「生命共同体」は「生命圏」と呼ばれた方がよいであろう。人類は生命圏の他の生物との関係性における生命主体として生命圏の一員であるとともに、自然と人間社会との関係性における人間社会の社会的主体を構成する一員でもある。この人間存在の二重性を見落とすべきではないであろう。上述した自然中心主義者の「倫理的共同体」論は、人間が生命圏の一員であるとともに、生命圏から区別された人間社会の一員でもあるという、この人間存在の二重性を見ていないであろう。

もし「自然の権利」を「人権の拡大」として位置付けるのではなく、上記のような区別をもとに、生命的価値に満ち溢れた生命圏の人間社会への法的反映として捉えるならば、近代法を超える別の有意義な法的理論化が可能であるかもしれない。この場合には、人間存在を貫く生命圏と人間社会の二重構造を考慮に入れた仕方で人権とこの意味での「自然の権利」との関係がより具体的に論じることができよう。実際、すでにふれたように、「自然の権利」訴訟運動で良心的な裁判官が近代法になじまないと提訴を棄却しつつも原告の立場に深い共感を寄せたことは興味深いのである。

ところで、人類の生成史の中で、上述のような存在と価値とが一体化した生命的価値に関わる価値評価的な心性を越えて、いわゆる事実と価値の分離という意味での人間に固有な価値意識が産み出されるのは、どの時点であろうか。それはやはり、社会生活が営まれる中で〈規範〉が、人間言語（それとともに意識）の獲得と連動して形成されることによるのではないかと思われる。言語による世界の分節化はすでにある言語を共有する集団の価値意識を内含しているからである（この点で、マルクスの「言語は人間の共同的存在の定在である」という言葉を思い起こす）。というのは、規範に関わる価値意識が発生するもっとも固有の場は、個体の対自然関係よりも、むしろ欲求充足をめぐる様々な関係を基礎とした、個体間のやりとり、「社会的交渉」の場だからである。そして、さらにそういった個体間のやりとりの複合から形成されてくる「社会的秩序」が、それを維持するための相互のシンボル的な身ぶりを発達させ、それが同時に規範的意識の形成をうながすと考えられる。

つまり、社会生活の中で、規範や当為に関わる行動が意識されてくる中で、事実と価値の区別が明確になってくるのである。しかし、このことは、事実と価値の絶対的区別を意味するものでなく、両者の相互浸透を否定するものでもない。事実と価値の分離を固定化し、二元的な対置にまでもたらすのはまさに近代以降に支配的になる態度、すなわち、人間と自然の二元的対置と連動しているといえるのである。次章では、若きマルクスによるこういった二元的対置の批判を見ることになる。

【注】

1　環境思想の様々な論者や概念等を簡便に知るには、文献に挙げた『環境思想キーワード』が便利であろう。また、様々な環境・エコロジーに関わる諸思想・イデオロギーを広く概観するには、ブライアン・バクスター『エコロジズム』（2019）が適当と思われるが、原書が書かれたのが１９９９年ということもあり、マルクス主義関係の論述については少し古く、マルクスの「人間と自然の物質代謝」論に基づく最近の議論についてはあまりふれられていないのが難点であろう。私のこの本では、まさにこの議論を主たるものとすることになる。

2　日本では、加藤尚武が『環境倫理学のすすめ』（丸善出版 1991）で、以上述べてきたアメリカの動向を踏まえて環境倫理学の最初のわかりやすい入門書を出したことによって、日本でも環境倫理学への関心が高まり、若い研究者を中心にひとつの流れをつくった。

3　人間中心主義は、高田純も『環境思想キーワード』の該当項目で指摘しているように、ヒューマニズムと同じではない。高田によれば、「ルネッサンス期のヒューマニズムは、人間の自然・本性と自然との一体性を重視している」（同書：80）からである。

4　マティース・ワケナゲルとウィリアム・リースによって考案され、『エコロジカル・フットプリント』（1995）ではじめて提案された次のような考えである。「エコロジカル・フットプリントとはある経済システムに流入し出ていくエネルギーと物質の流れ（フロー）を明らかにし、このフロー面積にしてあらわす分析方法である。ここでの面積とは、このフローを維持するために、人間が自然界から必要としている土地および水域の面積のことである」（ワケナゲル・リース 2004：24）

5　この箇所では、Dale Jamieson, *A Companion to Environmental Philosophy*, Blackwell, 2003 の Robert Figueroa, Claudia Mills ほかの「環境正義」関連の論述を活用している。

6　アメリカ合衆国の「環境レイシズム」の具体的な実際に関しては、以下の本が参考になる。本田雅和／風砂・デアンジェリス『環境レイシズム――アメリカ「がん回廊」を行く』解放出版社、2000。

7　前出のシュレーダー・フレチェットもまず配分的正義と参加的正義を大きく押さえた上で、手続き的正義にもふれている。

8　この項は、前出のRobert Figueroaなどの論述を参照している。また、グローバリゼーションの視点から環境問題を政治哲学的・社会哲学的に考える視点では、オーストラリアの哲学者の以下の著作が参考になる。Arran Gare, *Postmodernism and the Environmental Crisis*, Routledge, 1995.

9　この本の第6章で詳しくふれるが、『国境を越える農民運動』によれば、過去20年の世界的な社会正義の運動での中で最も著名でラディカルなものは、「アグロエコロジー」を掲げる農民運動、「ビア・カンピシーナ（小農の道）」と言われる（同書：67）。

10　このストーンの論文の邦訳は『現代思想』1990年11・12月号所収。また、この邦訳は『リーディングス環境　第2巻　権利と価値』有斐閣、2006年にも所収。

11　判決文等は以下のweb参照。http://itomarius.jp/ecology/lecture/natureright/igi.html／奄美自然の権利訴訟判決の意義について（itomarius.jp）http://shizennokenri.life.coocan.jp/AM010130.html／奄美自然の権利訴訟判決の意義について（coocan.jp）2020年12月1日閲覧。

12　島崎隆は論文「環境問題における人間中心主義・自然の支配・技術のあり方――グルントマン『マルクス主義とエコロジー』を読む」（『環境思想・教育研究』第2号：2008）にて適切な批判的紹介をしているので、参照されたい。

13　「自然の内在的価値」と「自然の固有の価値」は厳密には違いがあるが、ここでの議論の脈絡では同じものと考えておいてさしつかえない。

14　この方面の流れを包括的にまとめた著作としては、ロデリック・F・ナッシュ『自然の権利――環境倫理の文明史』を参照されたい。

15　これは、一方で、ナチズムがユダヤ人や障害者をホロコーストへ送るとともに自然保護や動物虐待禁止などに関わる法を世界に先駆けて制定したことや、他方で、過激な動物解放論者からの救命ボートが転覆して知能の遅れた人間の赤ん坊か犬を救うかとすれば犬を救うであろうというような発言に関係している。

16　実際、我々人間の認知能力に関しては、チンパンジーより優れたものがあると同時に劣るものもあるのである。

17　この点で、マレー・ブクチンや今西錦司が〈主体性〉について、それを人間に限定せず、他の生命体に遡っていくことができることを主張しているのに共感する。ブクチンは、この際に、ディドロの「物質の感受性 sensibilité」とヘーゲルの『精神現象学』における弁証法的方法を前提としている点は興味深い。Murray Bookchin, *The Philosophy of Social Ecology*, BLACK ROSE BOOKS,pp.58-59.

18　ただ、すでに前節で述べたように、「自然の権利」の哲学的議論とは区別して、米国や日本における「自然の権利」訴訟という仕方でのエコロジーの実践的運動としては、裁判所に問題提起し、その実際の成果からして意義を評価したい。

19　今日、世界的にも一般的になった「アニマル・ウエルフェア」の考えもこういう議論の中から生まれてきたと言える。また、霊長類学者のバーバラ・スマッツは、動物解放論などの抽象的な倫理学的議論に対して、野性のヒヒやゴリラの群れなどの中での生活経験をもとに、具体的な動物個体との共感的関わりがもたらす動物観の転換の大きな意義を語っている。

【引用・参考文献】


- 井上真『コモンズの思想を求めて』岩波書店、2004
- ヴィンセント、アンドリュー「環境的正義は誤称なのか」バウチャー、デイヴィド／ケリー、ポール編『社会正義論の系譜』ナカニシヤ出版、2002
- エデルマン、マーク／ボラス、サトゥルニーノ『国境を越える農民運動――世界を変える草の根のダイナミックス』明石書店、2018（2016）
- 尾関周二／環境思想・教育研究会編『「環境を守る」とはどういうことか――環境思想入門』岩波書店、2016
- 尾関周二『環境思想と人間学の革新』青木書店、2007
- 尾関・亀山・武田編著『環境思想のキーワード』青木書店、2005
- 尾関周二『環境と情報の人間学』、青木書店、2000
- 小松裕『田中正造の近代』現代企画社、2001

- 戸田清「環境政策と環境正義」藤岡貞彦編『〈環境と開発〉の教育学』同時代社、1998
- ドブソン、アンドリュー『シチズンシップと環境』日本経済評論社、2006
- バクスター、ブライアン『エコロジズム――「緑」の政治哲学入門』ミネルヴァ書房、2019（1999）
- 本田雅和／風砂・デアンジェリス『環境レイシズム――アメリカ「がん回廊」を行く』解放出版社、2000
- 山田隆夫「環境法の新しい枠組みと自然物の権利」、山村恒年・関根孝道編『自然の権利――法はどこまで自然を守れるか』所収、信山社、1996
- ナッシュ、ロデリック・F『自然の権利――環境倫理の文明史』ＴＢＳブリタニカ、1993
- ワケナゲル、マティース／リース、ウィリアム『エコロジカル・フットプリント』合同出版、2004（1995）
- ヴァイツゼッカー、Ｖ・Ｖ『生命と主体――ゲシュタルトと時間・アノニューマ』人文書院、1995
- クッツエー、Ｊ・Ｍ『動物のいのち』大月書店、2003（J.M.Coetzee, The Lives of Animals, Princet on University Press, 1999）
- シュネイバーグ、アレン他『環境と社会』ミネルヴァ書房、1999
- ハーバマス、ユルゲン『コミュニケーション的行為の理論』下巻、未来社、1987
- イムラー、ハンス『経済学は自然をどうとらえてきたか』農文協、1993
- ブクチン、マレイ『エコロジーと社会』白水社、1996
- マーチャント、キャロリン『ラディカル・エコロジー』産業図書、1994
- 山田孝夫「環境法の新しい枠組みと自然物の権利」山村・関根編『自然の権利――法はどこまで自然を守れるか』信山社、1996
- Arran Gare, *Postmodernism and the Environmental Crisis*, Routledge, 1995.
- Dale Jamieson, *A Companion to Environmental Philosophy*, Blackwell, 2003.
- Kristin Shrader-Frechette, *Environment Justice*, Oxford University Press, 2002.

# 第2章　環境・社会の危機と「物質代謝」概念の射程

## はじめに

すでにふれたように、環境思想の流れは、20世紀70年前後にローマクラブの『成長の限界』、レイチェル・カーソンの『沈黙の春』、石牟礼道子の『苦海浄土　わが水俣病』などの多くの読者を獲得する一般向けの本が出版されたことによって70年代以降に急速に多様な展開をみせ、ディープ・エコロジー、エコフェミニズム、ソーシャル・エコロジーなどの様々な環境思想が生まれた。また、地球環境問題をテーマに国際会議が開催されるようになるとともに、温暖化などの地球気候問題、生物多様性の問題、食料・農業問題、資源・エネルギー問題、南北問題、人口問題、北世界のライフスタイル問題など議論され明確に公共的に意識されるようになった。しかし、その深刻さの度合いに応ずるような仕方で一向に問題解決に向かっていく気配がみられない。なぜ環境問題への取り組みが前進しないのか、前進のためには、環境問題の考え方の枠組み自身をこれまでの仕方から大きく転換する必要があるのではないか、そういった問題意識が、近代以降の現代文明の哲学的反省を要請してきたと言える。

すでにふれたように、ノルウェーの哲学者アルネ・ネスによって創始され大きな影響力をもったディープ・エコロジーは近代思想・価値を批判し、従来の自然保護運動を「人間中心主義」のシャロウ・エコロジーの運動であるとして、「自然中心主義」を主張し対置したのである。しかし、近代批判を強調するラディカルな自然中心主義の思想自身の説得力は、その変革の強調に見合った社会理論的な概念装置が十分に生み出されなかったことによって、経済成長に環境保護を組み入れようとする「エコロジー的近代化論」（これはディープ・エコロジーからすれば典型的な人間中心主義の一種）の広がりとは逆に今日かなり弱まってきたと言える。

こういったなかで、改めてソ連型マルクス主義の教条から解放された眼で、マルクスのエコロジー的な可能性を考えてみることが必要になっていると思われる。この章では、今日における環境問題を考える枠組みを革新するという問題意識から、マルクスの思想、特に若きマルクスの「人間主義と自然主義の統一」（詳しくは後述）の理念と晩期マルクスにおける「人間と自然の物質代謝」概念の深化をつなぐことで、環境思想と社会理論を結びつける新たな可能性をさぐってみることにしたい[1]。

後者の「人間と自然の物質代謝」は、従来、特に経済学者の多くにおいては、人間が自然に働きかける労働過程を意味する仕方だけで捉えられて、人間と自然の循環に位置付けるエコロジー的意義を持つことが見逃されてきた。従って、マルクスがリービッヒからこの概念を獲得した当時の科学・技術の状況にもふれながら、日本の研究者の先駆的業績にもふれることにしたい。米国のフォスターが『マルクスのエコロジー』という本でこの概念を取り上げたこともあり、にわかに広く日本でも注目されることになったが、じつは日本ではすでにかなり前からこの概念は注目されてきたのである。とりあえず、この「人間と自然の物質代謝（Stoffwechsel）」概念に関してマルクスのエコロジー的センスを示すものとして、エコロジストで従来の経済学に批判的な玉野井芳郎の次のような言葉を挙げておきたい。

「スミス以降の全経済学の歴史の上でひとりマルクスだけはStoffwechselということばを用いて、生産と消費の関連を人間と自然とのあいだの物質代謝の基礎上に捉えようとした。」（玉野井 1990：9）

この玉野井の注目は重要と思われるが、そのことはこの章を読み進めば理解できよう。同時にまた、環境問題と農業問題の深い連関も理解されてくるであろう。

## 1 「人間主義と自然主義の統一」のマルクス的理念

### （1）近代主義思想による人間―自然関係の理解

すでに前節で指摘したように、ディープ・エコロジーなどの環境思想による鋭い近代批判の志向にもかかわらず、その主張の自然中心主義の背景には、隠された仕方で、やはり人間―自然関係の関係そのものに関して近代哲学思想の二項対立的な発想を裏返しの仕方で引きずっているように思われる。他方で、ソ連型マルクス主義もその唯物論の一面的な理解もあって実践においては近代主義的な「人間と自然の対置」を前提にする自然支配の態度（プロメテイウス主義）を取っていたと言えよう。それは、1940年代に始まった「自然改造計画」によってアラル海を縮小・干上がらせた「20世紀最大の環境破壊」と言われるものに象徴されている。

その意味で、改めてマルクスによる人間―自然関係の理解ははたしてどのようなものであったのか、と問われているわけである。そこで、若きマルクスが『経済学・哲学草稿』において提起した「自然主義と人間主義との統一」という理念に注目される。それは、彼のエコロジー的な可能性ということで、環境思想における自然中心主義と人間中心主義の論争やソ連型マルクス主義の人間―自然関係の理解と対比して見てみても興味深いと言えるのである。ここでまず、このマルクスの「人間主義と自然主義の統一」の思想とその背景にあるものを少し考えてみよう。

近代資本主義社会の形成は、ヘーゲルが「近代」という時代を「分裂の時代」と呼んだように、人間と自然、人間と人間、心と身体、個人と共同体等々、様々な分裂とそれを背景とする深刻な問題をもたらした。なかでも人間と自然の分裂、人間と自然の二元論は近代的世界観の根本的なものと言える。この点は、まさに「近代哲学の父」と呼ばれるデカルトによって、きわめて明確に提示された。デカルトによれば、人間と自然はそれぞれ〈思考〉と〈延長〉という全く異なる本質を有する二つの実体（精神と物質）とされることになった（この二元論によって後述するように生命的次元が欠落することになったことが重要であると私は考える）。ここに、人間と自然は精神世界と機械論的な物質世界の対立において理解され、人間自身の心と身体の関係や、決定論と自由意志の関係といった世界観的な諸難問（アポリア）が発生することになった。

これ以降、この近代哲学の二元論を克服する様々な思想的営みが始まるわけであるが、この克服は、大きくは二つの方向、つまり、フランス唯物論とドイツ観念論の二つの方向からアプローチされたと言える。前者は、ラ・メトリに見られるように、結局はデカルトの機械論的自然観を人間観にも拡大し、「人間機械論」を提唱したように、いわば人間を一面化された「自然」に還元したと言える。他方で、カントに始まりヘーゲルにおいて頂点にいたるドイツ古典哲学と呼ばれる流れの根本的志向は、錯綜しながらも全体として、ヘーゲルにおいて自然を「疎外された精神」として「絶対精神」（＝人間精神）に解消したように、いわば自然は一面化された「人間」に還元されたと言える。若きマルクスが掲げた「人間主義と自然主義の統一」の理念とはまさにこういった近代における「自然」と「人間」のそれぞれの一面化による還元、対立の解消へと収斂する思想を批判し、上記の両方のアプローチの批判的統合・止揚を目指したと言えるのである。これはさきの生命的次元の理論的復活にもつながるものと思われる。

## （2） 人間―自然関係のマルクス的理解

このように、近代哲学における人間と自然の対立、二元論の克服といった大きな思想的脈絡においてマルクスの哲学思想を見ると、「人間主義と自然主義の統一」の理念は、まさに近代批判を通じて脱近代の思想を志向するものとして理解されてくるのである。

少し先回りして述べたが、思想の世界における人間と自然の分裂、対立は、マルクスにとってはさらにまた社会的現実にかかわる問題でもある。そして、近代資本主義の社会経済システムはまさにこの現実を基礎にして機能していることを、「疎外された労働」の分析を通じて明らかにしようとしたのである。周知のように、疎外について、四つのアスペクト、⑴自然からの疎外、⑵生命活動からの疎外、⑶類的存在からの疎外、⑷他の人間からの疎外が語られる。この「⑴自然からの疎外」には、労働者の労働生産物からの疎外とともに、労働者の生産・生活基盤となる自然からの疎外が語られていることに注意すべきである。マルクスは「労働者は、自然がなければ、感性的な外界がなければ、なにものも創造することができない」（『経済学・哲学草稿』MEW 40: S.512, 岩波文庫版 : 88）としつつ、疎外された労働においては、自然は「彼に敵対的に対立する疎遠な世界として感性的な外界」（同前書 : S.515 : 93）として立ち現れることを指摘するのである。まさに近代の思想において捉えられた人間と自然の分裂・対立は、「疎外された労働」と不可分であるという認識がマルクスの哲学を脱資本主義を軸とするる脱近代の哲学にするのである。つまり、この「疎外された労働」は何に由来するかといえば、エンクロージャーなどによってコモンズが破壊され、貧農が自然（大地）から切り離され（生産・生活手段から切り離され）「二重の意味で自由な労働者」となったことによるのである。つまり、古い前近代的な抑圧から「自由」になるとともに土地などの生産手段の喪失という意味で「自由」になったわけである。

そして、興味深いのは、この『経済学・哲学草稿』が１８４４年頃に書かれたとされるのに対して、まさに１８４２年に「木材窃盗取締法に関する討論」（MEW 1 : S.109）が書かれている事である。この論文は農民が共有地であった森から枯れ枝ひろいや野イチゴを摘んだりして生活の一助にしていたコモンズの慣習に対して近代の市場化・私有化が進む中で、それらを「窃盗」として「取締法」のもとにおこうとするライン州議会での議論に対して、マルクスは農民の立場に立って批判した論文である。そしてさらに重要なのは、マルクス自身も後に自ら語っているように、このテーマを手掛けたことが、彼が本格的に政治経済学の研究にたずさわる最初の動機になったと言っていることである。ここで、コモンズ問題は現代の環境問題の意識と深くかかわっていることを思い起こしておきたい（室田・三俣 2004）。

従って、１８４４年執筆の『経済学・哲学草稿』にこの論文の農民問題もまた何らかの仕方で反響していると考えても良いであろう。この草稿で語られている「労働者」は直前までマルクスが故郷トリアで関心を抱いた自然（土地と森）から追い出された「農民」の姿と二重写しになっていたと考えても良いであろう。マルクスは『経済学・哲学草稿』において、自然を「非有機的身体（unorganische Leib）」という非常に印象的な言葉で語っているが、これはまさにこういった現実との関わりをも念頭においた時、十全に理解されるのではなかろうか。「自然、すなわち、それ自体が人間の肉体でない限りでの自然は、人間の非有機的身体である。人間が自然によって生きるということは、すなわち、自然は人間が死なないためには、それとの不断の（交流）過程の中にとどまらねばならないところの、人間の身体であるということなのである。人間の身体的、精神的な生活が自然と連関しているということは、自然と自然自身との連関〝die Natur mit sich selbst zusammenhaegt〟ということ以外の何事も意味しない。というのは、人間は自然の一部分だからである」（同前書：S.516：94）

　こういった言葉と共に、疎外された労働における「自然からの疎外」が語られることからして、「非有機的身体」という表現において人間―自然関係の内的・生命的関係性が語られていることは間違いない。このことは、工場労働者を思い浮かべると具体的イメージが浮かびにくいのであるが、農民の労働を思い浮かべるならば彼らの生産・生活手段である自然（土地や森）は彼らの身体そのものと有機的一体になっているわけではないが、まさにいわば「身体」と言ってもよいほどの離れがたい内的な生命的な繋がりのあるものとイメージできる（このイメージは後のマルクスの「自然との物質代謝」と共振する）。従ってここには、近代の自然主義、或いは人間主義による人間―自然関係の理解とは違ったマルクスのユニークな人間―自然関係の理解が語られていると考えるべきであろう。

一般的なマルクス理解によれば、労働による〈対象化〉ということで、ともすれば、人間―自然関係をもっぱら主体―客体関係と考えがちであるが、マルクスにとってはその基底には内的・生命的関係の理解があることを忘れてはならない。特に、自然を「身体」という比喩で表現したことは、デカルトにおいて心と身体の二元論が人間と自然の二元論の帰結であったことを思い起こすと意味深長で、マルクスが明らかに心と身体の不可分性に人間と自然の内的・生命的関係を類比させようとしていると理解される。この点で、人間―自然関係をもっぱら主体―客体関係で捉えようとする近代主義的理解との違いがあると言える。

そして、同時にまた上記の人間―自然関係の理解は、マルクスの言う「自然の人間化（社会化）」の理解にもかかわるのである。人間は人間以外の動物と異なり、目的意識的活動としての労働という人為的な働きかけを通じて「自然の人間化（社会化）」を行うものである。従って、この「自然の人間化（社会化）」というものは重層的なものと考えられる。この点は、「サトヤマ」で国際的に有名になった日本の農村・里山を思い浮かべると理解しやすいであろう。家の周りを里地（農耕的自然）が取り巻き、さらにそれを「里山」が取り巻き、さらにその奥に「奥山」があるといった具合である。ここには、人間―自然関係における人為的働きかけの重層的なバリエーション（これは同時に人間的生命から非人間的生命のバリエーションでもあろう）があると言える。そしてまた、マルクスの場合、「自然の人間化（社会化）」は同時に人間自身の生成であるという視点を語るのである。「人間化（社会化）された自然」は、逆に人間に作用し、人間の感性を人間的なものにさせていくとするのである。

「たんに五感だけでなく、いわゆる精神的諸感覚、実践的諸感覚（意志、愛など）、一言でいえば、人間的感覚、諸感覚の人間性は、感覚の対象の現存によって、人間化された自然（die menschlichte Natur）によって、はじめて生成するからである。五感の形成はいままでの全世界史の一つの労作である」（同前書：S.542：140）

つまり、人間は根源的には自然の一部であるが、人間は〈対象化〉という労働の本質を通じて、自然に働きかけ、自然を人間化（社会化）すると同時に、そうして「人間化された自然」との関わりにおいて自己確証し、人間的自然自身が人間らしいものに自分自身を発展させていくというのである。留意すべきは、ここでいう「人間らしさ」は自然から疎遠なありかたではなく、むしろ人間の「自然らしさ」の深化でもあるということである。従って、マルクスの場合、むしろ、今日的な言葉でいえば、人間と自然の「共進化」的な事態が語られているとみられるのである。人間―自然関係は、人間と人間の「非有機的身体」としての自然との関係であり、こういった関係にある人間が自然との関わりにおいてつくる歴史は同時にまた、「自然史の一環」であり、「歴史そのものが自然史の、人間への自然の生成の、現実的な一部分である」（同前書：S.544：143）と考えるのである。

わかりやすく進化論的な視点を入れて述べるならば、自然史において無機的自然は、有機的自然、生命体を生み出し、さらに生命体はその長い進化の過程で人間を生み出した。そして、さらに人間という生命体は自己意識や精神、文化を生み出した。その自然史の両端の無機物と精神だけを取り上げると全く媒介不可能な対立にみえるが、じつは、「自然史」は、人間の自然的存在のみならず、精神的・文化的・社会的存在をも含んだ意味で、つまり人間及び人間社会をまるごと含んだ意味でも用いられるのである。マルクスの「人間主義と自然主義の統一」はこうした事態を象徴した言葉である。

そして、若きマルクスによれば、「コミュニズム」（コミューン主義）こそ、こういった人間と自然の関係を基礎にして、疎外された労働を止揚する実践的な社会変革の運動であるとともに、人間と自然の対立をはじめとする、近代の世界観的な理論的諸問題を解決するものであるとして、次のように語られるのである。

「このコミュニズムは、完成した自然主義として＝人間主義（vollendeter Naturalismus = Humanismus）であり、完成した人間主義として＝自然主義（vollendeter Humanismus = Naturalismus）である。それは人間と自然とのあいだの、また人間と人間とのあいだの抗争の真実の解決であり、現実的存在と本質との、対象化と自己確認との、自由と必然との、個と類とのあいだの争いの真の解決である」（同前書：S.536：131）

いささか大げさな表現とも思われるかもしれないが、ここには、マルクスが、上記においてみた近代哲学の自然主義的な視点での人間―自然関係の理解も、逆に人間主義的な視点での人間—自然関係の理解も、共に一面的として止揚しうる理論的かつ実践的な思想的立場を見出したという感激が表明されていると理解されよう。[2] そして、このような立場から未来社会としてのコミュニズム社会は人間—自然関係の次のようなあり方として語られるのである。「社会は、人間と自然との完成された本質統一であり、自然の真の復活であり、人間の貫徹された自然主義であり、また自然の貫徹された人間主義である」(同前書：S.537-8：133)

抽象的でわかりにくい表現ではあるが、少なくともソ連型マルクス主義のように、人間と自然の対置を前提に科学技術を利用して自然を支配・征服していくという近代主義的イメージとは相当違うことは理解される。ここでいう「社会」は、自然に対立するどころか、「自然の真の復活」とされたように、人間が自然の一部であるという大前提のもとに、人間化された自然と自然化された人間の相互作用と相互浸透を通じて共進化していくイメージで理解されよう。[3]

従ってまた、若きマルクスにとって、「人間主義と自然主義の統一」の理念は、今日的には、コミュニズムとエコロジズムの統一的実現という仕方で理解しても間違いではないであろう。しかし、ここでのマルクスのエコロジー志向はまだ潜在的・理念的というべきであろう。これは、『資本論』における「人間と自然の物質代謝」概念において、マルクスによる資本主義社会を批判するエコロジー的視座の生成という仕方で現実化することになる。

## 2　環境・社会危機と「人間と自然の物質代謝の亀裂・攪乱」

すでに指摘したように、マルクスの場合、この「人間主義と自然主義の統一」の理念は単に哲学的な抽象的な議論にかかわるだけでなく、農民の土地からの切り離しに由来する近代社会における人間と自然の分裂・離反という社会的現実にも関わっていたのである。そして、今日ではマルクスのエコロジー的視点としてよく語られる「人間と自然の物質代謝」概念もまた、こういった若きマルクスの「人間主義と自然主義の統一」の理念との関係において捉える必要がある。「人間と自然の物質代謝」概念は当時の科学界における大きな存在であったユストゥス・フォン・リービッヒから得たものであった。リービッヒは「有機化学の父」や「農芸化学の父」と呼ばれているが、化学や農学だけでなく、生物学、生理学、経済学、そして物理学にもかかわる多方面の科学の分野に影響力をもった当時の科学界における巨人である。

こういったことを念頭に置いて、マルクスの「人間と自然の物質代謝」概念について見てみたいが、まず注目されるのは、『資本論』では〈労働〉はこの物質代謝の過程であると共に物質代謝を媒介・規制するものとされたことである。マルクスの思想において〈労働〉は原点であることからしてその重要性が理解される。このリービッヒの思想にふれた時の感激は

「現代の全経済学者の諸著作を合わせたよりも多くの光明を含んでいる」（『資本論』初版 MEGA Ⅱ/5: S.410）という、いささかオーバーとも思われるリービッヒ評価に表れている。そして、現代の環境・エコロジー問題への射程をもつ「物質代謝の亀裂や攪乱」の議論が展開されることになる。ただ、『資本論』第1巻の初版で述べられたこのリービッヒ評価は第2版では、少しトーンダウンして、さきの言葉はただ「光明を含んでいる」という控えめな表現になっているのである。これは後にミュンヘンの農学者のフラースの諸著作を読むことによると思われるが、この点はまた後にふれることにしょう。

このように後期マルクスは、労働を「人間と自然の物質代謝」との関係において位置付けたが、このことは労働の本質を〈対象化〉として捉える若きマルクスの見解と対立するものではない。若きマルクスの場合、すでに前章でみたように、〈対象化〉としての労働は「人間主義と自然主義の統一」といった人間―自然関係の理解において位置付けられるからである。従って、マルクスの〈労働〉概念は、〈対象化〉とともに自然循環において捉えられるべきであるが、ソ連型マルクス主義が農業労働に比して工業労働を典型視し、労働概念をもっぱら主体―客体関係において捉えたことによって環境・エコロジー思想への通路を失ったように思われる。

さて、近代における人間と自然の分裂・離反としての社会的現実である農民の大地からの切り離しとは、まさにカール・ポランニーが近代の市場経済を特徴づける「大転換」として語った「人間と自然の商品化」にかかわることでもある。すでにふれたように、人間（労働力）の商品化と自然（大地）の商品化を実現するために、コモンズが解体され、人間と自然の分裂（農民の大地からの切り離し）が行われたのである。エンクロージャーによって、貧農が大地から排除され、都市へと駆り立てられ、「自由な」労働者が創出されていく、いわゆる「資本の本源的蓄積過程」であり、人類史始まって以来の大規模な、人間と自然が切り離される歴史的出来事である。そしてこれは都市と農村の関係が逆転し、農村が都市に従属していく過程でもある。

そして、商品世界の全面化を通じて資本主義の進展は、「人間と自然の物質代謝」の視座から、「社会的な、生命の自然法則に規定された物質代謝の関連のなかに、回復できない亀裂（Riß）を生じさせる諸条件を生み出す」（MEW 25, *Kapital III*: S.821）、という表現で、その生態学的、社会的危機が捉えられ、農業問題、さらには都市と農村の関係の問題の関心へと展開していくのである。[4] 従って、これらは若い頃の人間―自然関係をめぐる先の哲学的問題意識の具体的次元での深化とも言えるのである。この点は、今日的なエコロジーの視点からもマルクスを評価する場合にきわめて重要と思われるので、それにかかわるマルクスの発言の幾つかを『資本論』に見ておきたい。

「大工業と、工業的に経営される大農業とは、一緒に作用する。本来この二つのものを分け隔てているものが以下の点だとすれば、つまり、前者がより多くの労働力を、従ってまた人間の自然力を荒廃させ破壊させるのにたいし、後者がより多く土地の自然力を荒廃させ破壊させることだとすれば、その後の進展の途上では両者は互いに手を握り合うのである。なぜなら、農村でも工業的体制が労働者を無力にすると同時に、工業や商業はまた農業に土地を疲弊させる手段を提供するからである」(MEW 25, *Kapital III*: S.821)

資本主義的な大工業と工業化された農業が、それぞれ人間と自然の荒廃、破壊を進めるが、ある段階では、一体となって人間の自然力と土地の自然力の破壊をすすめることを指摘しているのである。私は、ここ20年来、現代における環境問題と人間の心身の破壊はその根っこにおいて共通性があると指摘して、過労死やいじめの問題を論じてきたが、エコロジーとコミュニケーションの問題は深く連関しているのである(尾関 2000)。

次のマルクスの言葉も今日の農村―都市問題をも連想させ興味深い。

「資本主義的生産は、それによって大中心地に集積される都市人口がますます優勢になるにつれて、一方では社会の歴史的原動力を集積するが、他方では人間と土地とのあいだの物質代謝を撹乱する。すなわち、人間によって食料や衣料の形で消費された土壌成分の土壌への回帰を、つまり持続的な土壌の肥沃度の永久的自然条件を撹乱する」(MEW 23, *Kapital I*: S.528)

このマルクスの言葉は両義的できわめて印象的である。都市での労働者の集積は、労働者の団結として歴史の原動力になる可能性を生み出すが、しかし、他方で、この農村と切り離された大都市化の存在は、それ自身都市と農村の分裂を通じて、生態学的危機をもたらしつつあるのだという認識である。従って、労働者の団結による革命は、人間搾取からの人間解放を実現する社会システムのみならず、自然搾取からの「自然の解放」、つまりは、人間と自然の物質代謝の撹乱や亀裂を修復するような社会システムを実現することが肝要なのである。[5] そして、私なりに議論を敷衍すれば、小農などの農村で働く者たちは、「人間と土地とのあいだの物質代謝の撹乱」への対処という直接的な課題をもっていると言えるが、これの意義は後の章で議論する。

それでは、こういった物質代謝の亀裂・撹乱を克服するにはどうすればよいのか。

「社会化された人間、アソシエイトした（assoziiert）生産者たちが、盲目的な力によるように自分たちと自然との物質代謝によって支配されるのをやめて、この物質代謝を合理的に規制し、自分たちの共同的統制のもとに置くということ、つまり最小の力の消費によって、自分たちの人間的自然に最もふさわしく最も適合した条件のもとでこの物質代謝を行なうということである」（MEW 25, *Kapital III*: S.828）

将来社会をめざすなかでの人間と自然の物質代謝の〈合理的規制〉に関しては、「社会化された人間」や「アソシエイトした生産者たち」が登場すべきである。そして、「物質代謝によって支配される」のは、人間と自然の物質代謝が物象的な関係（商品交換関係）に浸透され、工業化社会的な性格によって歪められていることを認識する必要があろう。[6] さらにいえば、この「社会化された人間」や「自分たちの人間的自然に最もふさわしく最も適合した条件」という言葉に、先に見たような「人間主義と自然主義の統一」という理念のもとでの初期マルクスの人間観・自然観がこだましていると理解するのは私の読み込みすぎであろうか。

## 3　リービッヒの「物質代謝」と「物質循環」の思想

これまで見てきたところから、マルクスがリービッヒから取り入れた「人間と自然の物質代謝」概念が現代における資本主義を批判する重要なエコロジー的視座になりうることが理解されよう。この概念は、リービッヒが活躍した当時の化学、生物学、農学、生理学、経済学といった多分野の絡み合いのなかから形成されてきたものである。そして、マルクスはこのリービッヒの思想を、ミュンヘンの農学者フラースなども参考にして一層深めていくことになる。[7] さらに、私としては現代の微生物学の成果なども考慮に入れて、この「人間と自然の物質代謝」概念をより深く理解したいと思うので、少し長い議論になるが、おつきあい願えればありがたい。

そこでまず、リービッヒの「物質代謝」概念をめぐる理論と思想を少し詳しく見ておくことにしょう。[8] 19世紀はダーウィンの進化論が生物学の画期をなしたことで有名であるが、この19世紀は生物学や化学をはじめとする科学の諸分野が急速に発展した時期である。化学者であるとともに農学者、生理学者でもあったリービッヒの「物質代謝」概念の提起は自然循環論も絡み、広く影響を及ぼし論争になった。それは、マルクスにおいて社会理論、歴史観にも影響することになったが、同時にまた、生物学の科学的発展においても一つの大きな画期をなしたものと言えよう。[9]

まず、「物質代謝」概念の成立の経緯を中心に少し見てみよう。医学史の研究によれば、「物質代謝（Stoffwechsel）」という用語は、１８１５年に化学者のＧ・Ｃ・シグワルトが最初に使用し、その後、生理学者のＦ・ティーデマンが１８３０年に使用しているとされる。環境経済学者の吉田文和によれば、リービッヒ『化学の農業及び生理学への応用』第1版（1840）において「物質代謝」概念は現代の使用法に近い仕方で最初に使用されたと言われる。そこでは、生体内における物質の移行、物質の結合と分離を示すものとして「物質代謝」が使用されており、とくに体内における Stoff（物質）の Wechsel（交代）、つまり結合と分離によって、生命活動が維持されている点に注目して形成されたものとされる。そして、リービッヒは2年後に出版された『生理学と病理学に応用された有機化学』（1842）でこの概念を多用するようになる。興味深いのは、この頃のリービッヒの「物質代謝」概念には、生体内の、力、熱、電気の源泉として「物質代謝」という意味を示す用法もあり、その関係でマイヤーやヘルムホルツといった物理学者らの「エネルギー保存則」の考え方から評価されることもあった。つまり、リービッヒの「物質代謝」概念は、今日のように生命体に固有な本質を表す概念として限定されず、広く自然界に適用される概念としても理解されていたと言えよう。さらに、

1862年の『化学の農業及び生理学への応用』第7版になると、「自然の循環」論が展開されるようになり、都市と農村の関係にも物質代謝の考えは適用され、本来土壌に返されるべきものが、海に流されているとしてロンドンの下水道が批判的に問題にされる。他方でまた江戸時代の日本社会における都市と農村の関係が循環論の視点から高く評価されることになる。大城下町である江戸や大阪とその近郊農業は農産物と人糞尿の交換が行われていた（実際、私の小学生の頃にはまだ、近くの農家が汲み取りに家に来ていたことを思い出す）。リービッヒにおいて「物質代謝」は社会のあり方の評価についても使用されていくのである。

リービッヒの「自然循環」論を正確に理解するには、彼の農学方面の研究からの概観を知っておくことが必要と思われるので、それについても少しふれておくことにしよう。

リービッヒは、農学においては「農芸化学の父」として有名で「腐食栄養説」を否定して「無機栄養説」を主張したことで知られているが、まずこの経緯を簡単に振り返っておこう。1731年にイギリスの農学者トゥルは、植物は動物が餌を食べるように根から土の粒を取り込んで養分としているとして「土粒栄養説」という考えを主張した。これに続いて、1761年にスウェーデンの化学者ワーレリウスは、土中の黒い物質（腐食）こそが植物の養分であるとして、「腐食栄養説」を提唱した。この説はドイツで「合理的農業」を唱えたことで有名な化学者テーアによって支持されたこともあり、広く普及することになる。テーアは1809年から1812年にかけて『合理的農業の基礎』全4巻を著わし、腐食栄養説を取り入れた独自の農学理論を展開した。

その後１８０４年に、スイスの化学者ド・ソシュールによって、「植物は空気中の炭酸ガスを大量に吸収して栄養源にしている（光合成）」という現象が証明されて、それまでの植物の養分に関する考え方に新説が加えられることになった。そして、リービッヒはこの光合成による炭酸ガス以外の養分は、植物はすべて根から無機養分として吸収すると考えたのである。リービッヒは、１８４０年にさきの『化学の農業及び生理学への応用』を著し、あらゆる植物の栄養源は腐植のような有機物ではなく、リン酸、硫酸、ケイ酸、カルシウム、マグネシウム、カリウムなどの無機物質であるという「無機栄養説」、（リービッヒの言葉では「ミネラルセオリー」）を唱える。椎名によれば、単に「無機栄養」というだけならば他にもいたが、リービッヒの説の独自なのは、有機的自然と無機的自然の間の連関（自然の循環）を「植物栄養の化学的過程」に着目して解こうとしたことである（椎名 1978：179）。このリービッヒの新説は、前述のテーアの腐植栄養説を否定することにもなり、大きな論争になる。しかし、その後の研究の進展で、水耕栽培の手法が開発され、無機養分のみで植物が生育することが証明されて、腐植栄養説は退けられることになった。しかし、リービッヒは植物の最重要元素の一つと言える窒素の吸収について誤った理解をした。

一般的に言って、土壌中の無機態窒素（アンモニアや硝酸）の量はきわめて少なく植物が十分に生育できる量ではないにもかかわらず、植物が窒素をたくさん吸収しているのはなぜか、という疑問に対して、これは、植物が空気中からアンモニアガスを吸収しているからに違いない、とリービッヒは考えたのである。しかし、後に、この植物の窒素栄養源のリービッヒの考えは、イギリスのローザムステッド農業試験場の研究者であったローズとギルバートによって強く批判された。彼らは、圃場試験を繰り返し、その観察から、空気中からごくわずかに供給されるアンモニアガスは、とうてい作物の生育には足りない窒素量であると結論した。この批判に対して、リービッヒは激しく反論し、大論争となるが、しかし、この論争は、双方ともに確たる説明データを持っているわけではなかったので、最後は感情論の応酬になってしまった。植物の窒素栄養については、その後も多くの人々によって論争され続けたが、土壌中での窒素の動態は不明のままで時代が過ぎてゆくことになる。

19世紀の半ばになると、フランスの微生物学者パスツールが自然界の物質変化に微生物が大きく関与していることを証明する[10]（リービッヒはパスツールと発酵が単なる化学反応か生物の作用かを巡って長い論争をしたが負けている）。そして、土壌には膨大な微生物が住んでいることも次第に明らかになる。そして1877年には、シュレシングとムンツの二人の研究者により、土壌微生物のはたらきでアンモニアが硝酸に酸化される現象（硝化作用）が発見される。さらに、この硝化作用を追試験していたロバート・ウォーリントンによって、「土壌中の有機物は土壌微生物によって分解されて無機化する」ことが発見されるのである。このウォーリントンの発見によって、土壌―微生物―植物間の相互関係が明確になり、植物の窒素栄養に関する基本概念が確立したとされる。なお、リービッヒは無機栄養説を提唱したが、これは正確には有機農業的な考え方を否定するものではなく、『化学の農業および生理学への応用』第7版にて、その付録に添付したプロイセン東アジア遠征隊のヘルマン・マローンの「日本農業に関し、ベルリンにおいて農業大臣に行われた報告」(1863) を参考にしながら、さきにふれたように、江戸時代の農業を人間と自然(土地)との物質代謝による循環型農業を実現した社会の具体例として評価している。

## 4　「人間と自然の物質代謝」概念の理解の深化

前節でリービッヒの「人間と自然の物質代謝」、「自然循環」の理解を中心に見てきた。それでは次にマルクスはどういう点で「物質代謝」概念の理解を深化させたのか見てみよう。

有機農業の研究者である中島紀一はこういったリービッヒの「無機栄養説」に基づく「物質循環論」を評価するとともにその不十分さを指摘している。

「リービッヒは炭素循環の鍵が光合成にあること、植物の栄養素は無機態で吸収されることを示して、腐食＝有機物からの直接的炭素吸収説(フムス説)を覆した。しかしここで彼は、腐食問題に含まれていたもう一つの問題、いわゆる微生物的、生命連鎖的問題(土は生きている!)を見落としてしまった」(中島 2013：132)

パスツールによって微生物の重要な役割が証明された後（1857）、リービッヒは、『化学の農業及び生理学への応用』第7版で、第2部（そこでは、彼は有機物の分解、腐敗の過程を単なる化学過程としていた）を全面削除するなどしたが、その無機還元説による物質循環論の基本線は変えなかった。しかし、中島によれば、「大地―植物―動物―大地の系を単なる化学的物質循環系（無機還元説）と捉えたリービッヒの理論は、少なくともパストゥール以降の時代には基本的修正が、すなわち、大地―植物―微生物―動物―微生物―大地という生命循環系としての把握とそこへの化学物質循環系の包摂といった方向への基本的修正が施されなければならなかった」（同前：133）とする。

中島によれば、この基本的修正の必要はその後の近代農学においては、基本的な理論問題として十分に意識されることなくきており、これが近代農学の「農業の工業化」的傾向と関わっているという指摘をしている。この中島の指摘の重要性は、「農業の工業化」が様々な環境問題を引き起こしていること、他面で、最近の研究によって腸内環境や土壌において微生物がきわめて大きな役割をしていることが様々な所で話題にされていることからも理解できることである。

そして、近代農学の問題性をリービッヒとの関係で次のように評する。

近代農学は「リービッヒの循環論を踏まえつつ、その上に生命連鎖的小循環という視角を再獲得しようとするのではなく、生命連鎖的小循環という枠から、さらには循環論的枠から、農耕を解き放つことに現代農業の基本的モティーフが置かれてきたとも言える。近代農学はリービッヒパラダイム（無機還元説と肥料外供給説の上に立った循環論）に依存しているかに見えても、実のところ継承したのは無機還元説と肥料外供給説だけで、総括的核心をなす循環論的部分はほとんど継承されなかったということだろう」（同前書：136-7）

このように中島は述べて、リービッヒが見落とした「生命連鎖的小循環」を生かした自然循環論を基軸にする考え方に農業の本来のあり方があることを明らかにしようとするのであるが、この点はまた後述することにしょう。

中島紀一はこのように「生命連鎖的小循環」を可能にする微生物の土壌における役割を指摘しているが、この点は、今日一層その重要さが最近のマイクロバイオーム科学の知見によって明らかにされつつある。これを人間の体内における役割と相関してわかりやすく紹介した興味深い本のエッセンスにここで少しふれておこう。かつて『土と文明』という本で話題を提供したデイヴィッド・モントゴメリが、彼の妻アン・ビクレーとの共著でという形で『土と内臓――微生物がつくる世界』という本を発刊した。自らの庭づくりの経験から話が始まって、土壌がいかに大事か、そして、土壌において微生物の生態系が植物の根と共生して植物の生長と健康にとっていかに大きな役割を演じているかを述べる一方で、妻アンの癌の体験を契機として人間の大腸や小腸などの内臓においても微生物生態系の役割が人間の健康において重要であることを自覚したことを述べている。この両者、つまり、人間にとって最も身近な大腸の内部環境における微生物生態系の働きと、植物の根の接する土壌環境と微生物生態系の働きという点とはきわめてよく似ていることを興味深く紹介している。そして、ヒトと微生物生態系との共生が重要な課題であることを最近のマイクロバイオーム科学の知見を背景にして提起している。[11]

ここから、近代化のなかで、工業化された農業において化学肥料や農薬によって土壌の微生物を皆殺しにして結果的に土地の劣化をもたらしたように、近代医学においても感染症の克服ということから病原菌の撲滅から過剰に体内の微生物の生態系の破壊に至って成人病などの病をもたらしていると指摘している。つまり、微生物生態系との関わりでの近代農業と近代医学の類似の問題性を切り口にして人間と微生物生態系との共生という大変興味深い議論を展開しているのである。我々は最近になってようやく微生物の世界という「自然界の隠された半分」を見ることができるようになったと言われるが、この微生物の世界が生命の進化において大きな役割を果たし人類の過去を形成し、そして、人類の未来社会のあり方は、人間と微生物生態系との共生にも大きくかかわっているというのである（現在のコロナ禍への対応の場合にも、こういった視点が必要であろう）。

このように見てくると、近代農学に関して中島が指摘するように、近代農学がリービッヒから「継承したのは無機還元説と肥料外供給説だけで、総括的核心をなす循環論的部分はほとんど継承されなかった」ということは、近代医学にもあてはまる面があることが理解されてくるのである。

さて、こういったリービッヒの場合には、「自然循環」が物理化学的過程という物質循環に還元される傾向があり、生命循環の視点を欠くものであることは、じつはマルクスも感じていて、それがリービッヒを超えるものとしてミュンヘンの農学者フラースに注目することと関係していると思われる。マルクスはエンゲルスへの手紙（1868.1.3）で前述のリービッヒ対ローズとギルバートの論争を「鉱物肥料論者と窒素肥料論者とのあいだの論争問題」と表現して関心を抱いているが、それとは別の問題性にフラースを通じて関心を持ちはじめていることを示している。

「ショルレンマーに、農芸化学の最新最良の本（ドイツ語のもの）はどれか、聞いてもらえないだろうか？　さらに、鉱物肥料論者と窒素肥料論者とのあいだの論争問題はいまどうなっているのか、についても（最後に僕がこの問題を研究したとき以後、ドイツではいろいろ新しいものが現れたのだ）。リービッヒの土地疲弊論にたいする反論を書いた近頃のドイツ人たちについて、ショルレンマーはなにか知っていないだろうか？　ミュンヘンの農学者フラース（ミュンヘン大学教授）の沖積理論を彼は知っているだろうか？　地代にかんする章のために、少なくともある程度までは、この問題の最近の事情を知っておきたいのだ。ショルレンマーは専門家なのだから、たぶん教えてくれることができるだろう」（MEW 32 : S.5-6）

フラースの「沖積理論」は、リービッヒとローズの間の化学肥料をめぐる論争には、自然力を考慮した持続可能な農業の視点が欠けているとして対案を示したものであった。それは、化学肥料に過度に依存せず、土壌内の養分の補充を鉱物が豊富に含まれた河川の力を耕作地に利用することで実現しようとするものであった。これは、日本の我々にとって田畑、とりわけ水田で実際に実現されており良く知ることでもある。

このようにマルクスは化学肥料を巡る論争を超えるフラースの視点に大きな関心をもち、フラースの『農業の歴史』、『農業の本質』、『時間における気候と植物界』などを読み、抜粋を行っている。そして、マルクスはフラースを高く評価することになるが、それは次のエンゲルスへの手紙（1868.3.25）に示されている。

「フラースの『時間における気候と植物界、両者の歴史』（1847）は非常に面白い。というのは、歴史的な時間のなかで気候も植物も変化するということの論証としてだ。彼は、ダーウィン以前にダーウィン主義者であり、歴史的な時間のなかでさえ種を発生させている。だが、同時に農学者でもある。彼は次のようなことを主張している。すなわち、耕作が進むにつれて——の程度に応じて——農民によってあんなに愛好される『湿潤さ』が失われて行って（従ってまた植物も南から北へ移って）、最後に草原形成が現れるのである、ということである。耕作の最初の作用は有益だが、結局は森林伐採などによって荒廃させる、うんぬん、というわけだ。この男は、化学者や農学者などであるとともに、博学な言語学者でもある（彼はいくつかのギリシア語の本を書いている）。彼の結論は、耕作は——もしそれが自然発生的に前進していって意識的に支配されないならば（この意識的な支配にはもちろん彼はブルジョアとして思い至らないのだが）――荒廃をあとに残す、ということだ。ペルシアやメソポタミアなど、そしてギリシアのように、従ってまたやはり無意識的に社会主義的傾向だ！　…中略…　農業について新しいものを、そして最新のものを、精密に調べる必要がある。自然学派は化学派に対立している」（MEW 32 : S.52-53）

マルクスは「土壌疲弊論」を巡る「鉱物肥料論者と窒素肥料論者との間の論争」に加えて、そういった対立軸とは別にもう一つの対立軸として「化学派」と「自然学派」の対立を、フラースを通じて知ることになったのである。斉藤幸平は、論稿「『フラース抜粋』と『物質代謝論』の新地平」でこの点を次のようにわかりやすく述べている。

「フラースによれば、窒素理論と鉱物理論は、どちらも窒素やリン酸といった土壌内の特定の物質の不足が土壌の疲弊を引き起こすことばかりを警告し、コストの高い化学肥料を繰り返し大量投機することの合理性を疑うことはなかった。それに対して、フラースの沖積理論は土壌内養分の補充を鉱物類が豊富に含まれた河川の水を耕作地の上で堰き止めることで実現しようとする。つまり、化学肥料に過度に依存しない自然の力を有効活用した、持続可能な農業経営のあり方を模索したのだった。実際、マルクスのノートはフラースの人工沖積のメリットを丁寧に記録している」（岩佐・佐々木 2016 : 224）

ここには、地代問題への関心から始まった「土地疲弊」論争への関心は、単なる物質循環ではなく、さらに歴史的視点からの生態系の推移といった自然循環のありようへの関心へと広がって行っていることが理解される。フラースは、人間による森林伐採が気候変動を起こしそれが農作物や土壌の変化をもたらすことを長期的な歴史的視点から論じている（フラースの研究は現代において盛んになった環境史研究の先駆という面があることも興味深い）。そして、農作物の生育にとって気候変動が重要なのは、土壌の化学養分の成分になる岩石の風化は気候変動による雨風、湿度、気温の変化が関わるからである。マルクスは、この主張にリービッヒとその対立者たちの「土地疲弊論」をめぐる化学論争を超えるフラースの自然循環の歴史的な視点の重要性に気づき関心を抱いたと思われる（このことは、若きマルクスの「自然史」を思い起こさせるものである）。

さらに、この歴史的な自然循環を意識的に制御する視点をもつことに「社会主義的」なものを見ようとしているのである。ここには目先の利益を追い求める資本主義的システムには不可能な制御の問題があり、つまり、アソシエイトされた人々の共同による長期的視点に立った物質代謝の制御を可能にするような社会システムが必要とされてくるということである。つまり、フラースを契機にマルクスの「人間と自然の物質代謝」概念はリービッヒのそれを超えた、より現代的な問題意識に近いものになったと言えよう。

フラースによって主張された耕作や森林伐採などによる気候変動による荒廃に象徴されるマクロな生命循環の破壊も、さきの中島によるリービッヒ批判に示されたような微生物によるミクロな生命循環も、違った形態ではあるが大きくは生命連鎖的循環であり、物理化学的過程としての物質循環を内含する生命的自然の循環の観点から考えることになり、それは地球生態系と人類にかかわる今日的なエコロジーの問題意識につながると言えよう。

このように、提起された「自然循環」を、物理化学的過程を内含しつつも独自の歴史的な生命的自然循環として理解することが次の理解を可能にするのである。つまり、さきのマルクスの「人間と自然の物質代謝の分裂・攪乱」ということが、資本の論理によって浸透された物質代謝のあり方が生命的な自然循環に基づく物質代謝の分裂・攪乱としてより十全に理解されることになろう。

以上、見てきたように、リービッヒやフラースに触発されたマルクスの「人間と自然の物質代謝」や「自然循環」の考えは、現代科学の視点でその不十分さを補えば、エコロジー思想と運動にとって大きな力になるものと言えよう。

【注】

1　おそらくマルクスの「人間と自然の物質代謝」概念の哲学的重要性を最初にまとまった仕方で指摘したのは、アルフレート・シュミット『マルクスの自然概念』（法政大出版局：1972）であろう。ただ、シュミットには今日のエコロジー的問題意識はなく、また、この概念はリービッヒでなくモレショットからマルクスに取り入れられたという間違いをしている。

2　「人間主義と自然主義の統一」のマルクスの理念は、ヘーゲルの『精神現象学』の構造からアイデアを得たのかもしれない。ヘーゲルの『精神現象学』の内容の二重の性格、つまり、それは「意識の経験の学」であるとともに「精神の現象の学」ということに示されているように、つまり、人間意識が経験を通じて絶対精神に至る過程が同時に絶対精神が個々の人間意識を通じて自らを現すという二重性である。その意味で、マルクスの根源的自然を基礎にする「人間主義と自然主義の統一」との類比でいえば、ヘーゲルの場合は、絶対精神を基礎にする「人間意識主義と絶対精神主義の統一」と言えるかもしれない。

3　自然と社会の「共進化」に関しては、リチャード・B・ノーガード『裏切られた発展——進歩の終わりと未来への共進化』（2003）が興味深い。

4　「人間と自然の物質代謝」の思想について早い段階でまとまった研究をした農学者の椎名重明がこの概念にかかわって「マルクスには、人間と自然の物質代謝 Stoffwechel の中心に農業を位置付ける視点がある」（『マルクス・カテゴリー事典』：413）と語っていたことは重要であろう。

5　ここで述べられたことは、さきに玉野井がマルクスの「人間と自然の物質代謝」を高く評価したことにふれたが、じつは、「生命系の経済学」とか「コモンズの経済学」と呼ばれるエコロジー系の経済学において探究されてきた「コモンズ」や「物質循環」を重視して経済学を構築していこうとする流れときわめて親和性をもつものである。これらについては、拙著（尾関 2007）の第Ⅲ部のうちの「多様なコモンズ論の興隆」を参照されたい。そこではまた、コモンズ論と市民社会論の統合の視点から共生型の持続可能社会の構築を探究した。さらにまた、大地の攪乱・亀裂の修復にローカルに関わるのが小農ということを思えば、後述する現代の「労農アソシエーション」構想とも関わってこよう。

6　こういった物質代謝は「物象化された物質代謝」と呼ぶことができると思うが、オーストラリアのアリエル・サレーはそれへの対抗的な世界的運動を重視する。そして、通常おもに「プレ産業労働」と呼ばれて資本主義の外側にいるとされる小農、先住民、家事従事者、子どもを産み育てる女性などに関して、逆に彼ら／彼女らを「メタ産業的な労働（meta-industrial labor）」に関わる者と呼んで地球的な物質代謝の視点から意義づけ、資本主義による物象化された物質代謝を下支えさせられつつも、重要な「物質代謝的な価値（metabolic value）」を生み出す者たちと考える（サレー 2011）。

7　なお、岩佐茂は「人間と自然の物質代謝」概念のマルクスの様々な使用法を『資本論』に即して検討しているので、この点に関心がある方は文献（岩佐 2020）を参照されたい。

8　リービッヒの理論と思想に関しては、椎名重明、吉田文和、アルフレート・シュミット、農業環境技術研究所『農業と環境』№１０２、また、リービッヒの『化学の農業及び生理学への応用』は抄訳ではあるが、吉田武彦訳で北海道農業試験場資料30号（1986）で読むことができる。チャールズ・シンガー『生物学の歴史』（時空出版 1999）などを参照した。

9　興味深いのは、エンゲルスは「人間と自然の物質代謝」についてはほとんど語ることなく、「物質代謝」概念を自らの使用に関しては生物学に限定しており、生命の起源との関係では、良く知られた有名な次の定式を『自然の弁証法』で述べている。「生命とは蛋白体の存在の仕方であって、その本質的な契機はその周囲の外的自然との不断の物質代謝にあり、この物質代謝が終わればそうした存在の仕方も終わり、蛋白の分解をもたらす」（MEW 20：S.559‐560）

10　ちなみに、マルクスはパスツールについてはほとんどふれることはなかったが、一箇所、次のエンゲルスへの手紙（1866.6.9）でふれている。「ラファルグが僕に語るところでは、ロバンを先頭とする微生物生理学者たちのフランスの新しい学派全体がパスツールやハックスリなどに反対して偶然的発生に賛成している、とのことだ。彼はこれについていくつかの新しい文献を知らせてくれるだろう」（MEW 31：S.225）

11　最近のコロナ禍で「コロナとの共生」と語られる中で、こういった微生物の世界への関心は一層身近なものになったと言えよう。

## 【引用・参考文献】

◆マルクス、エンゲルスからの引用は、本文中に記載し主にMEW版（Marx Engels Werke＝『マルクス＝エンゲルス全集』大月書店）から巻数、原著頁数で行う。また、新メガ版からは、下記の例示のように、巻数、原著頁数を示す。例：『経済学批判要綱』MEGA II/1.1 : S.80。なお、『資本論草稿集』（大月書店）からの引用は、「草2-100」として記載。


- 岩佐茂「人間と自然の物質代謝と生活の再生産」鈴木・高田・宮田編『21世紀に生きる資本論』ナカニシヤ出版、2020
- 岩佐茂・佐々木隆治編著『マルクスとエコロジー――資本主義批判としての物質代謝論』堀之内出版、2016
- 尾関周二「マルクスの脱近代思想とエコロジー的潜勢力」伊藤誠他編『21世紀のマルクス』新泉社所収、2019
- 尾関周二『多元的共生社会が未来を開く』農林統計出版、2015
- 尾関周二『環境思想と人間学の革新』青木書店、2007
- 尾関周二・亀山純生他編著『〈農〉と共生の思想』農林統計出版、2011
- 齋藤幸一『大洪水の前に――マルクスと惑星の物質代謝』堀之内出版、2019
- 齋藤幸一『人新世の「資本論」』集英社、2020
- サレー、アリエル「『物質代謝の亀裂』から『物質代謝的な価値』へ」『環境思想・教育研究』第5号、2011
- 椎名重明『農学の思想』東大出版会、1978
- シュミット、アルフレート『マルクスの自然概念』法政大学出版局、1972
- 玉野井芳郎『生命系の経済に向けて』学陽書房、1990
- 中島紀一『有機農業の技術とは何か』農文協、2013

- ノーガード、リチャード・B『裏切られた発展——進歩の終わりと未来への共進化』2003
- フォスター、ジョン・ベラミー「マルクスと自然の普遍的な物質代謝の亀裂」岩佐他編『マルクスとエコロジー』2016
- フォスター、ジョン・ベラミー『マルクスのエコロジー』こぶし書房、2004
- 室田武・三俣学『入会林野とコモンズ』日本評論社、2004
- モントゴメリ、デイヴィッド／ビクレー、アン『土と内臓——微生物がつくる世界』築地書館、2016
- 吉田文和『環境と技術の経済学——人間と自然の物質代謝の理論』青木書店、1980

# 第Ⅱ部

# 歴史観の深化と新たな変革視点

# 第3章　物質代謝様式とホメオスタシス——歴史観の深化（1）

## はじめに

この章では、第2章で述べたマルクスの「人間と自然の物質代謝」概念と現代の環境史の視点を統合し、私なりに従来の唯物論的歴史観を深化する仕方で活用することによって現代的な課題に応えうる歴史観を提案してみたい。その際に、晩期に向けてのマルクスによる歴史観の深化という視点を念頭においておきたい。なお、議論をわかりやすくするためにあらかじめ言っておくならば、晩期マルクスの思想の大きな特徴は、「ザスーリチへの手紙」（及び草稿）にあると思われるので、後の章でまた詳しく述べることになるが、ここで「ザスーリチへの手紙」について簡単にふれておこう。[1]

マルクスは最晩年にロシアの女性革命家ヴェーラ・ザスーリチから手紙（1881.1.3）をもらった。その手紙で、彼女は、ロシアのマルクス主義者たちはロシアが共産主義に向かうには、まずロシアの古い農業共同体を解体し資本主義社会が実現されることが必要だと論じているが、はたしてそれは正しいのか、とマルクスに問うた。それに対して、マルクスは三つの草稿に示されているように熟慮の末、返書の「ザスーリチへの手紙」及び草稿で述べた要点は、次のことである。そして、それは、原古の（アルカイックな）平等的な共同体の「自然の生命力」を残しており、資本主義的工業社会を経なくとも、その伝統的な共同体の問題点を克服すれば、ロシアの「共産主義的発展の出発点」になりうるとしていることである。

こういったマルクスの晩年の歴史観は、従来のマルクス主義の通念であった単線的な歴史観に対して、複線的な歴史観を示すというだけでなく、同時に、農業や共同体の積極的な意義をマルクスが考えていたことを示している。これについて、新メガの編集・研究を踏まえて発表されてきた近年のマルクス研究、特に晩年の遺稿などについての最近の研究成果[2]を参照・取り入れてより深く考えて行きたいと思っている。

そして、それを踏まえて、現代における変革思想や社会理論を考える際に、農業・環境問題を考えることが重要であり、それはまた、ソ連型マルクス主義の大きな問題点を再考することにもつながることにふれてみたいと思う。また、それは現代においてもきわめて重要な実践的意義をもっていると思う。なぜなら、後続の章以下で議論するように、労働者と農民の真の連帯にもかかわるテーマだからである。

## 1　歴史観への「物質代謝様式」カテゴリーの導入

マルクスの『資本論』に関しては、たとえ19世紀という時代的制約からくる問題点があるにせよ、現代社会もまた当時と同じように資本主義システムが威力を発揮し、格差・貧困やリーマン・ショックなど様々な問題を引き起こしており、「資本の一般的分析」を行ったマルクスの『資本論』の現代的意義に関しては、多くの識者の認めるところであろう。これに対して、彼の歴史観とされたマルクス主義の「唯物史観」(或いは「史的唯物論」)に関しては、特に20世紀前半以降、歴史学をはじめ経済学、哲学などの学問的諸分野の研究のなかからその妥当性が疑わしいという声が様々に提起されてきただけでなく、1991年のソ連・東欧の崩壊ということもあって、その現代的な意義が疑われて久しいとも言える。「マルクス・レーニン主義」という仕方で定式化された思想の中核にある、いわゆる正統的な「唯物史観」に関しては、しばしばスターリンの名前と結びつけられて、悪しきイデオロギーとさえされている。

こういった状況のなかで、歴史観を議論の対象にすること自体が、今日どれだけ意義のあることかという懐疑主義もみられるが、ただ、われわれは現在、地球環境問題をはじめとして人類史上かつてない様々な困難な課題を解決するために、どういう歴史的地点に生きており、未来社会をどう展望できるかと考える状況に置かれていると思うとやはり、歴史観、さらには人類史観の探究が必要とされてこざるをえないのである。そして、実際、「序にかえて」でふれたように、ハラリの『サピエンス全史』に示された歴史観や日本の政府・財界が主導する「Society 5.0」の歴史観などが提起され、影響力をもちつつある現実を考えると、歴史観の再考は不可欠に思われるのである。

ところで、歴史観を再考する場合、哲学の歴史においてはじめて「歴史哲学」を構築したと言われるヘーゲルの歴史観などの観念論的な歴史観を唯物論的視点から批判して提起されたマルクスの歴史観の生けるものと死せるものを考えてみることが必要であろう。その際に、マルクスの歴史観に関わる思索を教条的な「唯物史観」の拘束から解き放してその創造力を今日に生かしつつ、マルクス以後の種々の学問的成果も考慮して、現代的な課題に応えうる歴史観の構想が問われていると言える（それが「唯物史観の再構築」と呼べるのか、それの積極面を踏まえつつも、もはやそう呼ばない方が適切かどうかについては、ここでの判断は差し控えておきたい）。

そういった意味での歴史観についての私なりの基本的スタンスをあらかじめ述べておくならば、「唯物史観」の全否定よりも生かすべきものは生かすという視点の保持は有意義と思う。従って、たとえば、英国の歴史学者のホブズボームや『周縁のマルクス』を著わしたアンダーソンなどが言うように、教条的な「唯物史観」が主張してきた単線的な歴史理解でなく、複線的な歴史理解が妥当と思われるし、「土台」や「下部構造」と言われた経済的なものへの還元主義的歴史観も否定されるべきであろう。ただ、マルクスやエンゲルスがヘーゲルなどの観念論的な歴史観に対して批判的に主張した歴史観を捉える上での経済的、物質的なものを規定的とする着目をも捨て去る必要はないと思われる。また、「階級闘争」や「生産力と生産関係」といった主要カテゴリーもそれで歴史的発展をすべて捉えられるというような教条を捨て、後述するような諸カテゴリーを考慮して適正な仕方で歴史観の中に位置づけ直せばそれらの意義を全否定する必要はないだろうと思う。

また、もうひとつマルクスの歴史観を再考する上で大きいのは、マルクスやエンゲルスが生きた時代は、前章でみたように様々な科学が形成されつつある時代であり、いわんや人類学や進化論などはいまだ誕生の時期であり、特にいわゆる先史時代の狩猟採集などの生活の研究がほとんど手探りの状態であったということである。マルクスは同世代のモルガンの『古代社会』などを、ノートを取って熱心に研究していたことは良く知られているし、このノートを参考にしてエンゲルスは『家族・国家・私有財産の起源』を執筆・出版したことも知られている。しかし、この時期以降の人類学（自然人類学、文化人類学、社会人類学）の発展は著しいものがある。こういった研究成果から再考してみることも不可欠であろう。

そして、なによりも重要なのは、『ドイツ・イデオロギー』で確立したとされる歴史観に基づいて『共産党宣言』（1848）を書いた後、マルクスは１８５０年代から１８６０年代にかけて農学者リービッヒの研究に大きな影響を受けつつ、パリ・コミューンで農民の支持を得られなかった経験（1871）、非西欧社会での出来事や古代・前近代の共同体や農業関係などの書物に関する様々な研究を深めていった。そして、それらのうちの大きなラインは、後述するように、最晩年の「ザスーリチへの手紙」及び草稿で示唆された変革思想の新たな歴史的視座のための思索に結晶したということである。[3] そして、その手紙は以前の歴史観の根本的な深化と言える内容を含んでいると思われるのであるが、最晩年のマルクスはそれを新たな歴史観としてまとめあげて具体的に提示するにはもはや時間がなかったと思われる。

私としては、こういった問題意識で以下議論していきたいと思うが、これは単に理論的関心だけではなく、小農民と労働者との真の連帯というきわめて実践的な問題関心とも結びついていることは最後まで読まれれば理解してもらえると思う。

## （１）「人間と自然の物質代謝」概念から唯物論的歴史観の深化の試み

従来の唯物論的歴史観は、労働・生産を基礎にして歴史の発展を考えてきたと言えるし、労働にすべての活動を還元することがなければそのことは概ね適切であったと言えよう。[4] ただ、その場合、ソ連型マルクス主義に代表される「唯物史観」は、生産力（その核は「労働の生産力」）と生産関係の矛盾とその克服によって歴史発展がなされるとしてきたが、この通説では生産力（また、生産関係）と自然生態系との矛盾がもつ重大な意味はほとんど視野に入ってこなかった。その結果、崩壊後にあきらかになったソ連や東ドイツで見られたような環境問題の深刻な事態を引き起こすことになったと言えよう。これに対して、「人間と自然の物質代謝」概念は、生態学的意味をも含意する社会理論的概念である点が意義深いのである。

ところで、環境問題に触発されるなかで、現代の歴史学のなかで環境史が重要な位置を占めるようになってきた。そして、人間—自然関係において人間の生産的関わりだけでなく、自然環境の影響の重要性、さらには自然それ自体の展開の重要性も考慮されねばならないことが強調されるようになったのである。自然環境の社会への影響を重視する前者においては、マクロ生態系（環境問題など）からミクロ生態系（疫病問題など）に及ぶ広範な問題領域があるのであり、W・H・マクニールの『疫病の世界史』（原書：1976）は歴史理解にインパクトを与えるものであった。そして、今日のコロナ禍は、こういった環境史的視点の重要さを認識させるものであろう。[5]

さて、前章で述べたように、マルクスには農学者のリービッヒから取り入れた「人間と自然の物質代謝」という意義深い視点があり、この視点は最近の新メガなどの研究成果によれば、「ミュンヘンの農学者フラース」の本を読むことによって一層深化した。これを通じてすでに述べたように、マルクスは今日の環境問題との関連で議論される自然循環に関わる問題性を理解し、「人間と自然の物質代謝」概念の理解を単なる物質循環以上の、歴史的な生命・生態系循環に位置づけたと言える（従って、私はマルクスの「人間と自然の物質代謝」概念をリービッヒ段階からフラース段階に至った歴史的な自然循環や自然力の視点〈さらには、現代の微生物学の知見をも〉を含みこんだ環境史的視座を内包するものとして理解することにしたい）。

さて、生産力の増大をもっぱら発展の基調に据えた歴史観が「生産力主義史観」であるが、ここでは議論をわかりやすくするために「生産力と生産関係」の関係の仕方の様々なバリエーションも含むものとして、生産力を歴史発展の究極的な動因とする歴史観を「生産力史観」として呼んでおきたい。[6] 長い人類史のなかで、「生産力」概念が重要な役割を演じる時代は確かにある。特に階級社会が一般にそうであり、農耕革命以来その傾向が強いが、とりわけ資本主義社会は剰余価値を求めて労働時間の延長や科学技術の利用によって無限に生産力を増大しようとする衝動は本質的である。しかし、これをもって長い人類史において生産力が常に歴史発展の究極的な動因とするのは一面的であろう。すでに述べたように、公害・地域環境破壊から始まって地球環境全体の破壊の問題が提起されるにおよんで、この生産力増大が社会発展の原動力という歴史観に疑問符が付され、「生産力」概念の批判的検討のなかで「生産力の質」を問題にする議論などが行われるようになったわけである。[7]

また、留意すべきは、実際、生産力の質や地球規模での資源・環境問題が大きな問題意識になっていなかった時代にマルクスやエンゲルスが生産力の増大、量的発展が貧困を克服し、労働時間の短縮に貢献する可能性に期待をもったことは理解できることである（ただ、後述するように、マルクスはエンゲルスと違って、晩期においては後述の「ザスーリチへの手紙」にみられるように、歴史発展の単線的理解から複線的理解に移り、生産力史観やそれに基づく歴史法則主義から距離をもつことになる）。

従って、「生産力―生産関係」カテゴリーの歴史認識における重要な意義はあるが、それをも含むさらに包括的な基礎的カテゴリーとして「人間と自然の物質代謝」概念を歴史発展の基底に位置付けて人類史と未来社会を捉えるカテゴリーと考えることが、「人新世」が語られる21世紀の歴史観としては重要と思われるのである。そこで、「生産力史観」との対比で、この「人間と自然の物質代謝」を基底におく歴史観を簡略化して「物質代謝史観」と呼びたい。そして、誤解を恐れずにあえていえば、私がここで主張したいのは、「生産力史観」を「物質代謝史観」の中に埋め込むことであるというふうにも言えよう。このことによって「生産力の質」を問う立ち位置も明確になるであろう。生産力の上昇は、否定はされないが、物質代謝の正常さや健全さが確保されているかどうかが重要とされねばならないのである。

## （2）物質代謝と生活過程

マルクスは『ドイツ・イデオロギー』や『経済学批判』「序言」において「生活過程」概念を語っているが、この概念の重要性がマルクス理論の再生にとって重要ということで、これまで様々な論者によって議論されてきた。[8] そして、マルクスが「物質的生活の生産の様式が社会的、政治的、そして精神的な生活過程一般を条件づける」（MEW 13: 8-9）と語っていることを踏まえて、土台―上部構造と関連させて「生活過程論」が展開されてきた。ここでは、この議論には立ち入ることなく、これまで述べてきた物質代謝と生活過程との関係について少し考えてみることにしよう。つまり、私が言う「物質代謝様式」は、「物質的生活過程」の様式とどういう関係にあるかということである。あらかじめいえば、ほぼ重なり補完しつつも重要なポイントで違いがあると言える。

さて、生産力にかかわる生産（その要素として労働力、労働対象、労働手段）の過程は、生産―分配（交換）―消費―廃棄を包括するものであり物質的生活過程の主要契機ではあるが、部分過程であり、物質的生活過程そのものと同じと考えることはできない。かつて経済学者の角田修一は『生活様式の経済学』（1992）で、当時のマルクス経済学が労働を重視するあまり、労働とその生産物の生産・分配・交換・消費の領域をもっぱら対象にしていたのに対して、それ以外の過程、つまり、労働者の生命の再生産（生命維持、生殖）過程をも対象にすることが重要であると提起した。これは、エンゲルスが『家族、私有財産および国家の起源』の序文で述べた「二種類の生産」という言葉を手掛かりに構想されたものである。つまり、ひとつは「生活手段の生産、すなわち衣食住の諸対象とそれに必要な道具の生産」であり、もうひとつは「人間そのものの生産、すなわち種の繁殖」である。

角田修一は、人間の生命活動は元来、人間そのものの生命を維持し再生産するすべての活動であるとする。そして、その活動は生活手段を必要とするとし、生活手段を労働手段と狭義の生活手段（生活必需品等）に分け、物質的生活過程を物質的生産の領域と生命再生産の領域に区分した。これは、広義の生活過程を、労働を基軸とする生産過程と生命再生産を基軸とする狭義の生活過程から成り立つものと考えることである。従って、広義の生活様式は生産様式と狭義の生活様式から構成され、生産様式と生活様式は、相互媒介の関係にあるとする。つまり、生産（労働）過程は生活手段（生活必需品）を生命再生産過程に提供し、逆に生命再生産過程は生産過程に不可欠の労働者（労働力）を生産（労働）過程に提供することになるからである。

また、角田は直接ふれてはいないが、生命再生産過程とは、労働者家族にとっては、購入した商品の消費過程である。つまり、労働者は生産過程においては資本家の支配下にあるが、消費過程においては資本家より優位になりうる場合があり、協同の消費者運動や場合によってはボイコットなどで批判することもできる。たとえば、食の安全や環境に配慮した商品の開発を企業に要求することができる力をもっているのである。ここでいう食や環境とは、まさに生産力問題よりもむしろ物質代謝問題に関わるものであることに留意すべきであろう。

さて、この角田の生活様式論と私の上記の考えを関連づけるならば、物質代謝様式は、この広義の生活過程の様式と重なるものである。このように重ねて理解すると、「物質代謝」という表現のメリットは、人間―自然関係における特に自然との関係性を重視していることから、「生活（生命）過程」を自然と生命の循環の中に位置づけることができることである。[9]

従って、生産力と生産関係の矛盾による歴史発展の視点は重要ではあるが、広義の物質的生活過程、さらには物質代謝過程のあり方のなかに包摂しつつ考えられるべきと思われるのである。ここで一言ふれておきたいのは、物質代謝史観では「生産関係」による歴史の発展段階が背景に退くのではないか、さらにいえば階級闘争が曖昧になるのではないかという疑問である。生産力と生産関係の矛盾が自動的に階級闘争を引き起こすのではなく、むしろ、その矛盾が民衆、被抑圧者の生存・生活危機、つまりは物質代謝（生活過程）の危機をもたらすことを通じて階級闘争が顕在化すると考える方が現実的ではないかと思うのである。また、物質代謝の視点を導入することによって、歴史を動かす動因は、環境史的な視点とともに、生産力と物質代謝との関係、生産関係と物質代謝との関係にもあると考えることができるようになろう。たとえば、さきに述べた労働者家族による商品購入のあり方はそれ自身が資本との階級闘争の一面をもつこともありうるのである。さらにいえばまた、古い生産様式における生産力と生産関係の矛盾を通じて新たな生産様式が生まれたとしてもそれが存続するかどうかは、その新たな社会構成体が展開する物質代謝の営みがより包括的な自然環境世界に適合的かどうかによって決まるのである。

## （3）物質代謝史観からの人類史の概観

以上述べてきたような「物質代謝史観」から、拙著『多元的共生社会が未来を開く』（2015）では、人間生活（社会）と自然生態系との関わりの大きな転換に注目し、世界史を人類史にまで拡張して文字通り人類史的視座から問題が設定できると考えた。この関わりの核として

「人間と自然の物質代謝の様式」（略称：物質代謝様式）に基づいた人類史の諸段階の構成を上記の拙著で詳しく行ったが、ここでの議論は要点だけにとどめておきたい。まずは、人類史において物質代謝の視点から大きな画期をなすということでわかりやすいのは、約1万年前の「農業革命」と約300年前の「産業（工業）革命」による「物質代謝様式」の大転換であることにふれておくだけで良いと思うが、特に後者の産業（工業）革命による資本主義的近代化の問題性が「物質代謝史観」からするとはっきりするのである。

前者の農業革命は、すでにふれたように、都市や国家の成立、つまり「文明」を誕生させると共に支配隷従の階級社会をもたらし、支配階級の欲望充足とかかわって生産力増大への強い動因を生み出した。同時にまた、この時期において、農業労働と定住を基礎とする「人間と自然の物質代謝」様式は、個別には多くの破綻・崩壊を経験しながらも、すでにふれたように自然循環に位置づけるような人間化された自然の形（例えば、典型的には日本の「サトヤマ」）をつくりあげ、自然との共生の形などを実現してきたと言える（さらにいえば、里地、里山、奥山といった三重構造の生態系のあり方）。そして、こういった物質代謝様式を基底において「生産力と生産関係の矛盾」があり、様々な階級間の闘争が展開されたと言えよう。

後者の産業（工業）革命は、科学革命と国民国家の形成に連動しており、それらを集約する産業（工業）資本主義は、科学・技術の産業的利用や国民教育による労働者の育成によってこれまでになく生産力を高めることができる社会経済システムとして捉えられる。このシステムは、自然循環から切り離された化石燃料を利用し、大量の人間を土地（自然）から切り離し都市に集中する過程として改めて捉え直される。また、「人間と自然の物質代謝」は商品交換・資本の論理に媒介されることによって、それは労働搾取と支配という脈絡だけでなく、人間と自然生態系との循環からの大規模な逸脱、つまり、「人間と自然の物質代謝の攪乱、亀裂」を大規模に引き起こす物質代謝様式として、人類史的位置づけを与えられることになる。

ちなみにまた、この視点から先史時代を見るならば、人類誕生から農業革命までの狩猟採集時代は、変化のない同じ物質代謝様式のように見られるが、しかし、この期間の人類史においても、物質代謝様式の大きな変化があったように思われる。これまでは、狩猟採集時代として一括され、そして、狩猟採集時代は、人類は「狩るヒト（Human the Hunter）」ということでその進化が理解されていたが、最近では、むしろ「狩られるヒト（Human the Hunted）」として進化してきた時期が長くあるのではないかと言われている（ハート／サスマン 2007）。これは、生態系の食物連鎖という視点からすると大きな変化・転換と言える。つまり、長い狩猟採集時代には、サバンナに出はじめ森の周縁にいた当初は、人類は猛獣によって捕食される食物連鎖の底辺に近い立場であったのが、次第に狩りの捕食者の立場へという食物連鎖の頂点の立場への大転換があったと考えられるのである。これは「物質代謝様式」という観点から見ると、前者と後者は大きな異なる段階と言えよう。主に植物の採集活動を中心に腐肉あさりや小動物を狩った時代からもっぱら大型動物を、道具を用いて狩った段階への転換ということを考えると、その違いは大きく人類史の大きな見方にもかかわってくるからである（尾関2015：77-79）。

さらに、物質代謝史観からすれば、５万年前から約１万年前までの狩猟採集の時期も狩猟採集時代の大きな転換点であると思われる。ラスコーの洞窟画などで良く知られ、最近ではハラリが『サピエンス全史』にて「認知革命」と呼んで良く知られるようになった。私見によれば、このころは厳しい氷河の時期にあたり、ネアンデルタール人が滅亡したのに対して、人類は家族を超えたより大きな社会的共同性を発揮することによってこの危機を乗り越えたとされる。そして、アーネスト・ゲルナーが狩猟採集社会は二つのタイプがあると以下のように述べていることと符号するのである。

「狩猟社会は、取ったものをすぐに配分してしまうのを常とする社会と、長期的食料配分を伴った採集狩猟経済の社会とに分けられるからである。後者は、長期の拘束のための道徳的・制度的基盤を備えており、従って、もしも農耕を発展させる方向への圧力が働き、それに必要な技術的手段が入手可能となるならば、そのための組織的前提条件をすでに所有している」（ゲルナー2000：193）

私は、上記のことも物質代謝様式の変化として見ることが良いと思う。定住が先か、農耕が先かという論争があるが、移動を基本としていた狩猟採集社会が定住の機会が多くなっていくことと長期的食料配分を伴うこととは密接な連関があるであろう。ここには重大な物質代謝様式の変化があると言えよう。

さらに一言しておけば、物質代謝史観は、文字通り人類誕生から未来社会に至る人類史全体を射程に入れて考えることができ、そのことによって当然、これまで以上に脱資本主義社会としての未来社会の意味やあり方をも展望できることになるであろう。つまり、資本主義社会の後に来る「共産主義（コミューン主義）社会」に関しても階級の消滅による自由・平等な共同社会（アソシエイトなコミューン）というものは、同時に人間と自然の物質代謝の亀裂をもたらす物質代謝様式から大きく転換し、人間と自然の物質代謝の健全なエコロジカルなあり方を実現するものでなければならないであろう。その意味では、コミューン主義革命はエコロジー革命でもなければならないと言えよう。そしてこのことは、さきに見たように、若きマルクスが『経哲草稿』において人間主義（Humanisumus）と自然主義（Naturalismus）が合致することを理念として掲げたことを思い起こさせるのである。以上簡単にふれたような物質代謝様式の転換は、生活過程の転換であり、共同体全体のあり方や男女関係を含めた人間関係の基本的あり方と連動することは容易に理解されよう。

従って、以上述べてきたことを踏まえて、この物質代謝様式の歴史観にもとづくならば、人類史はごく簡単にメモ的には、次のような諸段階と特徴で捉えられるであろう。

(1)狩猟採集時代における転換　狩られるヒト（Hunted）から狩るヒト（Hunter）へ……移動、

平等主義、血縁共同体
(2)農業革命……定住、身分的支配隷従、地縁共同体
(3)産業(工業)革命……共同体の解体、経済的支配隷従、形式的平等
(4)エコロジー革命＝コミューン主義革命……自然主義＝人間主義

## (4) 産業革命による「物質代謝」様式の大転換と資本主義的私的所有

産業革命によってもたらされた資本主義社会が物質代謝様式の視点から見ると、人類史上いかに特異なものであるかをここで強調しておくことが必要であろう。

産業革命は「物質的豊かさ」をもたらしたとしばしば評価されるが、同時に人間と自然の物質代謝の大きな様式転換をもたらし、この視点から見ると別の側面が明らかになる。人間社会は、自然生態系のなかに没入していたあり方から、1万年前の農業の誕生を契機に、自然の中で自然から距離をもって自然に働きかけつつ共生を工夫したが、同時にそれがうまく行かず共同体や社会が崩壊した事例も多くあった。しかし、近代以前は多少の逸脱はあれ、大きくは自然生態系の循環のなかにあったと言える。〈農〉は生活の手段であるとともに自然生態系と人間社会の基盤を媒介する共生へ向けての実践であった。

しかし、近代の産業革命以降、人間社会は、自然生態系との共生や循環を考慮することなしに、化石燃料や科学・技術の利用によって「自然の支配」を目指し生産力を上昇させ、そ

れを通じて進歩・発展がなされ、個人の幸福や国民の富が増加していくという通念が支配的になって行くことになる。この通念に疑問符が突きつけられ、近代文明の負の面が露呈してくるのが、まさに20世紀後半以降の地球環境問題が象徴する自然破壊であり、他方で人間疎外・孤立化にみられる人間破壊である。近代文明とは、マルクスの言葉でいえば、「人間と自然の物質代謝の亀裂、攪乱」をもたらすものであり、自然生態系との共生の破壊であり、自然循環からの人間社会の人類史的な逸脱ではないかと考えられるようになってきたのである。

同時にまた、全面的な商品化である資本主義システムは、多くの人びとを土地から切り離し、土地に根差した共同体を解体し、自然（土地）と人間（労働力）を「商品化」していく。そして、人びとを土地に根差した自然循環の論理から貨幣の自己増殖の社会論理のなかに置くことになる。土地への「私的所有」の意識も根本的に変化し、「生産・生活手段としての土地」への所有意識から「商品（貨幣）としての土地」さらには「資本としての土地」への所有意識となっていく。ただ、ここで注意すべきは、後の章でまた詳しくふれるが、農業資本家や大地主にとって所有意識は完全にそういった資本主義的私的所有なものになっていくが、小農にとっては、そういった傾向を帯びつつも基本は「生産・生活手段としての土地」への所有意識（また、愛着）の性格は変わらないことである。そしてさらに利益をめぐる競争社会は、利己主義的、私的所有意識を広範に生み出していくことになり、人びとは孤立化し、共同的意識は希薄になり、環境問題に代表されるような公的共同的な問題のもつ意味は意識されるのが困難なことになるのである。

マルクスは、上記の前近代農業社会から近代工業化社会における人間社会関係への移行について、前者は共同体における「人格的相互依存」の関係、後者は「物象的依存にもとづく人格的独立」として特徴づけている。そして後者の次にくる脱資本主義の未来社会を物質代謝の共同的な統御を踏まえた「自由な個性の発展」と捉えている。資本主義においては、「人格的独立性」といっても、結局は、商品交換の全面化を基礎にした物象化されたシステムへの従属・依存によるものである。従って、人びとは「資本家」や「労働者」といったシステムの中での物象化された人格（役割）へと転化し、システムとしての抑圧性が強化されるとともに、システムへの関与のなかで個々人の利己主義的、私的所有意識が拝金主義とともに強化されるのである。そして、人間と自然の物質代謝は、価値増殖をめざす商品交換システムによって媒介され、広範に亀裂・攪乱を生み出すものになるのである。物質代謝史観から見ると、資本主義社会とそれ以前の社会との違いはきわめて明白になろう。

## 2　自然と物質代謝する社会的主体の歴史的諸形態の通観

前節で物質代謝史観から人類史をごく簡単に概観したが、この視点から自然と物質代謝する人間（主体）としての集団・社会のあり方の特徴も浮かび上がってくる。ここで注意しておく必要があるのは、マルクスが「人間と自然の物質代謝」という場合の「人間」は、主に「社会」と考えてよいが、社会的連関の中の個々人、「社会的個人」ということでもある。マルクスの場合、社会を実体化することも、個人を原子論的に捉えることも共に否定している点が特徴的である。前節で述べたことと少し重なるかもしれないが、理解を深めてもらうために物質代謝の主体という視点から人類史を概観的に見てみよう。

農業革命以前の狩猟採集時代は、物質代謝の主体は、家族或はその集合体である部族などの小規模な共同体と言える。それは、血縁、言語、宗教、文化などを共有する共同体で、今日「エスニシティ」と呼ばれる集団の起源になるものであろう。ここでは狩猟採集による移動が基本であるが、中には日本の縄文時代後期のように海産物を取得し、栗の木などを植樹して定住をするものもあった。いずれにせよ、こういった共同体は限られた地域の自然との物質代謝の主体である。

農業革命以後、近代化の始まりまでは、地縁や血縁を基礎に言語、宗教、文化を共有するより規模の大きい「民族（エスニシティ）」と呼ばれる社会集団が形成され、物質代謝の基軸となる。この物質代謝の基礎単位は、農業・牧畜の村落共同体であるが、その複数の共同体の統合したものとして民族が形成される。同時にそれに対応し、灌漑事業や対外的防御などの必要から国家も生まれ、民族のなかに指揮する者（集団）と指揮される集団が固定し階級が形成されてくる。古代国家は複数の民族の連合或は支配従属関係の民族から成立する。さらに特定の国家が拡大して多くの民族を支配する「帝国」が生まれることになる。ローマ帝国、中華帝国、イスラム帝国など近代以前の様々な帝国であり、様々な交易によって結びつく。従って、限定された地域の主体による物質代謝のみならずかなり広い領域の自然との物質代謝をする社会主体が登場することになる。

近代以降は、資本主義の形成とともに、「国民国家（nation-state）」と「国民（ネーション）」が物質代謝の主体となる。ネーションは「国民」だけでなく、「民族」とも邦訳されることもあるが、もともと英語の〝nation〟には両義的なところもある。たとえば、国民の資格である、国籍（ナショナリティ）に関しても、フランスや米国のような生地主義とドイツ・日本のような血統主義の違いがあるのも上述のことと関係していると言えよう。また、「民族自決」による国民国家の形成や「ナショナリズム」の問題とも絡んでくるが、これまで、ネーションと民族をめぐっては大きな論争になってきたこともあるので、これらについては次章で少し掘り下げた議論したい。

近代の国民国家の登場は、ヨーロッパでの30年戦争を終結させた1648年のウェストファリア講和によるとされる。この講和によって、国民国家を唯一のアクターとする近代国際システムが誕生したと言われる。ただ、本格的な国民国家の登場と国際システムの成立はフランス革命以後であり、たとえば、ドイツなどもこの革命以後も長らく30余の領邦国家や都市の集合体であったのが、19世紀後半以降、グリム兄弟による童話の収集やドイツ語辞典の作成、またプロイセンの鉄血宰相ビスマルクなどの政治力でドイツの国民国家が成立することになる。ちなみに、この頃明治の岩倉使節団がビスマルクに会って助言を得て、日本の近代国家の形を構想することになる。

現代も基本的には国民国家とその集合としての国際システムは続いている。ただ、20世紀後半以降は、この国際システムにおける主要な行動主体は、国民国家だけでなく、巨大多国籍企業が加わり、そして国際システムそのものは、一定のルールはあるにせよ、なおアナーキーに近い状態にあるということである。この国際システムは基底においてまさにホッブズのいう「万人の万人に対する闘争」状態であり、国民諸国家は、軍事力・警察力といった暴力を集中管理する主権国家である。ただ、同時に20世紀の世界大戦以降、国際諸機関や国際法の発展もみられることも次にふれるが留意する必要がある。

こういった近代の国民国家としての主権国家の形成は、前近代における古代の帝国や中世の領邦国家と異なるもので、まさに資本主義の形成と対応しているとされる。もちろん、国民国家は、市場の領域をたんに国家の領域として確定するだけでなく、その地域の社会文化的伝統を権力的に再編成し新たな「国民の神話」や「国語」の形成のもとに立ち上がるのである。そして、先進資本主義国による植民地を求めての帝国主義が20世紀前半に世界大戦を引き起こすことになった。確かに国民国家内部では立憲主義、法治主義を確立したとはいえ、国際社会では、まさに弱肉強食の世界であるため、大国、国益をめざし、国民国家のナショナリズムによって国民を動員して、二度の世界大戦に「総力戦」として突入して行ったのである。

第1次世界大戦の後にカントの『永遠平和』の理念をもとに作られた「国際連盟（League of Nations）」、第2次世界大戦の後の「国際連合（United Nations）」が作られることによって国家・国民同士が協力し合うという理念が形成されてきたと言える。他方で、20世紀の残り四半世紀になって急速なグローバル化の進展は、「国家の敷居」が低くなったという言葉とともに、地球環境問題もあって、物質代謝の主体はグローバルに連帯した国家・国民が前面にでてきつつある。今日のコロナ禍は、この点を多くの人々に実感させるものになった。文字通り地球生態系と物質代謝する人類という姿が登場しつつあると言えるのである。この関係で未来の展望についての議論は最終章でしたいと思う。

以上、物質代謝の社会的主体についてその歴史的諸形態をごく簡単に述べてきたが、この主体は生存し維持していくための志向性をもつ。つまり、物質代謝を健全に正常に行うために究極的には環境適合的なあり方を追求するものである。現代の資本主義システムの価値増殖過程によって物質代謝過程が物象化され歪められ、人びとの思考や行動がそれによって浸透され制約されているにしても、人間社会が本源的に生命過程を基礎にしている以上は、物質代謝の主体はこの生命過程の論理を反映せざるを得ないと思われる。それで、生物学における環境と生物主体の相互作用を通じて主体の維持と再再生産を貫くことを意味する「ホメオスタシス」概念を、マルクスが「物質代謝」概念を社会的次元にまで拡大したように、同様な試みをしてみたいと思う。

## 3　歴史観への「ホメオスタシス」概念の導入

これまでマルクスの「人間と自然の物質代謝」カテゴリーと人類史との関係を述べ、そして続いてその「物質代謝」の社会的主体について述べた。そこで、じつは私は、この「物質代謝」概念に近接な概念「ホメオスタシス（恒常性）」という概念を社会的主体とのかかわりにおいて社会理論に導入してはどうかということを考えている。従って、以下少しこのことを述べてみたいが、その前に、「ホメオスタシス」概念について、なじみの薄い方もいると思うので、生物学者や神経科学者の見解をもとに一般的な知識を少し紹介しておきたい。

周知のように、もともと「物質代謝（メタボリズム）」概念は生物学、生理学等の分野に由来し、今日でも生命現象を理解する上で、きわめて重要な位置を占めているが、「ホメオスタシス（恒常性）」概念もまた同様の位置を占めている。「ホメオスタシス」は、生物学者の永田和宏によれば、米国の生理学者のウォルター・キャノンが１９３０年に提唱した言葉であり、彼は19世紀にフランスの生理学者クロード・ベルナールによって提示された生体の内部環境は外部から独立して営まれているという考えを発展させて、「同一（homeo）」と「状態（stasis）」という二つのギリシア語の組み合わせから造った用語であるという（永田 2017：251）。そして、生命体においてホメオスタシスの機能は、物質代謝の機能と不可分であると考えられている。

永田は、生命にとって物質代謝（メタボリズム）だけでなく、細胞の「内と外」を分ける細胞膜が、内部環境の同一性、生物恒常性（ホメオスタシス）にとって重要であることを強調する。従って、ここには恒常性と物質代謝の結びつき、さらにはそれらの前提として、細胞や個体が膜によって「内と外」として区切られるまとまりや統合体、さらにいえば、ある意味での「主体的なもの」の存在が語られている。単細胞生物から多細胞生物に進化していくにつれて、多くの細胞を統合的に安定させる働きという仕方でホメオスタシスは高次化していくわけである。

さて、神経科学者のダマシオは、このホメオスタシスの高次化を生物進化と関わらせて注目している。彼は近著の『進化の意外な順序』で、さらにホメオスタシス（恒常性）の理解をより深めて、次のように述べる。ダマシオによれば、「ホメオスタシス」は「生命を最適化し、未来に向けて発達する余剰がもっとも得られやすい安定状態へと自然に向かう」（ダマシオ 2019：48）ものである。生命活動はその誕生からホメオスタシスの規則に支配されて進化してきており、それは、環境との関係において生物の「生存を維持し、未来に向けて発展させるべし」とする生物の目的・欲求を実現するためのプロセスを指すものであるとする。彼は、生命体において働くホメオスタシスが物質代謝活動とともに、進化を通じて生物、特に動物に神経組織の発達をもたらし、より複雑な環境に適応していく中で、さらには中枢神経系、脳を生み出すことになるとする。そしてさらに、哺乳類では意識や心の原初形態、さらには人間に精神や自己意識をもたらしたと考えるのである。さらにまた、ホメオスタシスは人間の文化・社会の変化においても働いていると考えるのである。

ダマシオは、動物の「感情」の発生にホメオスタシスが深くかかわっており、これを転機にして生命体の「主観性（主体性）」が生まれると考える。脳を備えた生物が、周囲の世界、過去の記憶された蓄積、自己の内界との相互作用を通じて自ずと「ナラティヴ（物語）」を構築するようになると考えるのである。そして、ダマシオは5万年前の人類における「文化的な心」の誕生を次のように語ることになる。

「心は、感情、主観性、イメージを基盤とする記憶、そして様々なイメージをナラティヴによってつなげていく能力（おそらく話し言葉を用いない無声映画のシーケンスのようなものとして始まり、言葉の出現以後、非言語的要素と言語的要素が組み合わされるようになったのだろう）。によって豊かになったと認識しておくべきだ。かくして豊かになった心の能力に、やがて知的な創造物を生み出す能力、つまり『創造的な知性』とも呼べるプロセスが加えられる」（ダマシオ：91-92）

このように、ダマシオは主観性に始まる心の発達を人間における「創造的な知性」に至る過程として捉える。そして、私は、ダマシオは語っていないが、上記の主観性に始まる心の発達を創造的知性への過程だけでなく、複数の主観の相互関係（コミュニケーション）を通じて集合的意識への過程としても捉えられるのではないかと思う。人間は社会的共同性を本性とする以上、何らかの仕方の「共同体なるもの」を不可欠とするが、集合的意識は、共同体の存在と深く内的に連関するものであった。この集合的意識が、原古の部族意識において神話や制度の始まりを形成することになったと私は理解したい。このように、ダマシオは細胞レベルから生命個体、さらには社会・文化レベルまでホメオスタシスの意義を強調している。

以上、ホメオスタシスがあらゆる生物の自己維持と繁栄、そして多次元のホメオスタシスが存在して、そしてこれが生物進化を貫いていることを見てきた。そしてまた、メタボリズム（物質代謝）もまた、同様に細胞レベルから個体レベル、社会レベル等様々な次元をもって考えることができた。

従って、マルクスが感動をもってリービッヒから「人間と自然の物質代謝」概念を取り入れて社会レベルにおける労働と関わらせてその重要性を語ったことの深い意味も改めて考えさせられよう。もともと物質代謝（新陳代謝）とは、生命体、生物が物質およびエネルギーを外部から取り込み（同化）、体内で化学的に変化させ、不用なものを外部に放出する（異化）ことである、と言える。そして、人間の社会生活レベルにおいては、この物質代謝は、マルクスが注目したように労働によって主導・媒介されていると言える。

このことのもつ意義をこれまで私は様々な機会に強調してきたが、ホメオスタシスに関しても、生命体の起源に発するホメオスタシスが認知と情報伝達の能力を段階的に発展させてきて、人間の社会レベルでもそれにふさわしい次元の認知と情報伝達の集合的意識としてのホメオスタシスが働いていて、集団的協力に基づいて環境適応的に社会の維持をはかりつつ同時に未来に向けて発展していくことを指摘することができる。従って、生物種や人間社会といった主体としてまとまりのある統一体におけるホメオスタシスが物質代謝を通じて実現されていくことが、自然史と人間の歴史の基底とをつらぬくものとして、この深層の原動力となっていると考えることができるのではないであろうか。

従って、マルクスの「人間と自然の物質代謝」の思想を歴史観にかかわらせて考えるならば、それと連関させて、人間社会の「ホメオスタシス」に関しても、生物の進化の歴史が環境との物質代謝を通じて生物種のホメオスタシスが実現されていく過程の延長として、人間社会の歴史においても深層において貫いていると考えても良いであろう。人間の歴史は、根底において人間社会の物質代謝を通じてのホメオスタシスが実現していく過程であると把握されるならば、生産力の発展やそれの生産関係との矛盾もこの根源的過程を前提において考え、展開されることが重要であろう。そして、次章で議論するように、このことは、共同体、民族、国家、ネーションなどの重要な社会的概念をより深く理解することにかかわってくるであろう。

マルクスは資本主義的な経済成長が「人間と自然の物質代謝の亀裂」をもたらすことを明

確に語っており、これをもとに地球環境破壊に至ることを予感させるような、環境破壊と人間破壊の議論もしているが、ホメオスタシスの社会レベルの概念はまた、物質代謝概念とは違った視角から現代の社会や人間の問題を解明することに寄与することができよう。5万年前に現生人類（ホモ・サピエンス）がネアンデルタール人とは異なって気候変動による危機を乗り切ってその後の発展に向かって進むことができたのは、まさにネアンデルタール人の集団が家族の範囲であったのに対してホモ・サピエンスは多くの家族を包括する社会的集団・集合意識とそれに基づく協力活動を獲得していたからと言われる。

この視点から見ると、現代資本主義社会における「孤立化」の問題はまさに現生人類の基盤であるホメオスタシスを破壊しつつあると言えるのではないだろうか。さらにいえば、ホメオスタシスとの関連で資本主義社会の大きな問題は、社会の統合主体が生命ある人間よりも、資本主義システムの物象化された「主体性」が強力であることである（資本家は「資本の人格化」と言われるように）。この点は後の章で議論することにしょう。

【注】

１　次章で取り上げる渡辺憲正の論文「『経済学批判要綱』の共同体／共同社会論」の最後で、彼は次のように述べている。「『ザスーリチ草稿』において展開されることとなる農業共同体論は、マルクス共同体・共同社会論の到達点を示す。この議論の末に、マルクスはどのような歴史構想を描くのか。これを描いてみる課題が残される」（渡辺 2005：39）。この渡辺論文は、この課題へ向けての予備作業としての『経済学批判要綱』の精緻な文献学的な研究であるが、わたしのこの本章はある意味でまた、この課題に環境思想研究の視座から迫った予備作業とも言えよう。

２　これについては、【文献】の箇所に挙げたような平子友長、岩佐茂、渡辺憲正らの書籍・論文等は、特に参考になった。

３　この研究を深めていく過程は、和田春樹が『マルクス・エンゲルスと革命ロシア』におて、『資本論』第１巻刊行の後の１８６０年代から１８８０年代の「ザスーリチへの手紙」に至るまでの期間を４段階に分けて詳細に研究しているので、参照されたい。

４　柄谷行人は、マルクスの『ドイツ・イデオロギー』の議論の中で物質的生産よりも「物質的交通」に注目した。そして、生産物の交換の種類（「贈与による互酬（Ａ）」、「略取・再分配［支配・保護］（Ｂ）」、「市場を介した商品交換（Ｃ）」の三つ）に注目して、人類史における交換の三段階として、いわば「交換史観」とも言える世界史観を『世界史の構造』において展開した。柄谷の試みは興味深いものであるが、交換史観を生産史観に単純に対置した点に難点があると思う。これについてはこの本ではふれることはできないが、その簡単な評価は、拙著『多元的共生社会が未来を開く』にて行っているので、関心がある方は参照されたい。

５　ドイツの有力な環境史研究者であるヨアヒム・ラートカウが、環境史が取り扱うのは、「なによりもまず人間と環境との歴史的関係の核心をなす諸領域、即ち農業・営林史や人口動態と疫病の歴史」（ラートカウ 2012：18）であるとしている。ラートカウも疫病の歴史を重視しているのである。

６　生産力と生産関係の結合の仕方が「生産様式」であるが、これには技術的意味と社会的意味の両方があり、前者は生産手段と労働力の結合の仕方を意味し、後者は、生産手段の所有に基づく所有関係を含意し、社会の支配・被支配を構成する。

7　佐藤春吉が早い段階で「生産力の質」の問題提起をした。文献に挙げた『マルクスカテゴリー事典』の「生産力」参照。

8　「生活過程」の研究では、中野徹三の『生活過程論の射程』(1989)が良く知られている。最近では、田畑稔が論文「マルクスの「生活過程」論」(伊藤・大藪・田畑編著『21世紀のマルクス』)にて広く文献を渉猟しながら精緻が議論を展開している。

9　生活過程と物質代謝過程はほぼ重なるが対立する特殊な場合もある。生活過程と物質代謝とが対立し、物質代謝の亀裂・攪乱を起こし、生態系と共同体を崩壊させた象徴的な例として、イースター島の事例を挙げることができるのではないだろうか。モアイ像を巨大化していくことが共同体間の競争になり、結果的に森林伐採の過剰が起こり連鎖的に島の荒廃が起こったとされるからである。

【引用・参考文献】


- アンダーソン、ケヴィン『周縁のマルクス』社会評論社、2015
- 岩佐茂「労働過程論で物質代謝が論じられることの意味」『札幌唯物論』60／61号合併号、2018
- 岩佐茂・佐々木隆治『マルクスとエコロジー――資本主義批判としての物質代謝論』堀之内出版、2016
- 大谷禎之介・平子友長編著『マルクス抜粋ノートからマルクスを読む――MEGA 第Ⅳ部門の編集と所収ノートの研究』桜井書店、2013
- 尾関周二『多面的共生社会が未来を開く』農林統計出版、2015
- 角田修一『生活様式の経済学』青木書店、1992
- ゲルナー、アーネスト『民族とナショナリズム』岩波書店、2000(1983)

- ダマシオ、アントニオ『進化の意外な順序』白揚社、2019
- 永田和宏『細胞の内と外』新潮社、2017
- ハート、ドナ／サスマン、ロバート『ヒトは食べられて進化した』化学同人、2007
- ホブズボーム、エリック『いかに世界を変革するか――マルクスとマルクス主義の２００年』作品社、2017
- 佐藤春吉「生産力」、マルクス・カテゴリー事典編集委員会編『マルクス・カテゴリー事典』青木書店、1998
- ラートカウ、ヨアヒム『自然と権力――環境の世界史』みすず書房、2011（2000）

# 第4章　共同体と民族・ネーション――歴史観の深化(2)

## 1　人類史における「共同体」の意味――マルクス「共同体」論の新研究から

前節で「人間と自然の物質代謝」の様式の変化という視点から人類史を概観してみた。そして、この物質代謝を行う主体は、一般的にいえば「人間社会」(或いは「社会構成体」、社会的諸個人)であるが、より具体的には「共同体」と考えることが重要と思われる。ただ、「共同体」という用語は多様に語られ、曖昧な言葉でもあるが、まずは、マルクスの「共同体」理解について見てみることにしたい。このことによって、共同体との関係において、政治的な要素(国家)と社会経済的な要素をどう考えるかということでの基本的な指針が得られるのではないかと思われる。その際に、マルクスの文献研究に秀でた、平子友長や渡辺憲正の研究成果を参照して議論してみたいと思う。

### (1)マルクス「共同体」概念の検討

マルクス研究者の渡辺憲正は、『経済学批判要綱』を中心に「共同体」関連の用語の緻密な検討をして、これまで「共同体」関連概念の安易な一元化や「混交」が見られるという。特に重大なのは、Gemeinde（ゲマインデ）概念とGemeinwesen（ゲマインベーゼン）概念がこれまで「混交」されており、区別される場合も適正でなかったとする（渡辺によれば、これらは、英語ではそれぞれ、commune と community、フランス語では、commune と communaté と翻訳されており、それらの訳は妥当とする）。

さて、渡辺の主張するこの区別に関する見解は次のようなものである。

「結論をあらかじめ仮説的に示すならば、Gemeinde は基本的に、主として政治的に編成された何らかの統合単位＝行政単位であり、端的に、男性たちが形成する公共的な空間あるいは組織（「公共体」）、と考えられる。たとえば、古典古代のポリス国家やゲルマンの集会などがGemeinde と規定されていることを想起すればよい（後述）。それに対してGemeinwesen は、部族組織から派生する、主として経済的な、生産行為を基礎とする共同的再生産組織ないし社会であり、従って男性だけでなく女性と子ども等も構成員となる生活空間、と理解される。古典古代的形態に関していえば、ポリス共同体＝国家だけでなく、オイコス（家政）の領域が存在し、これによってGemeinwesen は再生産されていたのである」（渡辺 2005：21）

前章でみた「物質代謝」概念や「生活過程」概念とかかわらせれば、Gemeinwesen は自然との物質代謝の中にある物質的生活過程（また、社会的生活過程）ということができよう。

さて、さきの仮説のもとに、渡辺は文献研究を行っていき、この仮説の妥当なことを示しており、概ね共感できるものである。そして、この仮説のもとに、主に『経済学批判要綱』の中の「資本主義的生産に先行する諸形態（フォルメン）」（略称：「諸形態〈フォルメン〉」）を中心に諸形態の綿密な議論を通じて立証していくのである。そしてまた、その過程で次のように両者のより複雑な包摂関係にも言及する。

「Gemeinde は政治的行政単位として、Gemeinwesen を統合し管理する以上、Gemeinwesen の再生産に本質的かつ主導的な機能を果たす。Gemeinde があってはじめて Gemeinwesen の再生産が可能であるともいいうる。だから Gemeinde は、Gemeinwesen をも包摂するある種の全体性を獲得する。…（中略）…もちろん Gemeinde は、Gemeinwesen を基礎として存立し、再生産されるのであり、それだけで内部に固有の再生産構造をもたない。再生産に関するかぎり、Gemeinwesen のほうが包括性をもつのである。それゆえ、Gemeinde と Gemeinwesen は相互に包摂しあうような接合関係をもち、同時に、それぞれが人的にも分割された独自の領域を構成する」（同上：25）。

このような考察を踏まえて、渡辺は、Gemeinde 概念を「共同体」、Gemeinwesen 概念を「共同社会」と訳すことを提案する。渡辺の概念区別と内容の理解に賛同したいが、ただ、その上で、その区別と統一の趣旨をわかりやすく生かすために、訳語としては、私としては、Geminde 概念を広狭両義に捉え、広義には「共同体」と訳し、Gemeinwesen 概念との対比や連関においては狭義には「共同統治体」と訳してはどうかと思う。これに対して、

Gemeinwesen 概念は、こういった脈絡では「共同生活体」と訳してはどうかと思う（渡辺はこの論文の注14では、「Gemeinde を「公共体」、Gemeinwesen を「共同体」と訳すことも考えられる」とも語っている）。

つまり、Gemeinde 概念は政治的性格をもっており、後の国家の統治機能につながっていくものである。つまり、支配と保護を併せ持つ政治的機能の担い手であるとともに、また Gemeinwesen 概念を包摂して主導する全体性をもつ。前者に注目して訳す場合には、「共同統治体」とし、一般的には、後者の意味で「共同体」と訳すのである。これに対して、Gemeinwesen 概念は生産と再生産の経済的社会的機能を基軸にする「生活過程」の主体であることから「共同生活体」が良いのではと思うのである。上記の渡辺が言うように、これが、Gemeinde 概念を包摂する意味合いに注目する場合には、これもまた広義の意味で「共同体」としておいても良いのではと思う。

以上見てきたこの渡辺論文で興味深いのは、通常「共同体」が語られる場合、やはり Gemeinde 概念に注目されることが多いが、それと同等、或いはそれ以上に Gemeinwesen 概念に注目すべきだということだと思われる。実際、私も Gemeinwesen は人間存在の本源性に根差すものであり、人類誕生から少なくとも近代以前に至るまでは、歴史の基底を貫いてきたものとも言えるのではないかと思う。そして、渡辺が明らかにした Gemeinwesen は、生活過程（或いは、ハーバマスの「生活世界」）と重なるものであることからして、この本でこれまで物質代謝について述べてきたことからするならば、Gemeinde と Gemeinwesen の統一体としての「共同体」が物質代謝の主体と考えてよいのではないかと思うのである。そして、もちろん、具体的な個々の共同体は、歴史的な具体的事件に対応しつつ存続・発展をはかるものであるが、その根底には共同体の環境適応のホメオスタシス機能が働いていることを見落としてはならないと思われるのである。

ところで、興味深いのは、こういったGemeinwesen（共同社会or共同生活体）と階級社会との関係である。渡辺論文によれば、共同体の古典古代的形態とゲルマン的形態は、「戦争による征服」などによって、それぞれ奴隷制と農奴制とに転化するとし、マルクスの言葉を引用して、これらは「たしかにGemeinwesenとGemeinwesen内部の労働とに基礎をおく所有の必然的な結果であるが、つねに二次的なものであって、本源的なものでは決してない」（マルクス：S.399）[1]とする。

さらに、渡辺によれば、「この二次的転化形態は、一方では本源的所有の基本条件を前提してはいるが、他方ではそれの反対物、すなわち無所有ないし限定所有を組み込み、人間を所有の対象そのものとすることによって、所有の本源的形態を本質的に変形するのである」。そしてさらに、マルクスの次の言葉につなげる。「奴隷制と農奴制は……やがて、すべてのGemeinwesenの本源的諸形態を歪め、変様させ、それ自身がGemeinwesenの土台となるのである」（マルクス：S.395）。つまり、共同体の生活過程が被支配階級によって支えられることによって歪んだ形に変容することになるのである。

ここから我々は、Gemeinwesen の物質代謝のあり方が、階級社会以前と階級社会の出現以降の違い、そしてまた、近代以前の階級社会と近代以後の資本主義社会という階級社会とにおける連続性と違いが理解されてくるであろう。

## （２）人類史における「共同体」の諸段階

周知のように、マルクスは『経済学批判要綱』のなかの「資本主義的生産に先行する諸形態（フォルメン）」において種々の共同体の諸形態の研究をしたが、これらの研究のさらなる深化は、その後に彼が読んだ本の抜粋やコメント等についての最近の新メガの研究において知られる。そして、これらの成果の合流が最晩年の「ザスーリチへの手紙」において一つの重大な結論に至ることはすでにふれた。この辺のことをさきに言及した平子友長などの研究をもとに少しふれてみたい。

大谷・平子編著『マルクス抜粋ノートからマルクスを読む』に収められた、平子友長「マルクスのマウラー研究の射程」と浅川雅己「マウラーの〈マルク共同体〉研究とマルクス」から私なりに理解したことを簡単に以下にまとめておこう。

マルクスは、マウラーの本を読んで、『諸形態（フォルメン）』を書いた頃において考えていた共同体論に関して重大な変更をなし、それの解明を通じて晩年のマルクスの「ザスーリチへの手紙」に見られる「農業共同体」評価の考えに至ったとする。つまり、マルクスの共同体論は『諸形態』段階からザスーリチ段階への過程で大きく変化したと考えられるのである。[2]

つまり、『諸形態』では、アジア的基本形態と古典・古代的形態とゲルマン的形態という三つが語られていたが、マウラーの本の研究を通じて、「ザスーリチへの手紙」におけるように、ゲルマン的共同体は、カエサル段階の「より原古的共同体」から後のタキッス段階へと自生的に変化し、後者のゲルマン的共同体はじつはマルクス晩年当時のロシアの農業共同体と同じ性格をもち、これはまたアジア的基本形態の中の村落共同体と共通としているとされる（マルクスは、『諸形態』では「アジア的形態」は専制体制としていたが、後には専制的から民主的までのバリエーションがある幅が広いものとしている）。そして、この歴史的段階の共同体をマルクスは「農業共同体（commune agricole）」と呼んでいるとする。この「農業共同体」が、西ヨーロッパでは、度重なる戦争や異民族の侵入によって「暴力的な死」を経て、「耕地の私的所有」が現れた『諸形態』段階となるが、そこで述べられた奴隷や農奴が存在する古典・古代的形態やゲルマン的形態は、タキッス段階の共同体が歴史的に変容したもので、マルクスはそれを「新しい共同体」と呼び、消極面だけでなく、その積極面をマルクスは「ザスーリチへの手紙」の第1草稿で次のように述べている。

「この新しい共同体──耕地は耕作者の私的所有となっているが、同時にまた森林や牧畜や荒無地などは依然として共同所有のままになっている。この共同体は、ゲルマン人によって、その征服したすべての国々に導入された。自己の原型から受け継いだ諸特質のおかげで、

この共同体は、全中世を通じて自由と人民の唯一のかまど［根源］となっていた」(MEW 19: S.387)

平子は、以上を共同体の三段階としてまとめて、第1段階を「アルカイックな共同体」（カエサル段階）、第2段階を「農業共同体」或いは「ゲルマン的共同体」（タキトゥス段階）、第3段階を「新しい共同体」としている[3]（大谷・平子 2013 : 254）。

マルクスによる共同体への関心の重要な問題意識の一つは、もともとマルクスにとって「所有」とは、「自然的生産条件に対する人間の関係行為」であるということから、人類史的視点からする土地所有の変化にあるが、この過程が共同体的所有の諸段階を経て資本主義的私的所有にいかに至るか、ということである。この過程は同時にまた、人類の共同体意識の中に個人的（個性的）意識が自生的に形成されてくる過程でもあるという視点も重要であると思う。そして、この個性の意識は、共同体所有と区別される個別的所有（個人的所有 or 私的所有）の発展と絡みあっている面もある。この点については、次章で小農問題との関連において詳しく議論するが、ここでも少しマルクス的な視点の展開と思われるものを予備的に以下に述べておきたいと思う。

人間存在の共同性（社会性）というものは、人類にとって生物学的存在レベルにおいてすでに本源的なものであるというのが、初期の頃からのマルクスの確信であり、これは今日の人類学的知見と一致するということをまず確認しておきたい[4]。狩猟採集時代においては、狩猟の獲物などを追って移動することを基本にしていたので、共同労働はあったが、土地の所有ということはなかった。留意すべきは、土地の共同所有以前の狩猟採集時代における本源的共同体を特徴づけるものは、狩猟採集活動などの共同労働を含む生活活動全般に浸透した人間存在の本源的な共同的存在性（Gemeinwesen）だということである。農業と定住が始まり、部族などの共同体による農地などの直接的な共同体所有を前提にした共同労働が当初は基本としてあるが、この共同体は血縁に基づく本源的共同体の性格を残しながらも、農業などの協働労働の必要性からの地縁の側面も持ってくることである。そして、その中でやがて家族・親族を主体とする個別的な所有も現れてくる。ただ、これらの個別的（個人的 or 私的）所有は、背景に村などの何らかの共同体によって媒介されたもので、個別的所有と共同体的所有の結合の様々な形態として現れてくると言えよう。従って、この段階での「私的所有」は、共同体所有と結合した個別的所有のバリエーションの一つであり、確かにこの自己労働に基づく「私的所有」は共同体的所有と対立・反発面をもつが、同時にまた補完される関係にあり、その意味で近代以降の「私的所有」が共同所有と完全に対立・排除の関係にあるものとは違うと言えよう。

　マルクス的な理解では、共同体的所有や社会的所有に対立するものは、基本は「私的所有」であって、「個人的所有」ではないことが重要である。同時にまた、近代以前の「私的所有」は、必ずしも共同体的所有と完全な排斥関係にあるのではなく、共同体所有に媒介されており、対立しつつも補完し合う関係が多い。こういった理解は、日本の場合においても妥当するであろう。たとえば、渡辺尚志『百姓の力』などによれば、江戸時代に「小農自立」が生まれて、土地の個人的所持が広がったが、所有という点にかんしていえば、これは「村の土地」という共同体所有も含まれる重層的な所有であったと言われる。従って、「個人的所有」は共同体に依拠し、それらを排除しない重層的な性格をもっていると理解すべきなのである。また、「私的（privé）」と「個人的（inndividuell）」という二つのフランス語について平田清明のフランス滞在での体験的考察も興味深い。彼は、それを踏まえて、「私的なもの」は共有的なものから「奪い取られた（privé）」から由来しているのに対して、「個人的なもの」は個と全体という関係性を含んでいるとし、マルクスの『経哲草稿』の「人間の個人的生活（individuelles Leben）は類的生活（Gattungsleben）とは別のものではない」という言葉にふれて語っている（平田 1969:132-137）。このように、「私的所有」と「個人的所有」は区別されるが、近代以前においては、共同体的所有との関係における対立性と補完性の度合いで相対的とも言えよう。[5]

近代の資本主義的発展のなかで、「自然（土地）」と人間（労働力）の商品化」ということでポランニーが強調したように土地の「私的所有」と土地から切り離された人びとの「無所有」ということが一般化してくることになるのである。ただ、西欧においても、資本主義システムによって農業資本家と農業プロレタリア――の二極として編成されるのは、英国だけぐらいで、フランスなど他の多くの国々でも小農が広範に存在することになることは留意すべきである。

さらに、こういったマルクス的な見解から私なりに考えるのは、「原古の（アルカイックな）共同体」の名残とそれに伴う共同体の集合的無意識が「自由と人民の唯一のかまど」の背景になっていたということである。農業の始まりによるいわゆる「文明化」以前の先史時代の共同的な集合的意識が個々人の生活意識の基底において無意識として続いているとマルクスが考えていると理解されるのである。結論的なことを少し先取りしていえば、個別的（個人的or私的）所有は共同体的所有によって媒介され結合しているので、当然個別的所有の意識の根底には先史時代からの共同体意識が変容しつつも潜在的に続いているのである。近代以前の私的所有に関しても土地所有に関しては、その私的所有の意識は、共同体的所有の意識と結合していることにおいて、その基底にそういった共同体意識をもちつつも対立・反発をもっているのである。その際、共同体意識や共同体精神は共同体制度そのものよりも長く生き残る傾向をもつことに留意する必要があろう。

### （3）地層（Formation）と人類社会深層の集合的意識[6]

マルクスが、こういった近代以前の諸共同体の研究に関連して、ちょうど農学のリービッヒから「人間と自然の物質代謝」を類比的に取り入れたように、地質学の「地層の構成の連続」に類比させて「社会構成体（formation of society）」の概念を形成したことに注目すべきと思われる。マルクスの「社会構成体(Gesellschaftsformation)」の概念もこういった視点からも再考する必要があると私は思うのである。それは、歴史観の理解にも影響すると思われる。

マルクスは1852年にジョンストンの『農芸化学と地質学の講義』からの抜粋を行っており、その際に「地層(geologishe Formation)」概念に注目して、これの中の「地層の連続(Formationsfolge)」という概念が、歴史科学としての地質学にとって重要な意味をもっていることを認識したが、この「地層(Formation)」のアナロジーが「社会構成体」概念につながっていくとされる。従って、かつての「社会構成体」論争においては、これが「生産諸関係の総体」を意味するのか、それに「上部構造」も含まれるかどうかで論争されたが、それ以前にこの「地層」のアナロジーの意味するところに注目すべきであろう。つまり、特定の歴史段階に位置する社会(共同体)を地殻の歴史における地層、つまり古い順に下から蓄積し成層をなすというあり方とのアナロジーで社会変化を理解しようとした視点もあるということである。

平子の新メガにもとづく研究によれば、社会構成体の概念は1851年頃からマルクスによって使用されはじめ、次のように述べているとされる。

マルクスは、様々な地層〝geologishe Formationen〟の順次的継起と同様に、様々な経済的社会構成体〝oekonomishe Gesellschaftsformation〟もまた積み重なって形成されていくアイデアをえた。そしてまた、マルクス晩年の1881年に書かれた「ザスーリチへの手紙」

の草稿でも、繰り返し歴史的な構成体の連続〝historische Formationsfolge〟と地層の連続〝geologishe Formationsfolge〟が対比されているのである（大谷・平子 2013：279）。

こういったことから、マルクスは歴史の進展は、社会の諸時代の変化に関して矛盾の解決による発展だけでなく、こうした社会層の積み重ねを重視したと言えると思われる。私見によれば、これは特に生活意識を構成する深層の集合意識を考える場合に重要であると思われる。[7]つまり、先史時代の共同体意識を古層として下層に保持するように、新たな時代の意識は先行する時代の集合意識を変容しつつも、その積み重ねの上に展開していくと理解したのではないかと思う。これは、従来の「唯物史観」、特に私が「生産力史観」と呼んだ歴史観にはなかった歴史の形成的かつ構造的理解を示唆するものと言えるのではなかろうか。つまり、ヘーゲル由来の発展的歴史観、先行するものを契機として止揚しつつより高次の段階へと発展していくというイメージとは違った先行するものを積み重ねて基層に蓄積していくというイメージである。これに関係して興味深いのは、歴史における長期的に持続するものに注目したアナール学派の代表的なフェルナン・ブローデルの考えとも響き合うことである。彼の歴史観の特徴は、自然環境との関わりで長期的に持続する生活過程こそが人類の深層の歴史であり、いかなる歴史社会も、この深層の歴史との関係において構造化されている、と考えた点である（ちなみに、ウォーラーステインはブローデルの「長期持続」に大きな影響を受けた）。

そして、私なりにまた、人類史を人びとの生活過程の基底にある深層の集合的意識の視点からも捉える必要があると思うようになった。そうすると、さきに通観した人類史もこうした視点から見ると次のように言えることになろう。農業以前の狩猟採集時代の平等の共同体意識から農業革命による都市や国家の誕生を基礎にした身分制的な階級社会の成立、そしてそれに伴う支配隷従の意識の誕生があるが、この生活過程の深層には変容されつつも共同体意識が連続しているのである。そして、その後の現代に至る過程の中での民衆の蜂起や一揆は、既存の身分制の支配―隷従関係のなかでの潜在化、無意識化した原古の共同体意識に伴う平等意識の復活と再生の意味合いをもった動きと捉えられるのではないであろうか。その第1の大きな現れは、前5世紀頃のヤスパースの言う、いわゆる「枢軸時代」の諸々の普遍宗教の出現であり、これは精神世界における「救済の平等」を強調したものとして理解されるのではないか、また支配隷従の身分制度そのものを不合理なものとして打破して万人の平等を宣言したフランス革命に代表される近代政治革命における民衆の動きの中に、第2のこういった深層意識の大きな現れの一面をも見るべきではないかと思う。フランスの代表的なフランス革命史家のジョルジュ・ルフェーブルは『1789年――フランス革命序論』にて、フランス革命はたんに「ブルジョアの革命」にとどまらない性格をもつことを指摘して、それは「都市民衆の革命」であり「農民の革命」でもあったとしているのである。

## 2　民族とネーション

これまでマルクスの共同体論を中心にその意義を見てきた。マルクスが議論している「共同体」は狩猟採集時代から農耕時代へ転換して以来、近代に至るまでの「共同体」が考察の対象になっていると考えてよいと思われる。ここで見られた「共同体」及びその複合体は今日「エスニシティ」と呼ばれる特徴を持つものと言えよう。そして、こういったエスニックな共同体の集合を「民族（ethnos）」と考えてよいのではと思われる。日本語での「民族」はこういったエスニックな共同体を意味するとともに、ネーション（nation）をも意味するので、注意が必要であるが、こういったことについては順次述べて行きたい。実際、民族（nation）は「民族自決」や「民族の独立」ということで、マルクス主義をはじめ社会理論において、植民地からの独立や階級との関係で大きな問題になってきた。

また、もう一つの大きな問題は、近代になって「国民国家（ネーション・ステイト＝nation-state）」が登場したわけであるが、この場合の「国民」とか「民族」として翻訳される「ネーション」とは何か、それは近代以前の民族やエスニシティとはつながりがあるのかないのか、これはナショナリズム[8]の問題とも関係して大きな論争になってきた。

そこで、さきの共同体の考察を念頭におきながら、「民族」や「ネーション」について考えてみることにしよう。

## （１）民族、エスニシティについて

後述するように、マルクス派の系統のアントニー・D・スミスは、民族は国民国家のネーション形成と無関係であることを強調する有力な論者が多い中で、彼の『ネーションとエスニシティ』（原題：『ネーションのエスニックな起源』）において民族の意義を詳細に論じたことで知られている。また、『ナショナリズムとは何か』で、民族やネーションをめぐる様々な論争を包括的にコンパクトにまとめている[9]。そこで、まず、スミスの「民族」理解にふれておこう。彼によれば、ギリシア語の「エトノス」という言葉は、必ずしも同じ「部族（ゲノス）」に属するものではないが、一緒に生活し、行動する多くの人々あるいは動物という意味をもつ。スミスによれば、ヘロドトスは、ゲノスはエトノスの下位区分としているという。

「ゲノスという言葉は、エトノスよりも血縁に基礎をおいた集団を指す言葉として、とっておかれたもののようにみえる。エトノスとは、より広義で、明らかに血縁的基礎との関係がより薄い意味合いを持つ言葉として用いられた。いいかえれば、エトノスという言葉は、生物学的あるいは血縁的な差異よりはむしろ、文化的な差異を示すのに適しているようにみえる」（スミス 1999：28）

このようにスミスは述べて、近代西欧語のなかでは、「エトノス（ethnos）」はフランス語の

「エトニ（ethnie）」に一番近く、「エトニ」は、文化的差異と歴史的な共同体を良く表しているという。そこで、彼は、「エトニ」を主に使用し、これの言い換えとしては「エスニックな共同体」を使用することにしている。[10] そして、スミスは「エトニ」について詳細な議論をして、次のようにまとめている。

「エトニ（エスニックな共同体）とは、共通の祖先・歴史・文化をもち、ある特定の領域との結びつきをもち、内部での連帯感をもつ、名前をもった人間集団である」（スミス 1999：39）

一応、この「民族（エトノス）」概念を念頭におきつつ次に、同じマルクス派系統の経済学者の南有哲の議論を見てみることにしよう。スミスが国民国家のネーションをめぐる論争から民族の考察へとアプローチしたのに対して、南は、レーニンやスターリンの民族論への批判的アプローチから「民族」の考察に至った点が違う。南の議論はスミスのような包括性はないが、スミスにない議論の深まりもあると思う。

南有哲は、『民族の理論』で、マルクス主義系統の様々な民族論やその間の論争を検討することを通じて、民族の本質を「生命再生産過程を担う社会関係を媒介する記号体系の共有」（南 2007：155）と規定する興味深い見解を提案している。

マルクス主義系統の民族理論では、レーニンとスターリンの[11]「正統派」的な民族論や彼らが批判したオーストリア・マルクス主義者のオットー・バウアーの民族論が有名である。南有哲の上記の民族の本質についての定式は、レーニン＝スターリンの民族理論への高島善哉と湯浅赳男による批判からヒントを得て構想したものである。高島からは「人間自体の生産」という契機、湯浅からは「シンボル共同態」という契機、この二つの契機から民族概念が構成されると考えたわけである。

高島善哉は、エンゲルスのさきの「二つ種類の生産」（生命の生産と食料の生産）にヒントを得て、「生命の生産は家族の問題であり、食糧の生産は経済の問題を指す」（高島 1970 : 326-327）とし、「階級」（生産関係）が後者の「経済の問題」に根差すのに対して、「民族」は前者の「生命の問題」に根差すと考えるのである。南有哲はこれを評価して前章で見た角田修三の『生活様式の経済学』の議論と民族の理解を関連づけて、その理解は、生命再生産過程、つまり人間各個体の生命維持と「種の生産＝繁殖」ということになり、家族にとどまらない広範な社会領域が包含されるとする。つまり、民族問題の独自性は「労働」の領域ではなく「生活」の領域、すなわち「生命再生産過程」にその根拠をもつとするのである。

「生命再生産過程は、それが社会的共同的存在としての人間の活動である以上、共同的なものすなわち社会関係に担われたものとして存在する。物質的生産過程が生産諸関係、具体的には労働の場における諸関係において展開されるものであるならば、生命再生産活動は家族や地域社会そして多種多様な団体といった社会関係によって担われることになる」（南 2007 : 153）

南有哲はさらに湯浅赳男によって提起された「民族＝シンボル共同態」論を、言語記号を核とした非言語的な身振りや身体的特徴などの記号（シンボル）体系の共有が「民族」に関係する社会関係を存立させるのに不可欠である契機を主張しているものと捉える。そして、これらの両契機を統合して次のように言えるとする。

「社会的共同的存在としての人間は他の人間との関係のなかにあってはじめて生命再生産活動を展開することが可能になる。従って他人との間の意思疎通の成立が不可欠であるが、これまで述べてきたように、そのための必須の条件になるのが意思疎通を媒介する存在としての記号体系の他人との共有である」（南 2007：155）

南有哲は、こういったコミュニケーションの記号体系を共有する者に対しては、共有しない者よりも自らの生命の再生産に援助を与えてくれる可能性を感じることが大きくなるとして、両者を結びつけて「生命再生産過程を担う社会関係を媒介する記号体系の共有」を民族の本質とするのである。そして、さらにこれに「習俗の共有」などが加わると、ここから同族感情としての「民族意識」が生まれるとする。そして、様々な困難や危機に遭遇する際に共有者との団結を強めるとともに、共有しない者を排斥する傾向を生み出す。そして、さらに民族意識は一旦成立すると、その本来の基盤である記号体系から相対的自立をもち分断や征服・移民などによって記号体系の同一性が消滅しても存在しつづけることになるとする。

これまで南有哲の見解を見てきたが、これは抽象的な定式であるがゆえに、スミスの問題意識と関係させれば、ネーションとしての「民族」とエトノスとしての「民族」の区別と連関を考える上で示唆に富むものと言えよう。たとえば、近代の標準語としての日本語と方言としての日本語である。ここで、私なりに前章での生活過程について議論したことを踏まえ、広義の生活過程が労働生産過程と狭義の生活（生殖）再生産過程に分けられるとすると、相互浸透を前提しつつも一応主に前者が階級意識に関わり、後者が民族意識に関わるという言い方ができよう。広義の生活過程（物質代謝の過程）の生活主体が民族と考えられる場合には、集合意識としては、労働（生産関係）の領域に関わる階級意識を含む生活主体としての民族意識ということになる。ここから階級意識と民族意識の複雑で多様な区別と連関、たとえば、ある時代の危機的状況においては、しばしばナショナリズムが階級意識を凌駕することが理解されることになろう。また、逆にホブズボームが次のように指摘するように相乗作用もあるのである。

「ナショナリズムは、民族的一体性の意識が取りうる唯一の形態ではなかった。重要なのは、政治的および社会的な一体性の意識の他のあらゆる形態に取って代わる国家主導の、あるいは右翼の政治的運動の排他的ナショナリズムと、近代国家においてあらゆる政治的意識が育つ土壌となる国民的かつ市民的な社会的意識の複合とを区別することである。後者の意識においては、『ネーション』と『階級』とは簡単に分離することはできなかった。もし、階級意識が実際には市民的で国民的な次元を持ち、市民的で国民的な、あるいはエスニックな意識が社会的次元を持っていたことを認めるならば、第１次世界大戦後の労働者階級の急進

化は、彼らの潜在的な国民的意識を強めたということも大いに言えそうである」（ホブズボーム 2001：187-8）

すでに見たように、我々は階級意識と民族意識は広義の生活過程（物質代謝過程）の生活意識に根拠をもつものであると考えたので、上述のホブズボームの見解は妥当と思われるのである。

## （2）国民国家（nation-state）とネーション

前章で、近代になって「国民国家（nation-state）が登場してきたことを語った。ここで問題になるのは、すでにふれたように、この「国民国家」の「国民」と訳される「ネーション」は近代以前の「エスニシティ」や「民族（ethnos）」とどういう関係にあるのかということである。[12]

前節との続きからまず南有哲が民族と国民国家との関係をどう考えているか見てみよう。彼は、国民国家の「国民」概念について二つの次元があるとする。ひとつは近代の主権国家にかかわるもので、排他的に支配される空間（領土）と人間（国民）が確定され、「国籍を持つ人間の総体」が「国民」とされる。第2の次元は、政治的共同体にかかわるもので、国民は「構成員に形式上の対等性が賦与されている排他的な政治共同体」であるとする（同上書：165-166）。

南有哲はこういった前提のもとで、nation-state がしばしば「民族国家」と訳されるように、国民国家と民族の問題は切り離せないとする。彼によれば、民族それ自体は国家とは概念としては無関係で、両者の間には様々な関係が存在しうるとする。しかし、国民国家の形成にともなって民族と国家の排他的な結合関係が成立していき、この関係を国家に即して捉えた概念が「民族国家（ethno-state）」だとする。

そして、この「排他的結合」には二つの契機があり、ひとつは民族同化の行為であり、「『標準』を確定し他の地方的階層的諸分派を否定することによって自民族を均質化する」ことであり、もうひとつは、「民族的同化が困難な部分を排斥」することである。このように権力の行使によって同化と排斥によって成立するのが「民族国家」とする。従って、日本国家の場合に同一民族説が受け入れやすいことやネーション自身が次に述べるような事情もあって、日本語では、ネーション・ステイトは国民国家だけでなく民族国家とも訳されることもしばしばある。これに対して、米国などの場合は民族国家と訳するのは難しいであろうが、それでも、アングロサクソン系が社会的優位を保っている状況があり、いずれの国民国家も潜在的には民族性、エスニシティの問題をもっていると言えよう。[13]

こういった南有哲の見解をあらかじめ念頭におくと近代における国民国家の形成をめぐって「ネーション」「民族」「エスニシティ」についてなされた複雑な国際的論争も一定理解しやすいものになろう。

国民国家（nation-state）の登場と表裏一体とも言える「ネーション」について、その起源についてはこれまで様々に論じられてきた。大きくは、繰り返すがネーションの起源として近代以前のエスニシティや民族との連続性を考える見解と、ネーションはそれらとは断絶、切り離されており、近代になって独自に作られ生まれたものだとする見解がある。スミスは前者を「原初主義」とか「永続主義」と呼んで、後者を「近代主義」と呼んでいる。スミス自身の立場は基本的には後者に属すると思うが、近代以前のエスニシティや民族（エトノス）と近代のネーションとのつながりを重視して自らの立場を「エスノ象徴主義」と呼んで「近代主義」から区別している。ただ、ネーションの近代起源を主張する立場を一括して「近代主義」と呼ぶスミスのネーミングはあまり適切ではないであろう。

スミスは『ネーションとエスニシティ』において、一方で、ネーションは民族（エスニックな共同体）の発展したものだという「原初主義者」（或いは「永続主義者」）、他方で、ネーションの形成は民族とは関係ないという「近代主義者」の両方の対立を批判しつつも、ネーションのエスニックな起源について詳細な議論を展開している。そして、次のような興味深いことを述べている。これはおそらくレーニンやスターリンが或る程度の規模の民族集団については民族自決で国民国家を形成することを積極的に認めたが、弱小の民族集団については、同化はやむをえないという立場を取ったことが念頭にあるのであろう。

「コスモポリタン的なマルクスでさえも、民族国家が衰退しても、民族文化はそれを乗り越えて生きながらえると感じていた。小さなエスニックなネーションの存在そのものが、大きく強力なネーションにはあてはまらない方法で、みずからの文化を不滅なものにすることに、寄与している。小さなネーションにとって、自分たちの文化と歴史は、自分たちの存在そのものの手段であり、かつ目的である。小さなネーションは、大民族国家の優秀な技術と経済的な支配に脅威を感ずれば感ずるほど、それだけ彼らの独自の文化は、精彩をはなち、活力に満ちたものとなる。なぜならば、独自の文化こそは、独自の単位としての自分たちの存在意義を、示すものにほかならないからである」（スミス 1999：256）

マルクスは、我々が前節でみたような社会の連続的蓄積に留意していることからして、スミスが言う以上に、民族文化を重視していたかもしれない。マルクスはある時期よりアイルランドの民族独立運動を支持して、「アイルランドの民族的解放は、イングランドの労働者階級にとって、抽象的な正義とか人道主義的感情の問題ではなくて、彼ら自身の社会的解放の第１条件である」（MEW 32：S.551）と述べている。こういった発言が階級闘争の観点からだけでないことは、アンダーソンの『周縁のマルクス』で詳しくふれられている。[14]

18世紀以来、民族独立としての国民国家の形成とともに、民族、エスニシティの独立運動は様々な仕方で、革命や世界大戦をはさんで、南米、アジア、中東、そして最後に20世紀後半のアフリカでの国民国家の形成で一段落したかにみえたが、しかし、今日、なお、中国におけるウィグル族やチベット族の独立要求、中東でのクルド人の要求、スペインにおけるバスクやイギリスにおけるスコットランドの動きなどを見る時、エスニシティ、民族（ethos）と国民国家の関係の問題の難しさを考えざるをえない。

## 3 「想像の共同体」としてのネーション（国民共同体）と人類史的意義

### （1）アンダーソンの「想像の共同体」論

近代のネーションは近代以前の民族（ethnos）とは、別のものと考えるべきだとする有名な論者はアーネスト・ゲルナー、ホブズボームやベネディクト・アンダーソンなどがいる。この中では、ゲルナーが近代以前からの連続性に一番否定的である。[15] ホブズボームは近代以前の「大衆的プロト・ナショナリズム」の存在を認めているが、基本的にはネーションは近代がつくり出したものであると考えている。ベネディクト・アンダーソンもネーションは近代が生み出したものとしているが、彼の議論が有名なのは『想像の共同体——ナショナリズムの起源と流行』のタイトルに象徴された見解である。彼は、ネーションとは、近代以前の民族やエスニシティから連続するものではなく、近代における「想像の共同体（imagined communities）」とするのである。注意すべきは、「想像の共同体」は、「想像上の共同体」（或いは幻想的共同体）ではなく、人びとの想像によって媒介されて成立する実在の共同体であり、これは部族共同体、村落共同体と性格は違うとはいえ類比されるものなのである。一度も会ったこともない人々を含む大集団を「共同体」と呼べるのかという疑問は当然生じるが、その点が人々の想像力によって補われるというのがアンダーソンのユニークな見解である。ホブズボームも国民国家の形成を資本主義の形成に主に関係づけながらもアンダーソンの「想像の共同体」を利用している。従って、興味深いアンダーソンの見解を以下に少し詳しく見てみたい。

アンダーソンは、この本で、ナショナリズムの文化的根源とその発生・拡大を歴史的に追うのであるが、その際に、これまで研究・論争はヨーロッパ中心に行われてきたのに対して、ヨーロッパに限定せずに、むしろ南北アメリカや東アジアに多くふれることによってユニークな研究になっている。ヨーロッパ中心的な研究の発想を大きく転換させたのである。そして、彼の立場を自ら振り返って、「本書は、ある種の史的唯物論とやがて言説分析と呼ばれるようになるものとを組み合わせる試みでもあった」（アンダーソン 2007 : 373）と語っている。実際、『想像の共同体』は、政治学や人類学の資料のみならず、文学作品に多く言及することによって刺激的な本となり非常に広範囲の様々な分野の読者を獲得するものとなった。

「ナショナリズム」について彼は、「無名戦士の墓と碑」ほど、近代文化としてのナショナリズムを見事に表すものはないという。「これらの墓には、だれと特定できる死骸や不死の魂こそないとはいえ、やはり鬼気迫る国民的想像力が満ちている」（同上書 : 32）。そしてまた、「今世紀の大戦の異常さは、人々が類例のない規模で殺し合ったということよりも、途方もない数の人々がみずからの命を投げ出そうとしたということである」（同上書 : 237）と述べている。こういったことは、日本国民にとっても、戦前の忠霊塔や特攻の物語などで容易に思い起こすことができよう。ナショナリズムが人間の死と不死にかかわり、宗教的想像力と強い親和性をもっているのである。そして、すでにふれたように、紀元前5世紀前後のヤスパースが名付けた「枢軸時代」に登場した仏教、キリスト教などの世界宗教の世界観は、人間の生死の意味と救済にかかわってきたことを指摘する。

「仏教、キリスト教、或はイスラムが、数十もの社会構成体において数千年にわたって生き続けてきたこと、このことは、これらの宗教が、病い、不具、悲しみ、老い、死といった人間の苦しみの圧倒的な重荷に対し、想像力に満ちた応答を行ってきたことを証明している」（同上書：33）

アンダーソンによれば、西欧18世紀はナショナリズムの時代の夜明けであるとともに、宗教的思考様式の黄昏の時期であった。宗教的共同体や王権神授説に基づく王国といった文化システムが崩壊・弱化していく時期であったのである。彼によれば、ナショナリズムの魔術はこのような状況下で生まれるべくして生まれたのである。

「この啓蒙主義の時代、合理主義的世俗主義の世紀は、それとともに独自の近代の暗黒をもたらした。宗教信仰は退潮しても、その信仰がそれまで幾分なりとも鎮めてきた苦しみは消えはしなかった。…（中略）…そこで要請されたのは、運命を連続性へ、偶然を有意味なものへと、世俗的に変換することであった。以下に述べるように、国民（nation）の観念ほどこの目的に適したものはなかったし、いまもない。国民国家が『新しい』『歴史的』なものであると広く容認されているにしても、それが政治的表現を付与する国民それ自体は、常に、はるかなる過去よりおぼろげな姿を現し、そしてもっと重要なことに、無限の未来へと漂流して行く偶然を宿命に転じること、これがナショナリズムの魔術である」（同上書：34）

このナショナリズムに先行するものとして、アンダーソンは、近代以前の「宗教共同体」と「王国」という文化システムを挙げたが、それらは、西洋中世の教皇を中心とするキリスト教共同体やハプスブルク家などを思い浮かべれば理解される。また、西洋以外においても仏教共同体やイスラム共同体、或は中華帝国を思い浮かべることができよう。

アンダーソンのユニークな着眼点は、近代の「ネーション」という「想像の共同体」は、近代以前のエスニックな共同体と共通性があるようにみえながら、時空の観念という点では、まるで違う「共同体」だという点にある。たとえば、時間については次のように述べている。

「中世の時間軸に沿った同時性の観念にとって代わったのは」「『均質で空虚な時間』の観念であり、そこでは同時性は横断的で、時間軸と交叉し、予兆とその成就によってではなく、時間的偶然によって特徴付けられ、時計と暦によって計られるものとなった。こうした変容が国民という想像の共同体の誕生にとってかくも重要なのか。これは、18世紀ヨーロッパにはじめて開花した二つの想像の様式、小説と新聞、の基本構造を考察することで明らかになろう。というのは、これらの様式こそ、国民という想像の共同体の性質を『表示』する技術的手段を提供したからである」（同上書：50）

近代のニュートンに代表される物理学が提示した「均質で空虚な時間」（そしてまた、空間）の観念、そして、時計の発明によって、同じネーションの人々は、全く見も知らない人々でも同じ時間に同じテリトリー（空間）にいることの想像の経験が成立する。このことを、アンダーソンは近代になって登場した「小説」と「新聞」が示しているとして、詳細な分析を展開するのであるが、ここには近代のコミュニケーション・メディアへの注目がある（詳しくは彼の本を参照してもらいたい）。こういったアンダーソンの議論は、同じように「共同体」といっても近代以前の「民族（ethnos）共同体」と違う「国民（nation）共同体」の成立の特殊な性格を他の論者には見られない仕方で興味深く語るものと言えよう。

さて、さきにふれたように、近代以前の宗教共同体や王国の解体・弱化が国民共同体を生み出した重要な一因であるが、しかし、アンダーソンは、それは消極的な意味であって、積極的には次の要因であるとする。

「積極的な意味で、この新しい共同体（国民共同体・引用者）の想像を可能にしたのは、生産システムと生産関係（資本主義）、コミュニケーション技術（印刷・出版）、そして人間の言語的多様性という宿命性のあいだの、なかば偶然の、しかし、爆発的な相互作用であった。

ここで、宿命性の要素は、決定的に重要である。というのは、資本主義にいかなる超人的偉業が可能であるにせよ、死と言語は、資本主義の征服しえぬ二つの強力な敵だからである。特定の言語は、死滅することもあれば、一掃されることもある。しかし、人類の言語的統一はこれまでもできなかったし、これからもありえない。しかし、こうした相互了解の不可能性は、歴史的に、資本主義と印刷・出版が一言語だけを知る大量の読者公衆を創出してはじめて重要性をもつにいたったのである」（同上書：82-83）

ここからアンダーソンが、資本主義一般ではなく、「出版資本主義」が、生産関係（資本主義）と言語的多様性という宿命性とを調停して国民国家を誕生させる上で大きな役割を果たしたことを非常に重視していたことが窺われる。一般に、ウォーラーステインなどが近代世界システムとしての資本が国民国家を促進したことはこれまでしばしば語られてきたが、アンダーソンは、そういった大きな流れを踏まえつつ国民国家の「国民共同体」（ネーション）の形成に焦点をあてたと言えよう。マルクスが生きた時代の19世紀において現代に通じるネーションが発達し、ホブズボームによれば、マルクス死後の19世紀最後の10年に「ナショナリズム」という言葉も作られたという（ホブズボーム 2001：132）。

以上、アンダーソンの「ネーション＝想像の共同体」説を見てきたが、近代において国民国家に同伴して現れた国民、ネーションという「想像の共同体」が、近代において弱化した農村共同体や地域共同体などの基礎的共同体の上位の二次的な「共同体」でありながら、近代以前の宗教共同体や王国などの上位の二次的な共同体と違って非常に強力であることがそれなりに理解されたであろう。さらに補足すれば、ウォーラーステインらが強調したように、資本主義的市場経済と相関して国民国家が形成されたと同時に、近代以降において、農村共同体、さらには家族といった基礎的、一次的共同体そのものが解体・弱化してきていることがまた国民共同体の形成と強化の背景にあると言えよう。[16] この点は、ホブズボームも次のように言ってアンダーソンに共感している。

「ベネディクト・アンダーソンの有益な言い方によれば、近代のネーションとは『想像の共同体』であり、人間の現実の共同体とネットワークの衰退や崩壊、あるいは、それらが役に立たなくなったことから生じる情緒的空白を埋めるために作りだされるものであることは疑いない」（ホブズボーム 2001：57）

また、あまり注目されないことだが、農耕革命以降に人類史上、国家[17]がはじめて登場し、諸共同体を統括しつつ今日まで続いているであるが、じつは、国家と共同体の関係が近代以前と近代以降とはきわめて大きく変化したことであり、これに伴って国家のあり方自身も大きく変化したことである。フランス革命は、人びとは国家の臣民ではなく、逆に国家を可能にするネーション・市民であり、主権者は国民であると宣言した。このことの歴史的意義はきわめて大きいと言える。1789年初頭に、アベ・シェイエスは『第3身分とは何か』を発刊したが、そのなかで、「ネーションはあらゆるものに先立って存在するとともに、あらゆるものの起源である。その意志は常に適法であり、ネーションの意志が法そのものである」と述べた。これは、ネーションを第3身分と同一視した上で、主権とはネーションの主権であると宣言したのである（スミス 2018：98）。しかも、建前とは言え法的には、身分制などの支配・隷従関係は否定され国民（ネーション）の平等が強調されている点で、一次的共同体の代替的作用も大きいものがあろう。

もちろん、当時は、このネーションのなかにプロレタリアートなどの貧困者や女性は入らなかった。特に女性に関しては、当時女性の人権を主張した論者にオランプ・ドゥ・グージュがいるが、革命家の大方から見捨てられ、断頭台の露と消えた。その意味で、国家は階級や女性の支配の道具の性格が依然強かったわけであるが、すでに述べたような社会主義者や女性の運動によって選挙権の拡大が次第になされていったわけである。[18] 19世紀の終わりから20世紀の二つの世界大戦を経て、国民を構成する主権者は増えることはあっても減ることはなかった。今日では、超富裕者も貧困者も同じ国民として平等な主権者の一人であることを誰も否定することはできないということは、大いに留意すべきことと思う。

つまり、近代以降、国民国家の成立以降は、国家の振る舞いは、階級と国家の関係とともに国民と国家の関係をも反映することになるのである。また、近代社会の主体（物質代謝の主体）は資本主義システムであるとともにネーションでもあり、そのせめぎ合いが生じることにもなると言えよう。

## （2）歴史における物質代謝の社会的主体について

こういった「共同体」という視点から、歴史を改めて振り返ってみると、約1万年前の農耕革命を経て、血縁を主とした狩猟採集の共同体は、血縁のみならず地縁を主とした農業・牧畜の共同体を産みだした。それと同時に、渡辺憲正がマルクスから読み取ったように、共同体の統治・支配の側面であった統治共同体は、灌漑などの大規模な作業や他の共同体からの防御の指揮の必要性から幾つかの共同体を統合して王権を戴く古代国家をつくりだした。日本の古代においても、くにの連合体であった卑弥呼の邪馬台国からミニ国家を統合する仁徳天皇陵に象徴される巨大な権力を誇示する古代国家が対中国・朝鮮との対外関係を軸にして生み出された。そして、遣隋使、遣唐使などによってもたらされた仏教もまた、民衆の精神的欲求に応えるものであるとともに、古代国家の支配を正当化するものとなった。

古代国家、またしばしば帝国は、灌漑などによって帝国内の物質代謝にその指揮的な役割をはたすが、基本的には帝国内の諸々の村落共同体、そしてそれに同伴する都市共同体の総体が物質代謝の主体と言える。農業共同体をはじめ民衆の共同体が基礎的な共同体であるのに対して、宗教共同体や王国共同体は上位の二次的な共同体であると言えよう。近代以前には、基礎的な農業共同体の上位に宗教共同体や王国共同体といった文化・政治システムがアンダーソンの言う意味での「想像の共同体」という仕方で立ち現れることはなかったのである。それはまさに、言うならば「幻想共同体」（マルクス）としての国家であった。

それに対して、近代以降の国民国家は、国内における村落共同体や地域共同体を弱化させつつも、他方で、それらを補完しつつ文字通り国民としての共同体、「想像の共同体」を統括するものとして現れてくるのである。フランス革命において典型的であったように、自由・平等・友愛の国民共同体である。ネーション規模の物質代謝が資本主義経済システムとして展開されるわけである。国民共同体としてのネーションが物質代謝の主体であるかのようにみえるが、じつは資本主義システムが主体化してそれによって物質代謝が物象化された様式で行われることになるのである。従って、より正確に言えば、近代以降、人間と自然の物質代謝の社会的主体は、ネーションであると共に資本主義システムであり、両者に対抗関係があり、国家のあり方もそれに左右されるのである。どちらがより主体的になるかは、階級闘争がかかわっていると言えよう[19]。

ちなみに、以上述べてきた関係で、ここで、マルクスの未来社会観に一言ふれるならば、彼の未来社会は「共産主義」、すなわちコミュニズムであるが、これはコミューン（共同体）主義であり、詳しくは後述したいが、諸々のアソシエイトされたコミューンの連合・ネットワークが物質代謝の主体となる社会のイメージと言えるであろう。

【注】

1　ここでの引用略号の（マルクス：S. 399）は、『経済学批判要綱』MEGA Ⅱ/1. 2: S. 399を意味している。以下同様。

2　この過程には、ロシアの思想家チェルヌイシェフスキーの影響もあったと言える。以下、参照、武井勇四郎『チェルヌイシェフスキーの歴史哲学』法律文化社（2000）。また、チェルヌイシェフスキー『農村共同体論』未来社（1983）。

3　渡辺憲正も「ザスーリチへの手紙」草稿をもとにほぼ同じ諸段階を述べている（渡辺他 2016：177-178）。

4　NHKスペシャル「人類誕生　第2章　最強ライバルとの出会い」（2018. 5. 13）で、ネアンデルタール人が滅び、ホモサピエンスが生き残ったのはなぜかと問う番組を最新の人類学の知見をもとに放映した。それによると、ネアンデルタール人とホモサピエンスは、知力はほぼ同じぐらいで、体力では前者が勝っていたが、集団力ではホモサピエンスが勝ったことが原因とされていた。ネアンデルタール人は家族レベルの共同性しかなかったが、ホモサピエンスには、家族を超えた集団の共同性（社会性）があったことが大きい集団力を発揮することができた由縁とした。

5　平子友長や渡辺憲正は、すでにふれたように、マルクスによる共同体発展の理解を三段階としてまとめていたが、この発展段階のポイントは共同体的所有の中にそれに媒介されつつ個別的所有（個人的、私的）が拡大していく仕方で、共同的所有と個別的所有の結合のあり方の展開において位置付けられていることである。これと関連して興味深いのは、マルクスの「アソシエーション」の研究者である田畑稔が「共産主義の核心」に関わって、「マルクスが『自由な個人性』の生成史として共産主義を把握していたこと、未来社会を共同性一般の実現といった無限定なものとして考えるのではなく、個人性生成視点と共同性を結合する〈形態〉こそが、アソシエーション形態にほかならないと考えていたこと」（田畑 2015：259）と述べていることである。

6　ここで「集合的意識」が出てくるのは、少し唐突に思われるかもしれないが、これはすでに述べた「ホメオスタシス」の議論とつながっているのである。共同体の集合的意識は、環境への共同体の適応と関わっているのである。また、この「集合意識」にかかわらせて人類の精神の素描を文献（尾関夢子・周二 2021）で行った。

7　ここで「深層・基層の共同体意識」にふれておくならば、私は、これはマルクス的理解に従って二種類あると考えている。ひとつは人類の生物学的条件と密着した普遍的な意味でのそれであり、もうひとつは、歴史社会の最古の共同体意識の意味である。この両者は絡み合っているが、概念的には区別でき、後者は歴史の展開のなかでアウフヘーベンされながら保存されていくが、前者は歴史貫通的に人間存在の基層にあるものと考えられる。〝Gemeinwesen〟（共同社会、共同生活体）はこの両方を内含していると言えよう。

8　ここでは、ナショナリズムをめぐる論争そのものは問題にできないが、ナショナリズムについてゲルトナーは次のような有名な定義をしている。「ナショナリズムとは、第一義的には、政治的な単位と民族的な単位とが一致しなければならないと主張する一つの政治的原理である。」（ゲルトナー 2000：1）。ホブズボームも『ナショナリズムの歴史と現在』でこの規定に賛意を表している。ここで注意しておく必要があるのは、日本では、「ナショナリズム」というと、排外主義や狭隘な民族主義をもっぱら連想するが、ネーションが国民をも意味している以上、ナショナリズムが意味するところは広く、まさに「国民主義」をも意味していることである。つまり、さらに言えば、本来的には国民主権の主張をも含意していることである。こういったことが、階級の視点とも関係して、ネーションをめぐる複雑な問題状況をつくりだす。さきにマルクス共同体論の研究に関わった渡辺憲正は、ネーションを重視して、戦前の15年戦争や3・11原発大震災の意味を理解するには、日本社会の現実全体を「ネーションの展開とその帰結」という視点から見ることが重要だと主張している（渡辺 2011）。ところで、橋川文三は『ナショナリズム』にて、ナショナリズムに対して「パトリオティズム（郷土感情）」は、自分の郷土、もしくはその所属する原始的集団への愛情であり、「歴史の時代を問わず、すべての人種、民族に認められる普遍的な感情であって、ナショナリズムのように、一定の歴史的段階においてはじめて登場した新しい理念ではないということである。」（橋川 2017：23）としている。

9　この本は「入門書」と名乗っているが、訳者である庄司信が言うように初心者にはなかなか難しいと思われるので、庄司の「あとがき」を先に読むのがよい。また、よりコンパクトにまとめた新書で塩川伸明『民族とネーション』もあり読み易い。

10　ただ、日本語の文献では、仏語の「エトニ」よりもむしろギリシア語の「エトノス」の方がよく使用されているので、「エトニ」は「エトノス」と読み替えて使用していこうと思う。

11　スターリンの「民族」についての有名な定義を引用しておこう。「民族とは、言語、地域、経済生活、および文化の共通性のうちにあらわされる心理状態、の共通性を基礎として生じたところの、歴史に構成された、人々の堅固な共同体である」（スターリン全集第2巻、大月書店、1952：329）。南は、彼の同書の第5章で詳細な批判をしている。

12　塩川伸明は、『民族とネーション』の第1章で「エスニシティ」「民族」「ネーション」などの用語の整理を苦労して行っているが、そこで次のように述べている。「日本語の『民族』と『国民』は、ともに英語でいえばネーションとなる（というよりも、元来ネーションの二通りの訳語として、この二つが生まれた）。」「本書では、日本語にネーションの訳語が二通りある点を利用して、ネーションにエスニックな意味合いが色濃く含まれている場合には、『民族』、ネーションがエスニシティと切り離して捉えられている場合に『国民』とする」（塩川2008：8-9）この観点を考慮すると、一応、日本国という「ネーション・ステイト」は、国民国家であるとともに民族国家とも訳すことができる。ちなみに、日本国憲法で「国民」とされているのは、英文では「nation」ではなく「people」である。また、高島善哉は、『民族と階級』で、日本人は通常、「国家」、「国民」、「民族」の区別の意識がきわめて弱いことを再三強調し、これらは「くに」という言葉でいっしょくたにして表されるという。

13　もともと「ネーション」の二義性に由来することで「ナショナリズム」も二種類あると後藤道夫は次のような区別を述べている。「『国家に基づく愛国心』を『シヴィック・ナショナリズム』と呼び、エスニシティごとに国家を要求するタイプのナショナリズムを『エスニック・ナショナリズム』と呼んでおこう。両者はいわば原理的に相互浸透する存在であり、多くのナショナリズムは、この両者の混合物、融合物として存在しているのである。これはネーション概念の両義性、二重性に照応したものである」（「総論　国民国家・ナショナリズム・戦争」後藤・山科編著『第4巻　ナショナリズムと戦争』大月書店：27）。ところで、大澤真幸は、『近代日本のナショナリズム』で、この両義性に見えるものが普遍性と特殊性の結合としてネーションの不可欠の性格として独自の議論を展開している。つまり、国民という抽象的・普遍的な概念と具体的なエスニシティの形象とを結びつける想像力がナショナリズムであり、それが近代のネーションの成立の鍵だというのである。

14　ウォーラーステインは、『人種・国民・階級』で「階級」以外の「人種」や「民族」の成立を彼の独自の見解である、中心、半周辺、周辺の構図との関係で説明しており、面白い見解とは言えるが、少し階級還元主義といわざるを得ないであろう。この点に対して、共編著者のバリバールはウォーラーステインに批判的である。

15　じつは、スミスはこのゲルナーの弟子で、ゲルナーの見解への反発が、ネーションと民族（エスニックな共同体）との不連続を認めつつも両者の関係性を強調する見解になったと言える。

16　ヘーゲルは『法の哲学』にて近代社会の構造を、核家族―市民社会（欲望の体系）―国家共同体（人倫）として示してみせたが、これも以上述べてきたことから理解できよう。

17　「国家」については、マルクス主義をはじめいろいろな立場から様々に議論されてきたが、私は以前に論文「人類史・世界史の構造の新たな理解へ向けて」（『環境思想・教育研究』7号、2014）で「国家」について議論したことがあるので関心のある方は参照されたい。

18　また、女性の権利運動に関しては、メアリ・ウルストンクラーフトの『女性の権利の擁護――政治および道徳問題の批判をこめて』（未来社、1980＝1792）の発刊にみられるように、フランス革命と同時にその声が挙げられるが、その後の大きな反動によって埋もれてしまうことになり、19世紀終わりになって発掘されることになる（同上書：あとがき）。

19　テンニエスの「ゲマインシャフトからゲゼルシャフトへ」というテーゼは前近代から近代へ人間関係のあり方の推移を表すものとして良く知られているが、ネーションがたとえ「想像された（imagined）」という限定がつくにせよ、一種の「共同体」であり、そのために命を賭すこともあることを考えると上記のテーゼは、通常の理解を超えてもう少し考察を深める必要があるように思われる。

【引用・参考文献】


• アンダーソン、ベネディクト『定本　想像の共同体』書籍工房早山、2007（1991）

- 梅森直之編著『ベネディクト・アンダーソングローバリゼーションを語る』光文社、2007
- 大澤真幸『近代日本のナショナリズム』講談社、2011
- 大西仁「ナショナリズムとアナーキズム――ウェストファリア・システムにおける国際規範の一考察」日本国際政治学会編『国際政治』第69号、1981
- 尾関夢子・尾関周二『こころの病は人生もよう――統合失調症・ユング・人類精神史』本の泉社、2021
- 大谷禎之介・平子友長編著『マルクス抜粋ノートからマルクスを読む―― MEGA 第Ⅳ部門の編集と所収ノートの研究』桜井書店、2013
- ゲルトナー、アーネスト『民族とナショナリズム』岩波書店
- 小谷汪之『共同体と近代』青木書店、1982
- 塩川伸明『民族とネーション』岩波書店、2008
- スミス、アントニー・D『ネーションとエスニシティ』名古屋大学出版会、1999（1986）
- 高島善哉『民族と階級』現代評論社、1970
- 田畑稔『増補新版マルクスとアソシエーション』新泉社、2015
- 橋川文三『ナショナリズム――その神話と論理』筑摩学芸文庫、2015（初版 1968）
- バリバール、エティエンヌ／ウォーラーステイン、エマニユエル『人種・国民・階級』大村書店、１９９７
- ブラン、オリヴィエ『女の人権宣言――フランス革命とオランプ・ドゥ・グージュの生涯』岩波書店、1995
- ブローデル、フエルナン他『ブローデル歴史を語る――地中海・資本主義・フランス』新曜社、1987
- ホブズボーム、エリック『ナショナリズムの歴史と現在』大月書店、2001
- 南有哲『民族の理論』文理閣、2007
- 渡辺憲正他編著『資本主義を超えるマルクス理論入門』大月書店、2016
- 渡辺憲正「『経済学批判要綱』の共同体／共同社会論」『関東学院大学「経済系」』第２２３集、2005
- 渡辺憲正「３・11以後のネーションと理論の視座」東京唯研編『唯物論』85号、2011

•和田春樹『マルクス・エンゲルスと革命ロシア』勁草書房、1975

# 第5章　「労農アソシエーション」と社会変革の力

## 1　晩期マルクスの歴史観と小農問題

これまでの章で述べてきたことを踏まえて、ここでは、現代における社会運動、社会変革の核となる主体を、かつての「労農同盟」とは違った性格の労働者と農民の新たな連帯とする考えを提案してみたい。そのための手がかりをまずはマルクスの晩年の思想に探ることにしたい。

晩期マルクスの思想の結晶の断片といってよいと思われる「ザスーリチへの手紙」の核心についてもう一度述べておこう。ロシアの女性革命家ザスーリチは、マルクスに手紙を出してロシアのマルクス主義者たちはロシアの革命はまずロシアの古い共同体が解体し資本主義が発展してからはじめて日程にのぼると言っているが、マルクスはこれについてどう考えるか教えてほしいということであった。これに対して、マルクスは数度にわたって手紙の草稿を書いて熟考して回答をした。「ザスーリチへの手紙」でマルクスが述べた要点は、次のことであった。

マルクスはロシアの農業共同体、ミールを「社会再生の拠点」として高く評価し、それは、アルカイックな平等的な共同体の「自然の生命力」を残しており、資本主義的工業社会を経なくとも、それは「共産主義的発展の出発点」になりうるとしていることである。マルクスは社会主義・共産主義に至る道は、複数あり、イギリスを典型とするような、農業共同体を解体し産業革命を経て資本主義的工業社会を実現した後にそれに向かうという道だけでなく、既存の農業共同体から共産主義に至る道――その際に科学技術や諸制度などを先進資本主義的工業社会から導入しつつ――に直ちに進むことができると考えたことである。[1]

マルクスは晩年には、我々がすでにふれたように、マルクス主義のホブズボームやマルチェロ・ムストが強調しているが、歴史の単線的発展でなく複線的発展を考えるようになったと思われる。その切掛けとしては、農業・農民問題が大きいのである。このことは、おそらくは、『周縁のマルクス』のケヴィン・アンダーソンも書いている次のこととも深く関係していると言えよう。

アンダーソンは、マルクスが１８７１年のパリ・コミューンの敗北の後、非西洋農業社会へ関心を向けたことに関連して、解放の神学者であるバスティアン・ヴィーレンガの言葉、つまり、マルクスが非西洋社会の小農に関心をもったのはもっともだとしていることにふれている。コミューン参加者が革命運動を農村部に広げることができず敗北したが、ヴィーレンガは「パリ・コミューンによってマルクスは、労働者階級は小農との同盟、すなわち後者の『なまなましい利益とその現実の必要』に基づいた同盟を必要とすることを洞察するに至った」としているとアンダーソンは紹介している（アンダーソン 2015：293）。つまり、「農業共同体」問題は小農の問題と深く結びついていると理解すべきと思われるのである。

『共産党宣言』（1848）では、マルクスはエンゲルスとともに小農は手工業者などと同様に「没落する階級」であり、「保守的」さらには歴史の歯車を逆に回そうとするから「反動的」でさえあるとしていた（MEW 4：S.472）。私はこの考えを便宜的に「小農没落史観」と呼んでおこうと思う。[2]

この当時からすると、マルクスは晩年の「ザスーリチへの手紙」（1881）に向けてこの「小農没落史観」からスタンスを大きく変化させて、ロシアの場合、没落は「歴史的宿命」ではなく国家による抑圧と搾取によるもの（MEW 19：S.400）として、共同体的な力による内発的な再生を主張した。エンゲルスも同時期に「マルク」という論文で、古いドイツの「マルク共同体」の再生にふれてマルクスの立場に近づいたこともあった（MEW 19：S.326）。しかし、結局、歴史発展の動因を生産力上昇とそれを歴史法則と見るエンゲルスは、このスタンスを基本的には変化させなかったように思われる。エンゲルスは確かに『共産党宣言』の１８８２年のロシア語版の序文の次の言葉に、マルクスとともにサインしているが、そこには、こう書かれていた。

「ロシアの農民共同体は、ひどくくずれてはいても、太古の土地共有制の一没落に移行できるだろうか？　それとも反対に、農民共同体は、そのまえに、西欧の歴史的発展で行われたと同じ解体過程をたどらなければならないのであろうか？　この問題にたいして今日与えることができるただ一つの答は、次の通りである。もし、ロシア革命が西欧のプロレタリア革命に対する合図となって、両者がたがいに補いあうなら、現在の土地共有制は共産主義的発展の出発点となることができる」（MEW 4: S.576）。

おそらくエンゲルスは、「ザスーリチへの手紙」（及び草稿）が彼の死後のかなり後の１９２４年に公刊されたこともあって、彼は（レーニンもまた）マルクスのこの手紙の草稿において詳しく展開された考えを知らなかったこともあり、この言明の重大な背景的な思想を十分に認識してサインしたのではないように思われる。[3]

確かにエンゲルスも「小農」を巡る問題は重要と認識し、マルクス死後の１８９４年に「フランスとドイツにおける農民問題」という重要な論文を書いている。この論文は「フランスのマルクス主義派の社会主義者の農業綱領」の内容に主に批判的にかかわって書いている。エンゲルスは、この「農業綱領」の立場においては「資本主義的生産様式に起因する没落から小農民的所有を保護することは社会主義の原理の一つだ、ということを立証しようとする」（MEW 22: S.491）誤ったものだとして、そのことを強く批判しているのである。「小農没落史観」ともいうべき考えはほとんど変わっていないようにみえる。

公平を期すために言うならば、エンゲルスはさきにふれたように、マルクスの死の前年に

「マルク」という論文を書いて、ドイツ農業の将来について、マルク共同体の新たな形態での再生について小農民に期待したこともあり、後述のカウツキーのように、小農没落の必然性、プロレタリア化の主張だけではなかった。ただ、このようにマルクスに接近した場合にしても、エンゲルスはマルクスのように農業共同体を基礎にした「内発的な」ロシアの革命を積極的に認めたことはなく、それはあくまで西欧革命に触発される「外発的なもの」とした点で、その意味では単線的な歴史観に留まったと言えよう。次のエンゲルスの言葉はこれをよく示している。

「要するに、我が小農は、過去の生産様式のあらゆる遺物と同じように、救いようもなく没落の道をたどっている。彼は未来のプロレタリアートである」(MEW 22 : S. 489)。

従って、エンゲルスが主張するのは、小農が自らの没落を理解して、協同組合化などの集団化に進むように説得することが肝要だということになるのである。[4] ただ、しかし、エンゲルスによれば、小農は、こういった我々の言うことは理性的に考えればわかるはずであるが、「その血肉にしみこんだ所有意識」にさまたげられて理解できず、我々を「高利貸しや弁護士と同じように危険な敵」とみなしているから説得に困難な事態があるとする(同上頁)。こういうエンゲルスのスタンスを前提にして協同組合化の呼びかけがどこまで通じるか疑問と言えようが、これについては、すでに淡路憲治が「労農同盟」の根拠付けという視点から以下のような疑問を呈していた。

淡路憲治は、『西欧革命とマルクス、エンゲルス』において、従来のマルクス主義ではこの論文は「労農同盟」を基礎づけるものとされてきたが、果たしてエンゲルスはこの論文で「労農同盟」の基礎づけを説得的に主張しえたのかと問う議論をしている。そして、協同組合方式を提唱していることで、多くの論者は、エンゲルスは「労農同盟」の根拠を与えることができたとしているが、他方で、エンゲルスは「小農没落必然論」を非常に強く主張しており、この両者がうまく両立しているかどうか疑問を呈して次のような結論に達している。「エンゲルスの協同組合化論は、彼の農民没落論と矛盾しない、それと両立しうるおそらく唯一の方策であり、彼の農民論の到達点であるが、しかしそれをもって農民を獲得しうる保障はない。こうして、この主張をもってエンゲルスの労農同盟論が成立したとはいいえないのである」（淡路 1981：234）。つまり、突き詰めていえば、相互信頼に基づく真の同盟ではないということであろう。

こういったことは、小農の「所有意識」をエンゲルスは否定的にしか捉えていないこととも関係していると思われるのである。これに対して、マルクスは小農や手工業者の「所有意識」の積極面も見ていたとも言えるのである。

それでは、この点にかかわって、以下に、『資本論』の「個人的所有の再建」という文言が出てくることで有名な「第7編　資本の蓄積過程　第24章　第7節　資本主義的蓄積の歴史的傾向」からの引用をもとに少し考えてみることにしよう。

「労働者が自分の生産手段を私有しているということは小経営の基礎であり、小経営は、社会的生産と労働者自身の自由な個性との発展のために必要な一つの条件である。たしかに、この生産様式は、奴隷制や農奴制やその他の隷属的諸関係の内部でも存在する。しかし、それが繁栄し、全精力を発揮し、十分な典型的形態を獲得するのは、ただ、労働者が自分の取り扱う労働条件の自由な私有者である場合、すなわち農民は自分が耕す畑の、手工業者は彼が老練な腕で使いこなす用具の、自由な私有者である場合だけである」（MEW 23: S.789）

マルクスは小農や手工業者の私的所有に基づく小経営を「社会的生産と労働者自身の自由な個性の発展のために必要な一つの条件である」と評価しているのである。この点は、『資本論』のフランス語版では、一層明確に、「小経営は、社会的生産の苗床、すなわち、労働者の手の熟練や工夫の才や自由な個性が練り上げられる学校なのである」（『資本論』フランス語版：455）と述べているのである。[5] そして、マルクスは、小農などの小経営の私的所有が資本主義的な私的所有によって否定され、続いてその「否定の否定」として「個人的所有の再建」が「社会的所有」の実現と共に語られるのである。

「この否定の否定は、私的所有（Privates Eigentum）を再建しはしないが、しかし、資本主義時代の成果を基礎とする個人的所有（Individuelles Eigentum）を作り出す。すなわち、協業と土地の共同占有と労働そのものによって生産される生産手段の共同占有を基礎とする個人的所有を作り出すのである」（MEW 23: S.791）

ここでも見られるように、マルクスの議論にはすでに前章でふれてきたように個別的所有には私的所有と個人的所有の二種類が含まれており、私的所有は社会的所有に対立する意味合いがあるが、個人的所有は社会的所有（or共同体的所有）と補完的に両立するようなニュアンスがもともとあったのである。つまり、ここでの個人的所有は、近代以前の共同体的所有と結合した「個別的所有」の、より自由な個性を発揮した形態であり、「所有」のもともとの意味である「生産手段に対する人間の関係行為」を基礎にしたものであり、生産者と生産手段の結合の回復を含意していると言えよう。[6]

さて、ここで、さきのエンゲルス論文「フランスとドイツにおける農民問題」に戻るならば、興味深いのはこの論文で、エンゲルスは「生産手段の所有はただ二つの形態でしかおこなうことができない」として、「個別的所有（Einzelbesitz）」か「共同所有（Gemeinbesitz）」かの二者択一として強調していることである（MEW 22 : S. 491）。そして、「個別的所有は、それが存在しているところでは、また存在しているかぎりで、共同所有を不可能にするからである」（S. 492）として、個別的所有と共同所有の両立する場合があることを認めず、個別的所有を私的所有と等値しているのである。

このように、エンゲルスは「個別的所有」と「私的所有」を区別していないが、繰り返すが、マルクスは「個別的所有」を「私的所有（Privates Eigentum）」と「個人的所有（Individuelles Eigentum）」の二つに区別し、さらに私的所有は（近代以前でも）共同所有と対立する面があるが、個人的所有は共同所有（社会的所有）と両立する概念として、むしろ両者の結合の様々な形態を歴史的に考察していたことを思い起すことができよう。

さらに、マルクスは「私的所有」も前近代的なそれと近代的（資本主義的）なそれを区別していたことも強調しておきたい。近代的な「私的所有」は、「共同的所有」（社会的所有）と対立・排除関係にあるが、共同体に媒介された前近代的な私的所有の場合はしばしば個人的所有と区別されずに用いられているように、排除関係ではなく、対立の要素を含みつつも両立しているのである。

ちなみに、以上からすると、資本主義の次に来る所有形態として、資本主義的私的所有の形態から「個人的―共同的所有」（個人的―社会的所有）の形態へというふうに言うことができるかもしれない。「社会的所有」というだけでは、国家的所有が容易に連想されることを考えると、「個人的」を付けることは、直接的生産者が生産手段を我が物としていること明示している象徴になり重要であろう。そして、次節で述べる労働者協同組合や農民協同組合などは、まさにこういった「個人的―共同的所有」という所有形態の類型と言えるのではないかと思う。国家的所有がたとえ必要な場合があっても、それをできるだけ縮減する必要があるのは、そこからソ連の「ノーメンクラツーラ」に見られるように容易に官僚組織が自立・肥大化し、人々を支配するようになるからである。

話しを戻すと、以上見てきたように、マルクスとエンゲルスは『共産党宣言』頃には、同じような「小農没落史観」を共通に持っていたが、マルクスは小農などの小経営の特質や農業共同体の意義を認めて次第に「小農没落史観」を脱却して晩年の「ザスーリチへの手紙」に至るのであるが、エンゲルスは若干の変化はあったが基本線では「小農没落史観」を保持したということである。ここには、エンゲルスが単線的な歴史観にとどまったのに対して、マルクスが「人間と自然の物質代謝」概念や「共同体」理解の深化を通じて、さらに「物質代謝史観」とも呼べる一層包括的な人類史的な歴史観の可能性の示唆へと進んで行ったことと無関係ではないように思われるのである。

ところでまた、エンゲルスが（そしてまた一時期はマルクスも）こだわったのは、社会の発展は生産力の増大にあり、当時の時代の大工業化の進展に見られるように、小規模経営から大規模経営がこれを実現することを当然のように一貫して語っていたということである。ただ、この点で、すでに引用したように、マルクスは同時にまた大工業と工業化された農業が「人間と自然の物質代謝の亀裂、攪乱」をもたらす懸念を強く表明していたのである。[7]

その上、今日のわれわれは、農業の大規模化は、長期的にみれば土地の劣化や砂漠化をもたらし、また化学肥料の多用などで安全面でも危惧する事態を生み出すことを知っているのである。そして、次節で見るように、小農の小規模農業の方が、環境保全的可能性が高いのである。少し先回りして行っておけば、現代では、こういった小規模農業が、今日のＡＩやＩＣＴの技術の活用によってネットワーク化されることによって新たに展開する可能性が出てきているが、詳しくは後の章で議論したい。

## 2　小農問題と社会変革論――現代の「労農アソシエーション」に向けて

### （1）農業を巡る現代世界の新たな社会的動き

日本では、一般新聞もあまり紹介しないこともあってほとんど知られていないが、じつは、2018年の12月に「小農の権利宣言」と称されるものが国連総会にて採択された。賛成は121国、反対は英米など8国、そして棄権は日本を含む54国であった。また、2019年から今後10年の国連「家族農業の10年」が始まったが、これは2014年の国連「世界家族農業年」を踏まえたものである。これらの宣言が示すものは、小農・家族農業と環境保全を重視する農業観・農業政策・農業運動が今日世界的動きであることに注目すべきである。

この「小農の権利宣言」の発議をしたのは、ビア・カンピシーナ加盟のインドネシア農民組合（SPI）であった。そのことに見られるように、この運動の主体は、いわゆる「発展途上国」の小農・家族農業を営む農民たちである。そして、このスペイン語で「農の道」を意味する「ビア・カンピシーナ」の運動は、ブラジルやキューバなどの中南米から始まり、現在は多国籍アグリ企業やアメリカに対抗する世界的な運動となっている。そして、ビア・カンピシーナは、「緑の革命」による工業型の農業や植民地主義由来のモノカルチャーではなく、自然と共生する環境に配慮した自給型農業を基本にしており、「アグロエコロジー」というスローガンを掲げている。

そして、「アグロエコロジーなき食糧主権は絵空事にすぎないが、食糧主権なきアグロエコロジーは単なる農法にすぎない」と主張する点に大きな特徴がある（ちなみに、キューバは、ソ連崩壊以前はソ連貿易圏のなかで、ソ連に砂糖などを輸出して工業製品を輸入するというモノカルチャー農業であったが、ソ連崩壊後は飢餓を避けるために急速に自給的な有機農業に移行して現在は有機農業大国として知られている）。

この「アグロエコロジー」というスローガンは、工業型の農業に対するオルタナティブな環境保全農業を意味している。有機農業の理念との共通性は多いが、アグロエコロジーが扱う範囲は農薬を使わない農法などに留まるものでなく、生物多様性など生態系を守る農業のあり方や社会のあり方を批判的に求める科学や運動、実践を含みこむものである。

「環境保全農業」「自然共生農業」については21世紀の今日、世界的に様々な議論がされている。この議論の中では、農業は、単に食料生産だけでなく、生態環境、生物多様性、景観、地域文化などの多面的価値に関わることが強調されている。工業化された大規模農業やモノカルチャー農業と違って、小農の共同体や協同組合はそういった価値の重要な担い手となっていることが次第に認識されてきたことが先の国連総会での「小農の権利宣言」の背景にあると言えよう。

さて、すでにふれたように、これまで、環境思想の視点から農業・農民問題の重要性を提起してきたが、上記のように小農が世界的に大きな問題になっている中で、小農を今日マルクスの思想との関係でどう捉えるかは、現代世界を変革し、未来社会を展望していく上で重要と考えられる。

ところで、こういった視点から日本の現状を見てみよう。日本においても小農を今日どう捉えるかは、後述するように、日本農業の大きな問題であるだけでなく、現代日本社会を変革し、日本の未来を展望していく上でも重要と考える。戦後日本の「農地改革」は、大地主―小作関係を解体して、大量の小農を生み出したが、これら小農を中心とする農業諸団体は基本的に戦後長期にわたって保守の政治勢力に囲いこまれ、ヘゲモニーを与えることになってきた。高度成長以降、農民層が急激に減少したこともあり、革新勢力の中にはしばしばその数の点で農民層の政治的意義を軽視する見解もあるが、グラムシが言っているように支配的ヘゲモニーの観点から考える必要があろう。

確かに、半世紀前ならば、1950年の国勢調査では、農業就業人口が48%であったことが示しているように、農民の数もまだ多く政治的勢力として大きな力があったと思われるが、現在の人口の数パーセントの状態ではもはやあまり期待できないのではという考えもあるかもしれない。長く農村調査をしてきた農村社会学者の高橋明善によれば、2016年末の推計では、市部人口は91・5%であり、2015年の国勢調査で農林水産業従事者は3・6%

にまで減少している。ただ、高橋はこういう事実を指摘するとともにまた、次のようにも述べている。

「だが、意外と知られていないのは、都市住民の多くが農村的環境の中に居住していることである。農業集落には、２０１５年の農業センサスの集落調査と国勢調査双方の世帯数から試算すれば、日本の一般世帯の半ば以上53・９％が農業集落に住んでいることになる」（高橋 2020：28）

こういう現実を知るとき、保守政党がいまなお議会で多数派であることが理解されてくるのである。まさにグラムシのいうネーションにおけるヘゲモニー形成の問題である。

今日の保守政権は、こういったヘゲモニーのもと、従来からの路線を一層推し進め、規制緩和を旗印に農業の「成長産業化」や民間企業の参入を推し進めており、その障害となる農協などを解体していく方針を打ち出している。他方で、工業・サービス分野では、非正規労働者の増大による格差拡大や労働時間の規制緩和を推し進めようとしている。さらには、安保法制や憲法の改悪を進めて戦後の民主主義的体制を掘り崩しつつある。これに対する対抗勢力は大きな力をもつことができないでいるが、これは働く民衆が様々な分断のもとに置かれていることが大きな要因と思われる。この分断を克服し、連帯をつくりだして行かねば、日本社会の危機の克服と大きな変革は難しいであろう。従って、現代日本の企業労働者の危機と農業者の危機を克服するためには連帯して対米従属のもとに財界の利益を追求する政権に対する大きな対抗勢力を形成することが喫緊の課題である。こういった問題意識から従来のマルクス主義の小農問題への関わりを晩期マルクスの思想をもとに見直し、労働者と農民の分断を克服しようというのがこの章での趣旨である。

従来のマルクス主義では、すでにふれたように、小農は「プチ・ブルジョア」の典型で前近代の遺物で滅びゆくものとして位置づけるような「小農没落必然論」が主張されてきたが、それは潜在的にではあれ今日なお影響力をもっていると思われる。しかし、この見方もはや現代的な課題に応えることができるものではないように思われる。この点は、今日あまり語られることがないが、改めて議論し明確にされるべきものではないだろうか。最近の環境思想の影響を受け止めた環境保全農業や持続可能な農業の議論では、農業そのものが、単に食料生産にかかわるだけでなく、生態環境や景観や地域文化などの多面的価値（機能）を守る役割をもっており、すでにふれたように、小農はそういった価値の重要な担い手でもあることが認識され強調されているからである（古沢 2015／尾関 2009）。こういった認識から小農を高く評価する著作や各種の運動は世界的に広がっており[8]、こういう動きを背景に国連も２０１４年を「国際家族農業年」にし、さらに２０１８年に国連総会にて「小農の権利宣言」が可決されたわけである。

その意味で、かつてマルクスがパリ・コミューン（1871）の敗北に際して小農に関心を抱いた問題意識は、ソ連型社会主義の成立期での小農問題を経て、そしてまた、現代日本の農業・

農村問題の上記の危機的状況を見るとき、この問題意識を今日改めて一層深く我々は考えてみる必要があるのではないだろうか。そして、現代の環境問題の思想的視点を考慮に入れると、旧来の20世紀に「労農同盟」と呼ばれた労働者と農民の連帯とは違った、新たな連帯――これを私は「労農アソシエーション」と呼びたいが――の可能性が浮かんでくるように思われるのである。

## (2) 晩期のマルクス、エンゲルス、そしてモリスにふれて

さて、前節で見たように、マルクスとエンゲルスは初期には、同じような小農没落論を共通に持っていたが、マルクスはパリ・コミューンを経て小農などによる小経営・労働の意義を認めて、次第に小農没落必然論を脱却して晩年の「ザスーリチへの手紙」における農業共同体の評価に至るのであるが、エンゲルスはマルクス死後も小農没落必然論のスタンスを堅持したということである。

ここには、マルクスがリービッヒやフラースなどの農学者の著書を読むことによって「人間と自然の物質代謝」概念の深化を通じて、さらにこの概念を歴史・社会理解に適用する仕方で「生産力史観」よりも一層包括的な人類史的な歴史観の可能性へと深化して行ったことと無関係ではないように思われるのである（ちなみに、すでにふれたが、エンゲルスは生命現象について「物質代謝」を語ったが、自らの著作で「人間と自然の物質代謝」という表現を社会的視点で使用することはな

かった。おそらくエンゲルスはこの表現が「生産力の増大」という表現と両立しない点があることを直観したのだろう）。かつてマルクスはエンゲルスとともに、社会の発展は生産力の増大にあり、当時の時代の大工業化の進展に見られるように、小規模経営から大規模経営がこれを実現することを当然のように語っていたが、ただ、この点でマルクスは「人間と自然の物質代謝」概念を獲得し、その理解を深化させることによって、大工業と工業化された農業が「人間と自然の物質代謝の亀裂、攪乱」をもたらし、すでに引用したが、再引用すると、人間と自然の物質循環の破壊に至る事態を見通す歴史的立場をも提示していたのである。

「大工業と、工業的に経営される大農業とは、一緒に作用する。本来この二つのものを分け隔てているものが以下の点だとすれば、つまり、前者がより多くの労働力を、従ってまた人間の自然力を荒廃させ破壊させるのにたいし、後者がより多く土地の自然力を荒廃させ破壊させることだとすれば、その後の進展の途上では両者は互いに手を握り合うのである。なぜなら、農村でも工業的体制が労働者を無力にすると同時に、工業や商業はまた農業に土地を疲弊させる手段を提供するからである」（MEW 25, Kapital III: S.821）。

私はこういったマルクスの示唆から「人間と自然の物質代謝」の様式の大きな変化から人類史の諸段階を考える歴史観を略称で「物質代謝史観」と呼び、さきの「生産力史観」のより基底にこれを置くことを提起したわけである。

エンゲルスは、さきに見たように、小農の「所有意識」を全く否定的にしか捉えていないことも小農評価と関係していると思われるのである。小農にとって土地は家族を含めた自らの生計を成り立たせる生産手段であり、さらには、そこで生まれ育った生活基盤であることによる愛着やアイデンティティもその「所有意識」の中にはあるのではないか。マルクスは小農や手工業者の「所有意識」を否定的にだけ見ていたのではないように思われるのである。

マルクスは、すでに見たように、小農や手工業者の私的所有に基づく小経営を「社会的生産と労働者自身の自由な個性の発展のために必要な一つの条件である」としていたのである。この点は、フランス語版『資本論』では、一層明確に、「小経営は、社会的生産の苗床、すなわち、労働者の手の熟練や工夫の才や自由な個性が練り上げられる学校なのである」（フランス語版『資本論』：455）と述べていたのである。

このように、マルクスは小農や手工業者などの私的所有に基づく小規模経営・労働について、「自由な個性の発展」という仕方で、その独自の人間形成的な積極的意義を語っていることに注目すべきである。この点は、ウィリアム・モリスの思想とマルクスの思想が共鳴するところでもあることはすでにふれたが、もう少し補足しておこう。モリスは、すでにふれたように、マルクスの晩年の頃に、フランス語版の『資本論』を読んで大いに共感し、『資本論』の紹介を含む『社会主義——根源から』という本を若き盟友のドイツ哲学の蓄積のあるバックスと共に発刊した。モリスは、当時の産業発展による悲惨さからだけでなく、「産業発展への信仰」から抜け出した社会をイメージし、欲望の拡大とそれに応える生産力の増大の追求をもっぱら肯定するのでなく、ある程度の物質的充足を要求しながらも、労働の喜びや自由な個性の発揮できる条件をより重視し、それを通じての「生活の芸術化」を考えることであった。こういった「生産力史観」に対して否定的な傾向のモリスをエンゲルスが評価しなかったのもある意味で当然と言えよう。

### （3）労農アソシエーションと現代の社会変革の力

この小農問題へのマルクス主義の関わり方は、一部では、ソ連型社会主義の根幹にあるスターリン主義問題とも無関係ではないとすでに語られてきた。スターリン主義体制の成立については、農村に蓄積された矛盾を暴力的な強行による「農業集団化」によって解決せざるをえなくなり、これがスターリン独裁体制を立ち上げることになったという問題意識と関係している。代表的なスターリニズム研究者であった渓内謙は「上からの革命」と称しうる暴力的な「農業集団化」がスターリニズム体制の成立の根源と主張した。そして、このスターリンの暴力的強行の理論的背景に小農没落必然論があったのではないかと思われるのである。いずれ歴史の進展で必然的に没落するものならば、その進展を早めるために集団化を強行するのもやむをえないという論理である。

ソ連の事情に通じている聴涛弘も農業の集団化について渓内と同様の考えを述べている。彼は10月革命の意義を述べるとともに、「最大の問題は農民が人口の80％を占めるロシアでボリシェヴィキが革命前も革命後も農村では多数派になれなかったことである」と指摘する。そしてさらに「農業の集団化はソ連、東欧、中国、ベトナムですべて失敗している（暴力的強制がなくとも）」と語っている（聴涛 2017：43-44）。そして、次のようにスターリン体制と関係させて述べている。

「スターリン体制成立の根底にはこのような農村・農民問題があった。スターリンは農村で蓄積された矛盾をついに暴力的農業集団化によって解決する決定をおこなった。これは農民に対する『開戦』であり、10月革命を完全に変質させるものであった」（聴涛 2017：45）。

スターリンは１９２９年を「偉大な転換の年」としたが、それは、農業集団化と急激な近代工業化の強行に関わるもので、１９２１年に始まる新経済政策ＮＥＰ（ネップ）からの転換を意味するものであった。その際に、小農擁護と協同組合の強力な議論を展開していた著名な農業経済学者のチャヤーノフも粛清されていくことになる。「農業集団化」の過程で「クラーク（富農）」（実際には大部分は小農であったとされている）は、処刑や強制収容所や遠隔地送りとされたのである。こういった「農業集団化」は、さきの「ザスーリチへの手紙」で「共産主義的発展の出発点」となるとマルクスが語った「農業共同体」の暴力的破壊を伴うものであったわけであるが、こういった最晩年のマルクスの歴史観からすると、スターリン体制の成立と連動する「農業集団化」の意味するものは重大であろう。

そしてまた、じつは小農をどう捉えるかは、過去のソ連型社会主義の問題との関係で重要であるだけでなく、この章のはじめでふれたように、現代社会を変革し、未来社会を展望していく上でも重要と言えよう。すでにみたように小農没落必然論は農民と労働者の間に、つまり自らの生計のために働く人々、つまり人民・民衆の間に分断線を結果的に引くことになるものであると思われるからである。

そこで、次にこれまで述べてきた小農問題が提起する歴史観や所有論の問題性の検討を踏まえて、私なりに未来社会の展望を開くための労働者と小農の真の連帯、つまり「労農アソシエーション」の理論的可能性を少し考えてみたい。

確かに小農（自作農）は従来の「唯物史観」の視点からすれば、土地という生産手段を所有しているので、賃労働者＝プロレタリアートではないが、しかしまた、賃労働者をやとって搾取しているわけでもなく、またその土地を賃貸ししたり売り払ったりするわけでもないので資本家や大地主でもなく、いわゆる没落する「プチ・ブルジョア」と呼ばれることになろう。しかし、他人を搾取しないで自らの生計のために自らの労働で生きている点では、広義の「労働者」と規定しうるように思われる。

ところで他方、賃労働者の場合、彼らが働く企業が経営困難に陥った場合、そこで働く労働者が倒産に反対して職場占拠から自主的生産へと至った場合、労働者はもはや「賃労働者」ではないであろう。そして、そこでは経営は労働組合或いは全従業員から選出された代表者たちによってなされることになる。また、労働者協同組合を構成する労働者の場合も企業を１００パーセント所有しており、組合員が一人一票で民主主義を基礎にして自主管理している企業であることによって、もはや「賃労働者」ではない。ここには個人的所有と共同的所有の結合の一つの形態があると言える。

こういった性格の労働者とさきの小農（自作農）とを比べてみると、生産手段を所有しており、他人を搾取しないで自己労働で生活している点で同じである。そしてまた、こういった労働者と小農を比べてみると、もし複数の小農が集まって生産協同組合をつくり、協同労働で農業に従事するようになれば、自主的な生産段階の労働者や労働者協同組合の労働者とほぼ同じ性格のものと見なすことができるのではないかと思われる。生産手段の所有形態としては、「個人的―共同的所有」の二つの種類と言えよう。

相違点は、労働者の方は、基本的に共同労働であるが、小農の方は、村の共同労働を伴いつつも個人労働や家族労働であるということである。重要なことは、所有に関して、その具体的形態の相違はあるにせよ、両者ともに共同的所有と個人的所有の結合である「個人的‐共同的所有」（個人的―社会的所有）の形態であり、この点で共通性があるのである。

すでに述べたが、小農の土地所有は、「私的所有」に近い場合でも、その土地は工場の機械のような単なる生産手段ではなく、小農の生活史の一部をなし、様々な動植物や微生物を含み、村（共同体）の土地の一部を形成するものである。そしてまた、それは、過去の共同体の積み重ねを背景にもっている愛着のある生活手段、文化手段でもあることを重視すべきであろう。今日的言葉でいえば、農地は「多元的価値（機能）」に関わるものである。

従ってまた、小農が前近代の遺物で滅びゆくものとして位置づけ、逆に労働者が資本主義を乗り越えていくものと位置づけて分断するような「小農没落必然論」、これはもはや21世紀の今日的な課題に応えることができる議論ではないのではなかろうか。すでに述べたように、最近の環境思想の影響を受け止めた環境保全農業や自然共生農業の議論では、小農こそが、単に食料生産にかかわるだけでなく、生態環境や景観や地域文化などの多面的価値（機能）を守る役割をもっており、そういった価値の重要な担い手でもあることが強調されているからである。

ここには、以前のような工業労働者が没落する小農を指導するような「労農同盟」ではなく、お互いに敬意と信頼をもった自由で対等平等のアソシエーションが成立すると言えるであろう。要するに、貨幣の自己増殖を基軸にする資本主義システムによる人間と自然の破壊に対抗し、自由な個性が発揮される自由・平等でエコロジカルなコミューンを目指すという点で一致する、強力な労農アソシエーションが成立するのである。

さて、これまでは、「労農アソシエーション」をかつての「労農同盟」との類比で、労働者と農民の関係で論じてきた。しかし、私は、同時にこの両者だけでなく、労働者兼農民、農民兼労働者といった「半労半農」、「半農半労」といった中間者、媒介者といった存在も重要なものと位置づける意味でも「アソシエーション」を使用したいと思う。とかく兼業農家などは中途半端な存在として軽視されがちであるが、むしろ、現代では、こういった中間的、媒介的存在が重要であるような変革思想を考えていかねばならないと思っている。このことは、次章以下の議論で理解されてくると思う。

## 3 環境・平和運動における労働者（都市民）と農民の連帯

次に、現代における環境と平和の運動にかかわって、労働者（都市住民）と農民の連帯・アソシエーションを少し述べてみたい。これについて、現代農業や食の隠れた問題性を変革思想の観点から解明することになろう。

食料自給率、フード・マイレージ（食料輸入重量＋輸送距離）、エコロジカル・フットプリント（人間生活の地球環境へ与える負荷）、バーチャル・ウオーター（輸入される食料品の生産に必要な水の量を推定した数値）などのデータは、世界の〈農〉〈食〉〈環境〉〈平和〉を巡る大きな連関する問題性を示しているが、その一端を示すために主に日本の場合にふれながら述べておこう。それによって、市民と農民の連帯の重要性の事例を理解できる。

いわゆる先進国で最低の日本の食料自給率37％に関しては、周知のように様々に懸念をもって語られているが、耕作放棄地は増大し、限界集落・消滅集落は増大するばかりである。また、エコロジカル・フットプリントの指標に象徴されているように、日本や米国の現在の生活を途上国の人びともするようになれば、各々地球2・4個分、5・3個分が必要になると言われる。そして、フード・マイレージが日本は世界一であることもまた有名である。また、バーチャル・ウォーターでは、東京大学生産技術研究所の試算によると、日本のバーチャル・ウォーターの輸入量は、総水資源使用量の600万立方メートルにも及ぶと言われる。年間の日本の水資源の使用量と輸入量はほぼ同じとされる。

このようなデータから想定される日本の食と農のあり方は、世界と地域の環境に様々な深刻な影響を与えていることは容易に理解されると思うが、それだけでなく、平和の問題にも大きく関係していることを推察することが重要と思われる。

日本は憲法前文と9条に基づいて、「平和国家」を掲げているが、「平和と戦争」論を深めたことで著名なノルウエーのヨハン・ガルトゥングのその観点すると、日本は果たしてどこまで「平和国家」と言えるかという問題である。ガルトゥングによれば、「平和」には「消極的平和」と「積極的平和」の二種類あり、後者の観点からすると、「平和」は戦争などの「直接的暴力」がないだけでなく、「構造的（間接的）暴力」がないことでもある。「構造的暴力」とは、我々の生活過程に根差した制度、慣習、経済状態、開発などに含まれている生活への潜在的な暴力のことを意味する。従って、少し問題提起的な刺激的表現をつかえば、ガルトゥングの「積極的平和」の観点からも日本は「平和国家」と言えるのかということである。

ところで、ここで構造的暴力との関係で「サブシステンス」という言葉にふれておきたい。

これは、「生活のために必要不可欠な要素」とか「生命・生活基盤（コモンズ含む）」という意味をもっており、そしてまた、環境思想などで「マイナーサブシステンス」ということで趣味を兼ねた生業（魚釣りやキノコ採りなど）が語られるように、サブシステンスを支える核として生存のための生業（労働）などが語られる。このように考えると、マルクスが労働を人間と自然の物質代謝を媒介する活動であるとし、さらに農業は「もっとも根源的な生産過程」であるとした労働観と連関してくる。従って、私なりに、サブシステンスとは、自然生態系との物質代謝のなかで人間社会を維持・再生産していく労働を核とする生活過程（生活基盤）と考えたい。すると、上記にふれた日本の食や農をめぐるあり方は、まさにこういったサブシステンスを破壊しているのではないかという問題意識が生まれてくる。上記の指標のデータが示すのは、日本の政治経済システムが国内外のサブシステンスを破壊・抑圧している姿である。

従って、サブシステンスの破壊・抑圧は構造的暴力であると考えるならば、日本が憲法前文や9条に基づく「積極的平和国家」を現実化していくためには、こういった国内外のサブシステンスの破壊・抑圧にも目を向け、平和のための市民運動を日本の農林水産業のあり方や政策・基本方針とも結びつけて考えていく必要があろう。都市民はともすれば、食料品は輸入で安く手に入ればそれで結構という姿勢で国内外の農業問題に無関心の場合が多いからである。そして、さらには、近代以降サブシステンスへの「構造的暴力」の中心は資本主義システムによって形成され、現代の世界資本主義システムのなかで日本資本主義の立ち位置と成長追求がこういったサブシステンス破壊・抑圧をもたらしている現実も認識するならば、都市民と農民の連帯としての「労農アソシエーション」が社会変革の力として重要であることが理解されてこよう。

【注】

1　ロシアのナロードニキの革命家チェルヌイシェフスキーもまた、マルクスのこの考えに近い考えをもっていた。彼は土地所有に注目して、ヘーゲルの弁証法図式を利用する仕方で「共同体的土地所有（テーゼ）→資本主義的私的土地所有（アンチテーゼ）→社会主義的共同体的土地所有（ジンテーゼ）」の歴史発展を構想した。そして、ロシアの場合には、二段階目を経ることなく前進する可能性を主張した。武井勇四郎『チェルヌイシェフスキーの歴史哲学』第3章、参照。また、チェルヌイシェフスキー『農村共同体論』（石川郁夫訳）未来社、1983を参照。

2　これまで「小農」について特に規定することなく議論してきたが、「小農」理解も色々あるようなので、ここでの議論において妥当と思われるエンゲルスの規定を以下に引用しておこう。「ここで小農というのは、通例自分自身の家族とともに耕せないほど大きくなく、家族を養えないほど小さくはない1片の土地の所有者または賃借者――特に前者――のことである。だから、この小農は、手工業者と同じく、自分の労働手段をまだ持っている点で近代のプロレタリアと区別される働き手であり、従って過去のある生産様式の遺物である」（MEW 22 : S.488）。エンゲルスの最後の言葉「遺物」ということが適切かどうかはまさにここで論じる問題であるが。

3 もう一つ考えられるのは、淡路憲治が言うように、このサインは「妥協」として同意したという見解である。確かにマルクス死後のエンゲルスは、『共産党宣言』当時の生産力上昇の単線的歴史観に立ち返っており、マルクスのように複線的歴史観になったことは一時的であって基本線では変わらなかったとも言えよう。

4 山之内靖は、さらにこのエンゲルスの論文の５年後にカウツキーが『農業問題』という本を出版し、そのなかで、エンゲルスの考えをさらに極端にする仕方で、「社会民主党は常にその真髄においてプロレタリア的、都市的党」であるとするとともに、都市は進歩の担い手で、農村は保守の地盤ということまで主張したと言う。そして、レーニンは当時このカウツキーの本を高く評価し、この農業理解がその後のソ連型マルクス主義に引き継がれたのではないかとしている（山之内 1969：357-358）。最近も、農業経済研究者の福島裕之が論文「家族農業経営と本源的所有」で、カウツキーの『農業問題』（岩波文庫）の同じような問題を指摘している（雑誌『経済』２０１９年７月号所収）。

5 このように、マルクスは小農や手工業者などの小規模経営について、その独自の人間的陶冶の積極的意義を語っていることに注目すべきである。この点は、ウィリアム・モリスの思想とマルクスの思想が共鳴するところでもある。マルクスの晩年の頃に、モリスはフランス語版の『資本論』を読んで大きく共感し、マルクスの末娘のエレノア・マルクスと社会主義の実践活動を共にしたが、この点がモリスの思想とマルクスの思想の共通面であると言えよう。そしてまた、エンゲルスがモリスを評して「センチメンタルな社会主義者」として敬遠した由縁でもあるように思われる。小農問題との関連でいえば、マルクスは、小農や手工業者などの小経営者は労働者と労働手段との「本源的統一」をもっており、ここでの労働のあり方（熟練や労働過程の全体的把握、それに伴う充実感や喜びなど）を評価しており（フランス語版『資本論』）、この点は、モリスが手工業や農業を重視し「労働は喜びである」とする考えに大きく共鳴するものと言えよう。さしあたりは拙著『多元的共生社会が未来を開く』の補論として著わしたモリスについての拙稿（尾関 2016）を参照されたい。そのことは、晩期マルクスの両隣りにいたエンゲルスとモリスという二人の巨人とマルクスの関わりや彼らの思想的位置を考えることにもつながろう。

6　「個人的所有の再建」の理解については、周知のように論争と様々な見解があるが、ここでは私の理解に比較的近いと思われる（大谷 1994）を挙げておきたい。すでに指摘したが、チェルヌイシェフスキーは、人類史を「共同体所有―私的所有―共同体所有」という三段階の展開で理解しているが、ここでのマルクスの議論はチェルヌイシェフスキーのこういった歴史観との共通性と区別を考えると興味深いであろう。マルクスにおいては、近代以前の私的所有（共同体所有に媒介された）と近代以後の資本主義的私的所有の大きな違いへの着目が重要と言えよう。

7　この点は、おそらくエンゲルスが大企業経営者の息子として生まれ、彼自身がイギリスで有能な工場経営者であったことと無関係ではないであろう。他方で、マルクスは若いトリア時代に父親が農民のコモンズの権利にかかわる弁護士活動をするのを見聞きし、彼自身も論文「木材窃盗取締法に関する討論」を書いて農民を擁護していたことを思い起こす。

8　19世紀末から20世紀にかけて、農業も工業同様に資本と賃労働の関係が支配的になるであろうという見解はマルクス経済学、近代経済学を問わず共通のビジョンであったと言える。こうした通念に環境問題などから疑問がもたれ、西欧でかつてのロシアの農業経済学者のチャヤーノフの本（The Theory of Peasant Economy）が翻訳刊行された１９６０年代後半以降、「小農研究（peasant studies）」が行われ世界的に広がった（玉 1994：29）。日本でも同じ頃から小農を積極的に評価する動きがあり、最近では農民作家の山下惣一や鹿児島大学名誉教授の萬田正治などによる農民と学者の協同の「小農学会」の設立があった。萬田はＮＨＫの「視点・論点」で「いまなぜ『小農』か」というテーマで解説を行っている（2017.5.29：http://www.NHK.or.jp/kaisetsu-blog/400/272046.html）。

【引用・参考文献】

・淡路憲治『西欧革命とマルクス、エンゲルス』未来社、1981
・淡路憲治『マルクスの後進国革命像』未来社、1971

- アンダーソン、ケヴィン『周縁のマルクス』社会評論社、2015
- 岩佐茂・佐々木隆治『マルクスとエコロジー――資本主義批判としての物質代謝論』堀之内出版、2016
- 大谷禎之介・平子友長編著『マルクス抜粋ノートからマルクスを読む――MEGA第Ⅳ部門の編集と所収ノートの研究』桜井書店、2013
- 尾関周二「晩期マルクスの歴史観と農業・環境問題――環境思想の観点から」『環境思想・教育研究』11月号、2018
- 尾関周二「『多面的共生社会が未来を開く』補論――モリスの社会主義を考える」『環境思想・教育研究』第9号、2016
- 尾関周二「〈農〉の思想と持続可能社会――共生理念からのアプローチ」『環境思想・教育研究』第3号、2009
- ガルトゥング、ヨハン『構造的暴力と平和』中央大学出版部、2002
- 小貫雅夫・伊藤恵子『森と海を結ぶ菜園家族――21世紀の未来社会論』人文書院、2004
- 聴涛弘「ロシア10月革命の意義とスターリン独裁体制の成立」『唯物論と現代』58号、2017
- 国連世界食糧保障委員会専門家ハイレベル・パネル『人口・食料・資源・環境家族農業が世界の未来を拓く食料保障のための小規模農業への投資』農文協、2014
- 総合人間学会編『〈農〉の総合人間学』ハーベスト社、2018
- 高橋明善『自然村再考』東信堂、2020
- 武井勇四郎『チェルヌイシェフスキーの歴史哲学』法律文化社、2000
- 玉真之介『農家と農地の経済学』農文協、1994
- 古沢広祐ほか『環境と共生する「農」』ミネルヴァ書房、2015
- 田畑稔『増補新版マルクスとアソシエーション』新泉社、2015
- 渡辺憲正他編著『資本主義を超えるマルクス理論入門』大月書店、2016
- 渡辺憲正他編著「『経済学批判要綱』の共同体／共同社会論」『関東学院大学「経済系」』第２２３集、2005b

- 和田春樹『マルクス・エンゲルスと革命ロシア』勁草書房、1975
- 山之内靖『マルクス・エンゲルスの世界史像』未来社、1969

# 第Ⅲ部

# 人類史の中の労働・技術・情報と現代社会での展開

# 第6章　人類史の中の労働・技術・情報

## はじめに

最近、人工知能やロボットの急速な発達と関連して労働について多く語られ、次章で主に議論するが、それらは生産現場から人間の労働を「駆逐」していくだけでなく、中間の管理・監督といった労働をも次第に不要なものとしつつあると言われる。さらには、一層進化した人工知能によって医師や弁護士も不要になるのではと言った議論もなされている。要するに、これまでにない「大量失業」の悪夢が語られているのである。コンピュータの加速度的発展を通じて80年代のME化、IT化をもたらし、さらにインターネットの発展を通じてIoTや人工知能・ロボットなどの急激な発展によって、ここ数年来、「デジタル革命」や「第四次産業革命」といった言葉が飛び交っている。それと共に、労働の変容、「労働の終焉」など労働や仕事のあり方について大きな問題意識をもって議論されるようになってきている。また、80年代以降、新自由主義によって主導されたグローバリゼーションが進行するなか、貧困や非正規労働が急激に増え、正規労働と非正規労働との格差が深刻になったが、これにさらに覆いかぶさるような言説として「労働の終焉」や「大量失業」が語られてきているのである。他方で、農業などでは、「スマート農業」や「ＡＩ農業」という言葉とともに、農業労働のバラ色の未来が語られたりもしている。

改めて「労働」への問いかけが鋭くなされ、その問いかけの射程は人類史的レベルのものではないかという問題意識が生まれているのである。従って、改めて人類史の中での労働、それと密接に関わる技術についてその意義を考えてみたい。その際には、現在話題になっているＡＩ（人工知能）やＩＣＴ（情報通信技術）、さらにはこれまで論じてきたことから農業に関連する労働や技術の特質をも明らかにしたいと思う。同時に、前章まで議論してきた「所有」の問題を労働価値説と絡めて少しまとめて議論したいと思う。

上述したいわゆる「デジタル革命」は労働分野における変化とともに、人類史的にみれば、コミュニケーション・メディアという点でもきわめて大きな変化をもたらしつつある。私は『言語的コミュニケーションと労働の弁証法』以来、労働とコミュニケーションのそれぞれの独自性とともにそれらの内的関連について関心をもち、コミュニケーション・メディアの人類史的変化についても『環境と情報の人間学』でふれた。そしてまた、その延長で、次章で少しこの点にもふれたいが、この章ではまずは主に労働をめぐる議論と関連させて「情報技術」について述べてみたい。

さて、人類史の展開における労働のあり方、労働観を概観しつつ「労働とは何か」を考えることからはじめることにしょう。まず人類史を大きく近代以前と近代以降に分けてその労働観を見てみる。そして特に近代批判を通じて「労働」を深く探究したとされるマルクスの労働思想のエッセンスを見てみよう（それは、第2章を簡単に振り返ることにもなろう）。そして、それをもとに労働や技術の再考を現代的視点から多面的に行いつつ、農業労働の特質を考えるとともに、そもそも「技術とは何か」ということを三木清の技術論を参考に議論してみたい。それによって、工業技術と農業技術、さらには情報技術の区別と連関を考えてみることにする。

## 1　労働をめぐって

### (1) 労働観の人類史的変遷とともに

すべての動物が食物をはじめとする生活手段を獲得する活動なしには生存できないように、動物であるヒトもまた狩猟採集に起源をもつ労働なしには生存できなかった。ある意味では、人間はいつの時代でも生きて行くためには労働なしにはありえなかったと言える。従って、労働は人間生活の再生産を可能にする根源的意義があることを常に忘れることはできない。同時にまた、エンゲルスが強調したように労働は人類にとって人間化（ホミニゼーション）の原動力であった。[1] この場合、労働用具の発達がしばしば注目されるが、労働がもたらす人間関係、社会関係にも留意する必要があろう。

## (i)近代以前における労働観

狩猟採集時代は、飢えと貧困で喘いでいたという従来の理解とは違って、じつは「始原の豊かな社会」であったことを主張したのは、マルクス主義的な文化人類学者のマーシャル・サーリンズであった。そして、彼らの生活の特徴として、(1)労働に多く時間を使わない(1日3～4時間)、(2)マンパワーを最大限には使わない、(3)資源をぎりぎりまで使わない、を挙げた。少し誇張があるとしても基本は現在でも間違ってはいないであろう。

周知のように約1万年前に農耕が始まり、その剰余生産物が労働に直接かかわらない人びとの存在を可能にし、階級社会が都市や国家の形成とともに誕生する。これと共に労働の意義付けが大きく変化する。近代以前の階級社会下では、支配階級にとっては生存の必要に従事する労働は否定的なものとされ、それから免れることが価値あることとされた。一般に、ヨーロッパのみならず、アジアを含めて、人間にとっての「労働」のもつ意義づけは、たいへん低いものであった。こういったことは、「労働」という言葉の語源にも表れている。ギリシャ語の「ポノス」、ラテン語の「ラボラーレ」、ドイツ語の「アルバイト」いずれも、もともと「苦しむ」、「苦しみ」を意味する語であったし、フランス語の「トラヴァイユ」に至っては拷問用具に由来するといった具合に、一般に否定的イメージの強いものであった。こういったことは哲学思想にも反映され、近代以前のヨーロッパ哲学思想の枠組をつくったとされるアリストテレスの理論にもそれが端的に窺える。彼は、人間の基本的活動を大きく三つに分類して、(1)「テオーリア」(理論的・観照活動)、(2)「プラクシス」(倫理的・実践活動)、(3)「ポイエーシス」(制作・労働活動)とした。これらのうちの第3の「ポイエーシス」やそれにほぼ等値される「労働(ポノス)」は、おもに奴隷が担うもので、自由市民にふさわしい活動とは考えられなかった。人間は自由であるためには、動物と共通するような生存の必要に関わる活動から免れねばならないと考えられたからである。

中世から近世になると、階級社会ではあるが、農民や手工業者の労働は共同体を背景にして、奴隷の労働とは少し違った意義を持ってくる。ここでこの点に関して、後述との関係で、マルクスによる近代以前の小農や手工業者の労働の評価を思い起こしておこう。マルクスは、さきに引用したように、『資本論』で共同体を背景にした小農や手工業者の私的所有に基づく小経営を「社会的生産と労働者自身の自由な個性の発展のために必要な一つの条件である」とし、さらに『資本論』のフランス語版では、一層明確に、「小経営は、社会的生産の苗床、すなわち、労働者の手の熟練や工夫の才や自由な個性が練り上げられる学校なのである」と述べていた。

近代以前の労働は、狩猟採集や農林水産業にみられるように、その特徴は自然生態系と直接かかわる営みであり、大方は自らの消費のための労働であった。近代以降の工業化・市場化、さらには情報化ではこれが大きく変化してくるのである。

### (ii) 近代における労働観

ヨーロッパ近代において、共同体の解体と商品経済システムの全面化を伴いつつ新興ブルジョア階級に主導された近代市民社会が形成されてくるに連れて、次第に「労働」が重視され、その人間的価値が高まってくる。このことは、すでにプロテスタンティズムの労働観に示されているが、市民革命の代表的な思想家とされるジョン・ロックによれば、「自由とは、自分の所有する財産を自分で処理しうることをいう」のであるが、この所有する財産の私的所有権は、まさに「労働」によって発生するとされるのである。これは、すでにふれたように、後の「経済学」の創始者とされるアダム・スミスの労働価値説につながっていくものであるが、まさに彼は労働と経済活動を等値し、人間の規定を「ホモ・エコノミクス」とすることによって、個人の幸福と国家の繁栄にとって物質的生産的労働のもつ意義を高く評価したのであった。こういった近代「労働」の創出には、マルクスが『資本論』の「いわゆる本源的蓄積」で強調していたような「労働力商品化」を前提としたライフスタイルを巡る過酷な闘争があり、フーコーなども指摘するように労働現場での時計と機械に従う身体の形成など「資本による身体の改造をめぐる闘争」があったわけである。また、スミスは『国富論』の最初で語っているように、分業的に組織された労働の生産性の高さに着目しているのであるが、これは後にテイラー・フォード主義によって資本の論理において徹底され、チャップリンの映画のような仕方で労働の主体性が全く奪われ、機械に従属したものになっていくのである。

さて、ヘーゲルはこういったスミスを深く研究して、彼の哲学の基礎に近代の「労働」概念とそれをめぐる諸問題を位置付けた。彼は『精神現象学』の「主人と奴隷」の章において、奴隷が労働によるモノづくりを通じて主人との地位関係を逆転させる弁証法を印象的に叙述している。そして、ヘーゲル左派として出発した若きマルクスは、まさにヘーゲル『精神現象学』の意識・精神の弁証法の中に「労働」の本質を捉える。マルクスは、一方で、労働を人間の本質の〈対象化〉として捉えると共に、他方で、第2章でエコロジー的視点から詳しく述べたように、〈人間と自然の物質代謝〉を媒介するものとして捉えるのである、こういった労働観を次に見てみることにしょう。

### (iii)〈対象化〉としての労働と〈人間と自然の物質代謝〉を媒介する労働

マルクスは、ヘーゲルが捉えた自己意識・精神による対象構成・創造の働きを、歴史と人間発達の原理として、〈対象化〉の活動としての労働の意義を捉えたものと解釈し、高く評価した。しかし、「抽象的で精神的な労働」を主要と考えるヘーゲルの観念論的傾向の下では、「対象化」と「疎外」は批判的に区別されない点が問題であるとした。

マルクスにおいて労働は、ヘーゲル哲学における「精神」の働きと違って自然を創造するものではなく、あくまでもそれは「人間と自然の物質代謝」を媒介する活動であり、労働の主体は「精神」ではなく、身体を持った人間諸個人だということである。この場合、人間諸個人は、本源的に社会的諸関係の中にある「社会的個人」が考えられている点に注意すべきであろう。また、「人間と自然の物質代謝」を媒介し、制御する活動としての労働という場合、それが動物におけるそれとの違いとしては、人間の労働における〈目的意識性〉を強調し、あらかじめ生産物の〈表象〉を思い描いた活動であることを指摘する。

こういった意味において「人間と自然の物質代謝」の過程である労働は、主体と客体の関係における対象化活動の性格をもつことによってこの過程を制御するものである。従って、労働を「人間と自然の物質代謝の媒介活動」と見る観点と「主体―客体関係における対象化活動」の観点を切り離し対立させる論者がいるが、じつはこの二つの観点は切り離すことができないのである。

ここからマルクスを参考にした現代的視点からすると、労働の本来のあり方として、自然循環に位置づくような物質代謝を実現する社会的労働のあり方とともに、社会的共同性における各人の自己確証のあり方であるような労働のあり方が求められるであろう。従って、我々は労働のあり方として、単に労働の生産性を高めるという視点以上に、自然・生命循環に適合する物質代謝の視点から、また、危険な重労働でなく、さらには自己確証につながるものかどうかという視点から評価することを効率化・省力化の視点からの評価に先行させる必要があろう。

ところで、これまで労働の本来的なあり方を見てきたわけであるが、ここで「労働」概念について混乱しないために一言注意しておきたい。資本主義の発展が社会的分業を発展させ労働以外の様々な人間の諸活動を資本主義的市場経済に組み入れることによって、様々な人間活動が経済的な規定において「労働」と呼ばれるようになったことである。資本の立場からすれば、どんな活動でも利潤を生み出す活動でありさえすれば、別に本来の物質的生産労働に限ることなく、様々なサービス活動、コミュニケーション的な活動や科学研究活動等々も含めてそれらすべて〈労働力商品〉という点で共通であり、「サービス労働」、「情報労働」「教育労働」といった「労働」なのであり、またその労働の担い手は「賃金労働者」と言えるのである。要するに、資本にとって「生産的労働」とは、資本によって雇用する代償に、より多くの貨幣（剰余価値）が取得できる活動である。[2]

### （2）労働価値説と「労働による所有」——資本主義システムを成立させる「労働」概念

マルクスの思想において労働が非常に重要な意味をもっていることは言うまでもない。ただ、労働の重要性の議論にも異なるレベルがあることも見落とすことはできない。第1には、前節で述べたように、労働は、歴史貫通的にあらゆる人間と社会の存立・維持に関わっており、人類の発展や人間形成に大きな役割を果たしたことである。第2は、労働が価値を生み出すという「労働価値説」[3]と呼ばれる思想との関係である。つまり、人間と社会の存立にとって歴史貫通的に重要な意義をもつ「労働」概念と市場経済社会にとって重要な意義をもつ「労働価値説」における「労働」概念の違いである。

前者に関しては前節で概観をしたので、ここでは、後者について議論してみよう。後者の「労働」概念は、すでに少しふれたが、ロックに始まるものである。

### （i）労働価値説と資本主義システム

ロックは、自然の共有物（common things）に労働を加えることによって生産物はそのひとの所有物となる、つまり、「私的所有」が成立するとする。従ってまた、ロックは労働によって価値が生み出されるとし、さらに労働による価値物は貨幣と交換されることによって「必要」以上の所有が正当化されることになり、これがアダム・スミスやリカードの労働価値説につながることになる。マルクスにおいても『資本論』での議論の基底としてこういった労働価値説が継承され「労働による所有」が重視されるのである。

アダム・スミス以来の古典派経済学者にとって、まさにこの「労働価値説」こそ、分業を基礎にした商品の等価交換を原理とする市場経済社会（commercial society）の観念と不可分でそれを正当化するものである。従って、この市場経済社会としての資本主義社会を分析するマルクスの『資本論』もまた、この「労働価値説」を前提に議論している。異なる商品が等価交換されることを可能にする交換価値は、具体的有用労働とは区別される「抽象的人間労働」の対象化である価値実体によって可能になる。そして、貨幣と労働力の自由で平等な交換がなぜ搾取を産むか、その解明は、「労働」と「労働力」の区別とともに、労働力という商品の特殊な性格にあることによってなされる。つまり、マルクスによれば、資本主義システムの根幹には「労働力の商品化」がある。

「資本主義的生産の全システムは、労働者が自己の労働力を商品として売る、ということに基づいている」(MEW 23: S. 454)

というのも、「労働力の商品化」こそが商品生産の所有法則を資本主義的領有法則へと転換させ、資本主義を成立させる梃子だからである。そして、ポランニーも言うように、この「労働力の商品化」の事態は、貧農の土地などの生産手段からの切り離しによって生まれたものである。

しかし、注意すべきはマルクスにとっては、この資本主義社会は歴史的な存在であり、従ってまた労働価値説が妥当性をもつことは歴史的に限定されているのである。つまり、労働価値説はあくまで資本主義の商品交換と価値増殖システムを問題にする限りであって、そもそも価値ある生産物そのものが元来労働のみによって形成されるとはマルクスは考えていなかったことである。そのことは、「労働はすべての富とすべての文化の源泉である」と記載した当時のドイツのマルクス主義的政党の「ゴータ綱領」と呼ばれる草案を批判して言った次のマルクスの言葉から明白であろう。

「労働はすべての富の源泉ではない。自然もまた労働と同じ程度に、使用価値の源泉である……そして、労働そのものも一つの自然力すなわち人間労働力の発現にすぎない」(マルクス「ドイツ労働者綱領評注」MEW 19: S. 15)

ここで思い起こされるのは、ロックが有名な『統治二論』の「価値の大部分を作りだすのは労働」と語って次のように言っていたことである。

「私は、人間生活に有用な土地の産物のうちの10分の９は労働の成果であると言っても、それはきわめて控え目な計算であろうと思う」「ほとんどの場合、１００分の99までは全く労働の勘定に入れられるべきだということを見出すであろう」（ロック 2010：222）

こういったロックの言葉から綱領草案を書いたドイツのマルクス主義者の「労働」概念は、マルクスよりもロックに近いことがわかるであろう。

ところでまた、マルクスは、社会と労働の関係についても綱領草案の文言を利用しながらその思想の不十分さを批判して次のように彼の労働理解を述べている。

「『労働は、ただ社会的労働としてはじめて』、或は同じことだが、『ただ社会のなかで、社会をつうじてはじめて』、『富と文化の源泉となる。』」（MEW 19：S.17）

マルクスにとって、本来の労働とは、自然共生的で社会的な労働であり、その視点からすると、ロック的な労働は自然支配的で個人主義的な労働と言えるのである。ここからマルクスの観点からすると、綱領草案における労働観は、資本主義システムそのものがそういう労働概念に基づく労働価値説に立脚して機能しているということに無自覚であると言える。従って、マルクスは資本主義社会から生まれ出た共産主義の最初の段階は、いまだ旧社会の労働価値説の「母斑」を帯びていること、つまり、社会的生産物は社会の各成員の支出した労働量に応じて、分配される仕方になっている。しかし、次のより高次の共産主義（コミューン主義）の段階では周知のように「各人はその能力におうじて、各人にはその必要におうじて！」と述べられることになる。従って、この労働価値説は資本主義を克服していく過度期においてはなお機能するが、それを超えて共産主義に至ると消滅していくと考えている。ロックやスミスにおいては、労働価値説は歴史貫通的な永遠のものと捉えられたのに対して、マルクスにとって歴史の一時期においてのみ機能するものなのである。

これに関連して言えば、ドイツの経済学者ハンス・イムラーが、現代の環境・農業問題を念頭において経済思想史的視点からマルクスの労働価値説を批判し、むしろアダム・スミスなどに先行する「重農学派」の「自然価値説」の意義を評価しようとすることである。確かにそれは、上記のように、従来のマルクス主義への批判ならば当たっていると言えるが、マルクスその人の見解への批判としては少し短絡的であるように思われる。すでにマルクスは、『ゴータ綱領』草案をいわば「労働価値唯一説」とも言える立場から書いたマルクス主義者を批判して、自然を労働と同程度に「富の源泉」としていたからである。つまり、マルクスの場合に、「労働価値説」の承認はスミスや従来のマルクス主義の多くと同じ意味での「労働価値説」があるかのように考えるのは少し短絡的であるように思われるのである。

ここで重要なのは、イムラーの批判の念頭にある「労働価値説」は、価値形成という面で人間と自然を対置し、もっぱら〈主体としての人間〉が価値形成労働を通じて〈客体としての自然〉に〈価値〉を付与するという図式を前提にしているということである。まさに、イムラーが言うように、「『価値無なき』自然と『自然なき』価値」という自然と価値（抽象的人間労働）の対立を前提しているのである。これに対して、マルクスの場合は、人間と自然の二元的対置ではなく、「人間と自然の物質代謝」によって人間と自然の区別と内的連関を捉えるとともに、労働そのものも自然力として理解されているからである。まさに物象化された商品交換システム（抽象的人間労働）に対して、人間労働（具体的有用労働）及び自然が対置されているのである。

さらに言えば、「自由な価値主体」としての人間（ブルジョア）がこういった資本主義システムを通じて、「客体としての自然」を支配して「進歩」と「豊かさ」を実現していくように見えたのが、その実、転倒が生じ、逆にシステムそのものが〈主体〉として立ち現れることになる。システムに従属するのは、労働者だけでなく資本家もまたそうである。「労働者」だけでなく「資本家」もまた、資本主義システムの「人格化」であり、マルクスの言う「物象の人格化」である。システムの自己拡大する運動は、すべての多様な価値を経済的価値へと収斂・従属させつつ、その自己運動によって、自然のみならず人間をも客体化していく事態（疎外と物象化）を再生産するのである。

### (ii)「労働による所有」と共同体

従ってまた、「労働による所有」といってもマルクスとロックなどとの共通性とともに違いに留意すべきであろう。本源的レベルにおいて、マルクスには共同体と所有は深い関係があるが、ロックには共同体と所有の関係はないのである。ロックの「労働による所有」論の特徴は、ロック研究者の田中正司が言うように、それ以前のグロティウスやプーフェンドルフなどが想定していたような人々の間の同意を必要としないことである。

ロックの場合には、所有（プロパティ）が「自然物の分割ないし領有に基づく直接利用を主体としたものではなく、共有物に労働を加えて、それを生産的に利用した労働の生産物であるとした場合、そのような労働を通じて領有されたものは、自然の共有物そのものとは異なり、彼の創造物として、その領有には他人の承認を必要としないと考えられるからである」（田中 1979：175）

マルクスには、ロック以来の「労働による所有」という概念の基底に「本源的所有」や「共同体所有」の概念があることに留意すべきであろう。ロックの場合には、最初の所有は個人の労働とともに始まるのであるが、マルクスの場合にはすでに共同体とともに所有が始まるのである。

マルクスは、『経済学批判要綱』にて資本制に先行する本源的所有を議論したさいに次のように述べている。「大地を、労働によってではなく、労働の前提として領有すること。個人は、労働の客体的諸条件に対して、単純に、自分のものに対するような形で関わるのであり、それら諸条件に対して、彼の主体性がもつ非有機体的自然――このなかでその主体性が自己自身を実現する――に対するような形で関わる」（『経済学批判要綱』MEGA2, 1.2 : S.389、草 2-133）

また、本源的所有は「つねに、なんらかの……部族、共同体が、平和的ないし強力的に土地を占拠することによって媒介されている」（同上書 : S.390, 草 2-134）。つまり、土地に対する生産者の所有関係は、「彼自身がなんらかの共同体組織の自然的成員であるということによって媒介されて」（同上書 : S.394, 草 2-141）いるのである。

実際、近代以前では、すでに以前の章で述べたように、土地の割り替えや譲渡の禁止にせよ、共同体が土地に対する生産者の関わりを制約しており、近代的所有でたてまえとされる処分権の「絶対性」とは違うのである。マルクスにおいては、共同体に所属することが私的所有（或は個人的所有）の前提になるのであるが、ロックにおいては、その段階においては共同体の成員という視点は全くなく、個人が労働を通じて自然に関わることによって私的所有が発生するのである。従って、私的所有と言っても近代以前のそれと、近代以降の私的所有は性格が違うのである。近代的私的所有は、排他的処分権の形式的帰属を意味するが、マルクスの理解では、すでに見たように近代以前の私的所有は共同体所有に媒介されたものであり、両者に対立の面はあるにせよ両立するものである。むしろそれ以上に共同体は生産者と生産手段（土地など）の結合を保障するものと言える。

### （3）農業労働と工業労働

次節で、技術について少し議論したいが、その出発点は物質的生産労働に関わる技術であり、技術の具体的イメージをもつことも兼ねて農業労働と工業労働の区別と連関についてまず見ておこう。

マルクスによれば、労働は「人間と自然の物質代謝」を媒介するものであり、第2章でふれた農学者の椎名重明が強調したように、農業という労働形態は「もっとも根源的な生産過程」とされていた。農業と工業の労働形態としての違いと連関について具体的には述べていないが、『資本論』で「農業と工業の新しいより高次の総合、結合」（MEW 23a : 656）ということを述べているが、その言葉からもその関心が窺われると言えよう。

さきにもふれたように、人間と自然の物質代謝の「もっとも根源的な生産過程」とされる農業労働は、工業労働とは人間と自然の物質代謝の過程における位置づけの違いにも留意すべきである。農業労働が根源的な生産過程であるとは、自然や生命の過程に直接かかわることであり、自然現象に直接影響を受けるのに対して、工場などの人工空間において行われる工業労働は本来的には間接的周辺的であることに注意すべきであろう。農業労働は変化する自然環境のなかで労働対象である植物や動物といった生命体と関わって目的とする生産物を作り出していく行為と言える。これに対して、工業労働は労働対象である素材を目的表象に合わせて加工或いは変形して生産物をつくり出していく行為と言える。そして、なによりも工業労働は農業労働に比べて市場経済に適合的な価値形成労働であるということである。[4] 資本の価値増殖は工業化と市場化を車の両輪にして加速されてきたと言えよう。

ここで、農業労働と工業労働の違いを提起したエコマルクス主義者のテッド・ベントンの興味深い論文「マルクス主義と自然の限界」に一言ふれておきたい。この論文では、ベントンは、農業労働と工業労働の違いを強調して、それぞれを「環境調整的な」労働過程と「製造的・変形的な」労働過程として特徴づけていた。

「農業の労働過程においては、製造的・変形的な労働過程とは異なって、なまの素材を意図的に変形するように人間労働が配置されるわけではない。そうではなく、種子や家畜動物が生育し成長するような環境を維持したり調整したりするために、労働はまず配置されている。そのような労働過程にも［生育するという］変形の要素はたしかにあるが、変形は所与の有機体のメカニズムによってもたらされるのであって、人間労働の適用によってもたらされるのではない。農業や、その他の『環境調整的な』労働過程にも意図的構造は当然あるわけであるが、しかしその意図構造は、製造的・変形的労働過程のそれとは非常に異なっている」（ベントン 1994 : 42）

以上、ベントンの考えを中心に農業労働と工業労働の形態の違いを見てきた。農業労働の成果は工業労働と違って、労働対象や労働手段である生産手段が、道具や機械だけでなく稲や牛や鶏といった生物である。農業においては、人間労働の自然力のみならず生物体の生命力が共に協働して生産物ができあがるのである。確かに工業労働においても物理的・化学的な自然力は利用されるが、それらは生命力ではない（微生物利用の醸造業などは農業と工業の中間に位置するものと言えようか）。すでにふれたが、農業においては、土地への多肥や家畜の不自然な飼育形態は短期的には生産力が増大するが、長期的にみれば、土地の劣化や家畜の不健康をもたらして、生産力を低下させることになるのである。

従ってまた、生産力といっても本来農業的生産力と工業的生産力とは区別される必要がある。農業の工業化によって農業的生産力が疑似工業生産力に見えるだけのことと思われる。じつは私は、自然力と生命力とは区別する必要があるのではないかと思っている。もちろん、生命力は自然力であるが、それ以上のものと言えよう。さらにいえば、人間の労働力は生命力であり、自然力である。人間の労働力が「生きている自然力」（マルクス）と呼ぶならば、水蒸気や電気は「死んだ自然力」と呼べるであろう。さらに、資本による労働の支配にかかわってのマルクスの言葉、「死んだ労働による生きた労働の支配」をこういった文脈で見ることができよう。生きた人間の生きた労働が重要なのである。そして、生きた人間は生活過程をもっているのである。

「労働力商品（＝人間商品）が他の商品と異なるところは、それが剰余価値あるいは利潤を生むという点にあるが、剰余価値を生み出し得るのは、労働力商品が生きている商品であり、

生きている自然力にほかならないからである」（椎名 1978：101）

さて、我々は第2章で中島紀一の見解をみたが、彼は農業労働と工業労働の違いを生産力の性格の違いにもふれて次のように見ているのは興味深い。

「ほぼ人為の世界として完結している工業においては、生産過程の三要素とされる労働対象、労働手段、労働は、相互に関連しつつ、それは最終的には労働の生産力として把握され、総括されていく。自然は資源として、いわば客体として、その過程に投入される。それは基本的には資源収奪―大量生産―大量廃棄というワンウエイシステムとして運営され、自然共生や循環は配慮されず、産業の発展は必然的に深刻な環境負荷をつくり出すという構造の中に陥っている。

しかし、農業とそこでの労働はそうはならない。農業においては自然自体の生産力の意義はきわめて大きい。自然の生産力は本来的に循環と共生の生産力である。従って、農業の生産力は、本来は、単に労働の生産力として把握、総括されるのではなく、人為と自然が相互に連関するなかで、短期的成果だけではなく、長期的持続性の側面も含めてつくり出される共生的な生産力として把握されていかなければならない。

だが、近代農業の生産力構想においては、農業の本質論を踏まえた、こうした特質についての配慮が著しく欠けていた。工業生産力の農業への導入によって、短期的生産力が向上することに眼を奪われ、農業における自然の生産力の意義に十分に注意を払わず、長期的な

持続性についてはほとんど配慮すらもせず、農業の工業化が短兵急に追求されてきた」（中島 2013：147）

このような、農業の生産力と工業の生産力の質的違いに注意を払うことなく、20世紀前半にひたすら工業的生産力の増大を競い合った点では、先進資本主義国とソ連型社会主義国は同じであった。ただ、カーソンの『沈黙の春』が工業型農業を告発できたように、先進資本主義ではたとえ不十分でも公共圏があり、言論の自由があったことが、20世紀後半には人々の環境意識を高めることができたと言える。

以上見てきたような、こういった労働形態や生産力の違いから農業と工業の場合の生産技術の違いを考えることができよう。ちなみに、工業的労働が社会の中核であるように思われるのは、主導した資本主義的・近代的生産様式の特徴と言えよう。従ってここで、「技術」について改めて少し広い視点から哲学的な考察をしてみることにしょう。その手掛かりとして「環境」や「自然」の視点を重視した三木清の技術論の意義を検討してみたい。

## 2　技術とは何か？

日本での技術論の論争を提起したという点では、戦前の唯物論研究会で大きな役割を果たした戸坂潤が先駆的な論文を発表し、当時の状況のなかで大きな役割を果たした。三木清も技術論に関して多くを発表したが、当時は、生産技術への関心が高かったこともあって、必ずしも正当に評価されなかったが、今日的な視点からすると重要な知見があると考えられる。

### （1）三木清の技術論の現代的意義

三木が技術を論じた主な文献としては『構想力の論理』および『技術哲学』がある。また三木は『哲学的人間学』の「第四章　人間存在の表現性」においても少しまとまって述べている。さらに『科学主義工業』誌に「技術と文化」などいくつかの論考を発表している。このように三木は技術について多く論じているが、三木の技術論に関しては、20世紀末になるまでほとんど注目されなかったと言える。技術論論争の「体系的論争史」とされる中村静治の『技術論論争史』2巻本においても、三木の技術論に関しては「発明本質論の三木哲学」というタイトルで2頁ほどふれているにすぎない。しかも、戦後の「科学的法則の意識適用」である「武谷技術論の原型」として位置づけている。こういった中村の理解がかつての三木技術論の評価としては大勢であったかもしれない。

興味深いことに20世紀末頃から、三木清の技術論に改めて関心がもたれ、評価されつつある。技術思想の研究者である村田純一や初谷高仁にそれがみられる。また、後述の議論とも関係してくるが、情報の経済学者の野口宏も「労働手段体系説」や「意識的適用説」に無視されてきた三木の技術論に一定の評価を与えている。それらの考察も考慮して私なりの評価を以下に述べてみたい。特に私としては、三木技術論の大きな今日的意義は、技術を今日的な〈環境〉や〈情報〉に関する問題意識と絡めて議論しうる取っ掛かりを提供している点にあると思う。

さて、私は、三木技術論の特徴としてまず指摘したいのは、技術を生産だけでなく、環境、自然、呪術、文化、歴史といった広範な多様なカテゴリーの連関のなかで捉えようとしたことにあると思う。特に、技術の問題に環境（自然）の視点を基本にして考え、本源的に環境と主体の関係（人間―自然関係）において技術を捉え、それを基底にして生産技術を重視しつつも広く文化的視点から捉えたことである。三木が「技術」を非常に広い意味に捉えつつも焦点を生産との関わりに見ていたことを知っておくことは「技術」についての広い視点を確保しておくために有意義と思われるので以下に少し長いが引用しておこう。

「技術という語は、最も廣い意味に用いられる場合、一定の目的を達するためのすべての手続き、すべての手段、手段のすべての結合、すべての体系を意味している。かようにしてひとは例えば話の技術、唄の技術、演劇の技術、戦闘の技術、飛行の技術等について語り、それのみでなく恋愛の技術―古代人のいわゆる Ars amandi についてさえ語っている。しかし技術は、一層狭い意味においては、一定の目的を達するために道具と呼ばれる物的手段を介して行われる手続き、ゾンバルトのいう道具的技術 Instrumental technik を意味している。この場合にも、音楽の道具もあれば、戦争の道具もあり、外科手術の道具もあるであるう。そこで、技術は、さらに狭い意味において、かような道具を作るための手続き、或いは一般的に物的生産のための手段として限定されるのである。それは生産技術 Produktions technik と称せられるものであり、ゾンバルトによって経済的技術と呼ばれるものである。技術という語はかくのごとく広くも狭くも用いられるが、近代において一方自然科学的思惟が支配的となり、他方社会生活における経済に決定的な重要性が認められるに従って、いわゆる生産技術が固有の意味における技術とみなされることになったのである」（三木 1967b：185-186）

こういった「技術」の多様なあり方の包括的な議論をしながら生産技術に焦点を当てるのである。そして、三木は技術とは環境との関わりにおける「行為の形」[5]であるという三木技術論の中心概念を浮かび上がらせていく。[6]やはり三木技術論が興味深いのは、こういった「行為の形」としての技術を環境との関わりにおける自然の生命活動一般に位置付け、その延長において人間の技術を考えている点である。三木のこの点の考えを少し辿ってみることにしょう。

「生命は形を作るものとして技術的なものである。人間のみでなく自然も形を作るものである限り技術的であると見ることができる。人間は自然の為すことを継続するに過ぎぬと云うこともできるであろう」（三木 1967b：234）

これだけを聞くと戸惑われるかもしれないが、生命が形をつくるのはまさに環境との関係においてであり、次の言葉でその意味するところが理解される。

「すべて生命を有するものは環境においてあり、環境に対する技術的な適応から生命は形を作る。本能も環境に対する生命の適応の一つの仕方であることは前に論じた通りである。技術が形を作るものである限り、技術を単に手段にすぎぬもののように見ることはできないであろう。形は生命が自己自身に与えるものであり、これによって生命は生命であるのである。生命は環境から規定されるが、環境から規定されつつみずから形を作るところに生命の自律性が証せられるのである」（三木 1967b：236）

生命において環境に対する技術的な適応によって形をつくるということは、技術がたんに手段ではなく、ホメオスタシスを背景に自己自身をもつくることなのである。つまり、あらゆる生物が特定の環境と相互作用しそれに適応するなかで環境を変容するとともに、ホメオスタシスを通じて自らの身体を変化させてきたといえ、それぞれの生物の形はこうした相互作用の結果と言える。[7] こういった生物の適応は本能的に行われるものであるが、環境との相互作用において行為の形を変換してきたという点では、人間の技術と類比的に考えられるのである。

「人間の技術も根本において主体と環境との適応を意味している。技術によって人間は自己自身の、社会の、文化の形を作り、またその形を変じて新しい形を作ってゆく。文化はもとより、人間的行為の諸形式も、社会の種々の制度も、すべて形である。人間の歴史も

transformation（形の変化）の歴史である。自然史と人間史とは transformation の概念において統一される。その根底に考えられるのは技術である」（三木 1967b : 237）

このように考えるならば、人間の技術も自然的生命の「技術」の過程から生れてきたものであり、従って、近代以降の高度に発達した世界においても技術は、環境への適応という性格を根底においてもっていることを見落としてはならないのである。今日技術があまりに多岐にわたって複雑になっていることから、それが自覚されなくなっていることが、大きな問題として捉えられることになるのである。

「主体と環境とが対立し、その調和を媒介するものが技術である。発明というのは調和を見出すことである。主体と環境、主観的なものと客観的なものとを媒介するということが技術の本質に属している。かようにして技術の存在には本能とは異なる知性の存在が予想されるのである。……（中略）

このように技術は媒介的なものであるところから、技術にはつねに道具というものが存在している。技術は元来行為の形であるが、その中にはつねに道具が含まれている」（三木 1967a : 202）

このように、行為の形としての技術という視点から自然的生命からの連続性において「技術」を捉えながらも、人間の場合の行為の形の独自性が知性と道具という媒介性が指摘されるのである。ここから人間の「行為の形」としての技術が「創造的性格」をもつことが明らかにされるのであり、技術過程は自然法則的過程であるとともに、人間の目的実現過程でもあるのである。

以上、少し丁寧に三木の考えを見てきたが、人間以外の生物にも「技術」を見ようとした彼の見解は、最近の「バイオミミクリー（Biomimicry）」の発展を考えると先駆的とも言えるのである。「バイオミミクリー」という言葉は、ギリシア語で、「生命」を意味する「ビオス（Bios）」と「模倣」を意味する「ミメーシス（mimesis）」を組み合わせた用語であるが、これは、生物の「技術」から人間が学んで模倣して新たな技術を作りだすことである。バイオミミクリーという言葉の最初の提唱者と言われるジャニン・ベニュスはその事例を次のように述べている。

「ノミのようにとがったカワセミの口ばしの形をコピーして超音速列車の防音装置を開発し、巻貝の形を導入して、エネルギー消費が半分に削減されるプロペラやファンをつくりました」（ベニュス 2006：3）

ちなみに、ここでいう「超音速列車」は新幹線のことであり、新幹線の防音装置にはカワセミだけでなく、他にフクロウの風切羽を真似たパンタグラフが取り入れられている。

ベニュスは、これまでの技術は自然を克服・征服していくという理念に基づくものであったが、バイオミミクリーは自然を真似るという正反対のエコロジー的な理念をもつものと主張する。バイオミミクリーは、彼女によればこれまでの近代技術がしばしば反自然的形態をとり、環境破壊に至った技術のあり方を自然と調和するものへと変化させていくものとして期待されるのである。発明家で起業家のジェイ・ハーマンはバイオミミクリーによって「次の産業革命」を引き起こし、エコロジカルな循環型社会を実現することを提唱している。彼らの理念は評価したいが、ただ、バイオミミクリーはこういった利用だけでなく、多国籍企業の利潤追求や軍事目的のためにも開発されているという現状も忘れることはできない。たとえば、動物学者の今泉忠明は、2003年にカナダのバイオテクノロジー企業と米国陸軍が共同して世界初の合成クモの糸「バイオスティール」を共同開発したことを紹介している。これは、鋼鉄の5倍もの強度をもっており、医療用の縫合糸や釣り糸に使用できるとともに、軍事用の防弾チョッキにも使えるのである。その他にも、「ハエと超小型ヘリ」や「ガラガラヘビと空対空ミサイル」などを紹介している。やはり、バイオミミクリーが大きなエコロジー的可能性をもっているにしても、それを実現するのは人間の判断力及び社会的政治的条件と関わっていることを忘れることはできない。

ところでまた、技術を「行為の形」として捉えるならば、労働行為の形とともに、当然コミュニケーション行為の形も問題になってこよう。後者においては、特に現代の情報テクノロジーが問題になってくるのである。

また、このように技術を本源的に環境と主体との媒介行為の形として生命の連続性において捉えるならば、技術は根底において、以前の章で述べてきた「物質代謝（メタボリズム）」や

「ホメオスタシス」に深くかかわるものとして捉えることができる。そして、その上で生産手段、生産力との関係で捉える視点が重要で、地球環境問題を大きな課題とする現代技術やインターネットに代表される情報技術のあり方においてもこの視点は現代社会批判の基底におかれるべきであろう（情報技術との関係は、次章でふれられる）。

## （2）〈農〉的技術と〈工〉的技術、そして〈情報〉的技術――それらの関係と発展の概観

以上見てきた三木の技術論のエッセンスを念頭において、さきの農業労働と工業労働の対比を思い起こしながら、生産技術における〈農〉的技術と〈工〉的技術の違いを人類史的視点からまず考えてみたい。そしてまた、それらと区別される〈情報〉的技術についても随伴的に述べる。[8]

### （ⅰ）狩猟採集時代の技術

さしあたり、概念的に抽象していえば、〈農〉的技術は環境を考慮して生命体や生態系に人間の生存維持を目的として働きかける技術（手段・方法）であり、〈工〉的技術は自然の一部を素材として人間の目的実現のために加工・製造などによって働きかける技術であると言える。農業技術は環境条件や生命体にかかわるという点が大きな特徴なのである。[9] そして、〈情報〉的技術は、〈農〉的技術や〈工〉的技術のように、対象に直接働きかけるのでなく、それらを補助するものである。対象に働きかけることができるのは、たとえば、狩りにおいて合

図の信号で共同労働を実現する場合やロボットのように〈情報〉的技術を組み入れた場合である（呪術とは、〈情報〉的技術が対象に直接働きかけ得ると想定されたものである）。

さて、人類史の大半を占める狩猟採集時代を思い浮かべると、そこにおける技術といえば、石器の加工などの原初的な〈工〉的技術（技能）が特徴的と言えよう。ここでは、所与の自然生態系のもとで、石や木などの加工によって道具がつくられ狩猟採集が行われたわけである。狩猟も集団化が進めば、そこにおける共同労働には互いの合図などの行為の形が伴ったと考えられるので、原初的な〈情報〉的技術の萌芽があったということもできよう。

同時にまた、20万年前に誕生した現生人類のホモサピエンスはある段階で言語を獲得したが、それは、同時代のネアンデルタール人よりも高い社会的共同性と相関してより精緻な言語獲得によって相互のコミュニケーション能力を高めたと言える。そのことは、言語コミュニケーションの〈情報〉的技術の側面の発達をうながしたと言えよう[10]。そしてまた、言語が重要なのは、言語は世界を分節し諸事物を対象として指示する（対象を反映する）ことである。これは当該の集団に共通の世界認識・理解をもたらすのである。つまり、言語はコミュニケーションの道具・媒体であると同時に認識・思考の道具・媒体でもあることである[11]。この点は、次章で「コンピュータとは何か」を考えることにつながっていくので、記憶しておいてほしい。

**（ii）農業技術の誕生**

さて、約1万年前の「農業革命」以降は、動植物という生命体や自然生態系そのものの一部が改変の目的対象となり、人類は、〈工〉的技術に加えて動植物のドメスティケーション（家畜化、栽培化）や大地を含む生態系の改変活動とともに〈農〉的技術を生み出したと言える。そして、〈農〉的技術は、環境的諸条件を調整しながら、対象である動植物・生態系の創造力（生産力）と人間の生産力（創造力）との協力によって食物を中心とする生産物を作り出す技術である。働きかける対象は生命体であることによって客体であると同時に相手（生命主体）でもある点で〈工〉的技術とは違ったものとならざるをえない。〈工〉的技術の対象は、本来的には非生命体（客体）であり、もっぱら労働手段を用いることによって客体を加工・変容して生産物を作り出す技術である。そして、石器をつくる技術（技能）は、農業開始以降は、鋤や鎌といった農具をつくる〈工〉的技術として広義の〈農〉的技術のなかに組み入れられるのである。従って、〈農〉的技術とは、現実の技術体系としては、〈工〉的技術を組み入れた複合的な技術と言えよう。これは技術の本来の意義が、三木が言うように環境との関係で「行為の形」として発展するという観点から見るならば、〈農〉的技術の出現はきわめて大きな出来事と考えるべきではないだろうか。そして、近代までは農業社会においては、生産技術に関していえば、〈農〉的技術体系のうちに〈工〉的技術が含まれ、従って、〈工〉的技術も基本的に自然生態系の条件を考慮して行使されたと言えよう。その結果、伝統農法や工芸が確立され、里山などが形成されていくことになる。

またここで、〈情報〉的技術についてふれると、農業革命以降、都市や国家という大きな社会組織体が形成されるにつれ、王や官僚、神官などによる支配・統合との関係で「文字」という〈情報〉的技術、新たなコミュニケーション・メディアが生み出され、支配階級の共同体によって共有されることになる。その後、漸次、ゆっくりとではあるが読み書き能力は被支配階級にも拡大していきエスニシティ共同体に共有されるものになる。[12] 急速に進むのは、15世紀中頃のグーテンベルクの活版印刷技術の発明と普及を経て、19世紀後半以降、国民国家と産業資本主義が成立することと連動して学校教育制度が確立して行くことによる。

### (iii) 工業技術の展開と変容

西洋近代において、資本主義の発達とともに、〈農〉的技術と〈工〉的技術の関係の逆転が起こり、新たな〈情報〉的技術も生まれてくる。「科学革命」による古典物理学に代表される近代科学の出現と資本主義的経済システムの生成以来、〈工〉的技術は科学と結合して工業技術・工学的技術として生態系とは無関係に効率的で市場適合的なものを生産していく生産技術になっていく。

18世紀の産業革命以降、市場経済の経済的合理性の追求を動因として工業技術は発展しはじめ（当時はまだ必ずしも産業技術の進展は科学と結合していなかったが）、織機などの様々な機械が製作され、職人の道具使用を主とする技能・技術に取って代り、急速な機械導入は、19世紀の初頭にはラッダイト運動などを引き起こすことになる。[13] そして、19世紀後半には科学の制度化とともに科学と技術は次第に結合しはじめ、工学的技術と機械制大工業が確立し、重化学工業が大きな役割を演じてきてくる。そして、20世紀初頭の第1次世界大戦には、科学主導の技術的製品が大量生産され（フォーディズム）、飛行機、戦車、毒ガスなどに象徴されるように科学と技術の結合としての戦争技術が飛躍的に発展する。そして、第2次世界大戦における科学技術、産業、国家の三位一体によるマンハッタン計画が原子爆弾を生み出すのである。

そしてまた、資本主義の利潤追求のための商品生産にとって工業製品は非常に市場適合的であったため、これを標準として、農業の営みそのものにも工学的技術が適用され、大規模な農業の工業化が「近代農業」として押し進められることになった。自然環境の考慮や生態学的合理性に立脚した〈農〉的技術が〈工〉的技術を内包する仕方で発展させられるのでなく、利潤追求や経済成長を目指して工学的技術が主導する仕方で次第に〈農〉の営み全体が工業化されていく。そして大規模農場や発展途上国のプランテーションに象徴されるような仕方で再編されることになるのである。それはまた、短期的には農業生産力を一面的に高めた反面、長期的には生態系破壊や大地の劣化といった人間と自然の物質代謝の攪乱や亀裂をもたらすことになったのである。マルクスの予見は正しかったと言える。

### (iv) 情報技術化、デジタル技術革命へ

〈情報〉的技術に関しては、19世紀中ごろに、資本主義の発展と連動して電信・電話が発明

される。20世紀には、ラジオ、テレビの登場、そして世紀半ばにはコンピュータが登場する。20世紀後半、コンピュータが加速度的に発展し、生産現場の自動機械化やインターネットによるコミュニケーションの飛躍的発展、人工知能の高度化などが続いて、〈工〉的技術だけでなく、次章で見るように〈農〉的技術と結びついていく。また、生命工学が発達して、対象が生命体であっても、生態環境のネットワークから切り離された条件のなかで、ゲノム編集などのＤＮＡ操作を通じて生命体の遺伝子情報を直接に操作・加工するようになり、医療分野だけでなく、生産技術にも適用され、「遺伝子組み換え作物」がつくられるようになってきた。つまり、〈情報〉的技術の発展は、コミュニケーション技術、ロボットなどの工業技術、食料生産などの農業技術など横断的にかかわるものとなっている。コンピュータの発展は次第に工業技術の変化を引き起こし、ロボットによる工場の自動化や多品種少量生産が可能になってくる。

　この間、「ＩＴ革命」、「ＩＣＴ革命」と語られてきたが、現在では「デジタル革命」という言葉が用いられることが多くなってきているように思われる。ＡＩやＩｏＴやビックデータに象徴されるデジタル革命は、経済分野のみならず政治・文化・教育・研究といった社会全般を大きく変革しつつあると理解されるようになってきた。それで、次にデジタル技術革命について述べておきたいがその前に、ここで、これまで随伴的に述べてきた情報メディア技術の発展について少し通観して頭に入れておくためにヘーリッシュの『メディアの歴史――

ビッグバンからインターネットまで』にふれておこう。彼によれば、メディア技術の主要機能は、記憶保存、伝達すること、処理することにあるとし、次のように述べている。

「メディア史は、初期のメディアである図像、文字、印刷は記憶の優位をもたらす。グーテンベルク以降のメディア革新は――それにかならずついているテレという接頭辞（テレグラフィー、テレフォニィー、テレヴィジオーン）の恩恵で、伝達メディアの明らかな優位をもたらし、最新のデジタルメディア技術はデータ加工の、それ以前には予想だにできなかった次元を開く」（ヘーリッシュ 2017：422）

彼によれば、「デジタルなもの」とは、音波であるか光波であるか、数字であるか文字であるか音声であるか画像であるか設計図であるかEメールであるかにかかわず、０／１に還元して処理することであり、それによって、驚くほどの威力を発揮することになる。

さて、「デジタル革命」の説明に関して、以下、マルクスの思想を踏まえた情報経済研究者の野口宏の論文「デジタル革命の歴史的性格と物質的性格」及び『情報社会の理論的探究』の見解を軸に若干の私見を交えて、以下次章への導入という意味合いをもたせて行ってみたい。野口はマルクスの『資本論』を基礎に既成の観念にとらわれない情報理論の研究を技術論と社会理論を交差させながら進めてきた研究者である。

野口によれば、デジタル革命の始まりは、20世紀半ばの半導体やプログラム言語の登場であるが、その後、デジタル革命は、パソコン、ロボット、ＡＩやインターネットなどの出現による第1及び第2ステージを経て、21世紀初頭に第３ステージ（光ファイバー回線、ＳＮＳ・スマホ）に入り、さらに現在、成熟段階である第４ステージに入りつつあるという。そして、野口によれば、18世紀の産業革命に匹敵する現代のデジタル革命によって資本主義の生産様式は、ポスト機械制大工業である「デジタル生産様式」の特徴を示しつつあるとする。

そして、この第４ステージの特徴としての技術を次のように挙げている。コアテクノロジーは第３ステージでは、インターネットであったのが、第４ステージでは、ＩｏＴ（Internet of Things）であるとする。ＩｏＴはインターネットの発展形で人間相互だけでなく、あらゆる機材を含めてアクセスできることと、クラウド・コンピューティングが特徴的である。クラウドはインターネット上の雲（クラウド）に譬えられるもので、スマホやパソコンの実質的な処理を行うデーター・センターである。

第４ステージのキーテクノロジーは、ビッグデータ、ニューラル・ネットワーク（多層神経回路網）、３Ｄプリンタである。ビックデータは、通常のデータ処理システムでは扱えないような大量のデータの集積をいう。そして、ビックデータ処理では論理的演算的な処理よりも統計的機能的な処理が大きな役割をはたす。ＡＩでは、以前は巨大な実用百科事典ともいうべきエキスパートシステムが目指されてきたが、現在では脳科学と連動してニューラル・ネットワークによるディープラーニング（深層学習）が中心となっている（これは、ある意味で脳という生命体の一部のバイオミミクリーと言えよう）。３Ｄプリンタとは、３次元のデジタルモデルをもとしてインクジェットプリンタのようなコンピュータ制御で現実の立体的な物をつくることができる機械である。高度な3Dプリンタのセンターがあれば、誰でも遠方からそこへデータを送って製品をつくることができることになるし、また、ユニークな少量生産も可能となる。

野口は上記のようなデジタル技術の集積によるデジタル革命は、資本主義的生産様式を機械制大工業の生産様式からデジタル生産様式へと変化させるとする。彼によれば、機械制大工業は、その生産単位を機械制工場という「生産有機体」(マルクス)としてもつが、その生産諸器官は、労働力を前提にして、筋骨系労働手段(機械)と脈管系労働手段(装置)などから成り立つ。野口が生産有機体という言葉を用いるのは、有機体とは環境に適応して成長する組織体(システム)を意味するからである。従って、ここから情報技術は生産の神経機能と言える。生物の進化に似た仕方で、体の諸器官の神経機能が次第に脳へと集中統合されていったように、生産・社会の神経機能が集中統合されていく過程でデジタル革命が生まれていったとされる。

野口によれば、デジタル革命が始まったのは、20世紀後半、激化する販売競争が背景にあったと考える。それは産業革命が需要の逼迫を背景にしたのとは逆に、大量一括生産にもとづく過剰生産を背景にしていたとする。新たに「神経系労働手段(コンピュータ)」が登場し、すべての生産諸器官はソフトウエアの統御の基に置かれる。

さきに述べたように、デジタル革命の根幹にあるのは、インターネットの発展形であるIoTである。ドイツは「第4次産業革命（Industrie 4.0）」を掲げて「スマート工場（工場の諸要素がIoTに包摂され、クラウド・コンピューティングをベースに高機能化した工場）」を中心に交通、物流、建設、製品、エネルギー分野が一体的に結合される理念を提示した。それによって、消費者の個性に即したオーダー生産というかつてのクラフト的伝統を復活させ、ドイツ製造業のリーダーシップを回復するのだという。このように、IoTにおいては、人や組織だけでなく、あらゆるプロセスと機器と製品がデジタル・ネットワーク（DN）に接続され、クラウドに支援されつつ相互に連携動作し、地球規模にわたる工場間の統御・制御にいたる。これが「企業間DN連携」である。

従って、野口によれば、IoTの意味を考えると、それは生産諸器官が神経器官に媒介されて地球的規模で相互に連携しあうという労働の社会化の新たな段階を画するものである。生産諸器官のみならず、社会的諸器官、さらには消費生活の諸器官も連携のネットワークに包摂される。それはポスト機械制大工業の新たな生産様式であり、デジタル生産様式と呼ぶにふさわしい。さらに、デジタル生産様式における産業組織において重要な特性は、DNを媒介とするプラットフォーム（社会的諸活動をささえるための共通基盤、略称：PF）が重要な役割をはたすことである。これによって市場は地球規模に拡大し、ネットのアマゾンなどで経験するように取引は瞬時に行えるようになっている。

こういったデジタル革命に関しては、日本は「周回遅れ」とされ、政府と財界が「Society 5.0」という未来社会構想を提起し主導しようとしているが、これをどう考えるかについては次章で述べたいと思う。

デジタル生産様式とは、IoTをコアにしてAI、ビックデータ、3Dプリンタなどを複合した技術と言える。私としては、デジタル生産様式は、次章でより詳しく検討するがこういったデジタル技術の複合体というだけでなく、農業、工業、流通の生産技術がデジタル技術によってアシストされ統合されたものと考えたい。

## 3　複雑系科学と農学の復権

興味深いのは、前節で述べたように、20世紀の末にコンピュータや遺伝子操作の関係で情報技術、デジタル技術が急速に発展・応用されると共に、他方で、新たな自然科学の動向が現れ、非線形、自己組織性、創発、カオス、同期、散逸構造、などの言葉によって示される全体として「複雑系の科学」と呼ばれる科学が登場してきたことである。

すでにふれたが、西洋近代において科学革命と産業革命を背景にして、生産技術は次第に科学に基づいた技術という意味での「科学技術（science based technology）」という性格を強くしてきたと言える。この場合の「科学」はガリレオやデカルト、そしてニュートンにおいて体系化された古典物理学に象徴される近代科学であり、要素還元的、機械論的、因果決定論的な性格を特徴とするものとされる。それらの発展とされる相対性理論や量子力学においても、そういった性格は部分的に緩くなったところがあっても基本的には変わらないと言えよう。こういった科学が様々な工業製品をはじめ、工業化社会における工学的な生産物を生み出す技術に適合的な知識体系であったわけである。容易に思考実験できるように、仮にたとえば、原因と結果が一義的に決定できない事象を対象とする場合に既存の工学的技術は有効性を発揮できないことは明らかであろう。しかし、興味深いのは、現代の人工知能のディープラーニングにもとづくシミュレーションは複雑系科学の予測に近似するのである。それで、こういった「複雑系科学」について少し見てみることにしよう。

物理学者の池内了は『科学・技術と現代社会』のなかで、科学の幾つかの二面性についてふれつつ、単純系の科学と複雑系の科学の対置をしている。そして、この対置に関しては、「これは科学の二面性というより、二種類の科学があると考えるべきだろう」(池内 2014 上：207)としている。池内は現在主流の科学を単純系の科学として今後は複雑系の科学が課題となるとして、その違いを次のようにわかりやすく述べている。

「単純系とは要素還元主義の手法によって解決ができるようなシステムのことで、考える対象や現象について、余分な要素を切り落として理想化した状態で考えることが可能であり、より根源となる物質や運動に還元することによって問題が鮮明になって解を明確に導くことができるような場合である。その結果、原因と結果が不確定でなく一対一で結ばれ、部分の和が全体に一致する。物質の成り立ちを原子―原子核―陽子・中性子―クオークというふうにより根源的な素粒子に求められたのも、生物の成り立ちがDNA上の塩基の並び―アミノ酸―タンパク質―細胞―器官という系列となっていることを明らかにできたのも、要素還元主義の勝利であった」（池内 2014 上：208）

さらに池内は次にように述べ、要素還元主義が成功する自然とそうでない自然があるのではないかという。

「要素還元主義が成功してきたのは、考える系（システム）が主要な要素と副次的な要素に分けることができ、とりあえず主要な要素に着目して（理想化）調べれば問題の本質的な部分は解決できるからだ。これまで主に相手にしてきたのはそのような問題群（つまり単純系）で、問題の焦点を絞り込んで研究すれば、答えは比較的容易に出せたのである。しかし、私たちが相手にする自然はそのような単純系だけではない、⑴多くの要素が対等に寄与するために主要な要素と副次的な要素というふうに切り分けることが困難であり、⑵それらの要素間に非線形の相互作用がはたらいている、そんな系が多数ある。この二条件を備えている場合を『複雑系』と呼ぶのだが、私たちが日常相手にしている気象（天気・天候）、地球環境、生態系、人体、脳、地震、経済などマクロなシステムはすべて複雑系なのである」（池内 2014 上：208）。

ここで興味深いのは、複雑系科学が対象とするのは、「気象（天気・天候）、地球環境、生態系」といった農業と深くかかわる現象である。そして、また次節でふれることになるが、大変興味深いのは、最近の人工知能は「ディープラーニング」（次章で詳説）を通じてこういった現象の気象（天気・天候）、地球環境、生態系について、シミュレーションをすることが得意であるということである。しかし、しばしば言われるように、なぜそのような結果をＡＩが出すのか、その因果関係は人間にはわからないのである。

ところでまた、複雑系科学の主要な構成をなす「非線形科学」の研究で知られた物理学者の蔵本由紀は「新たな自然学」を提唱しているが、彼は「非線形科学」には「近代科学から現代科学を貫くある特有の姿勢に対して反省をうながすような、新しい考え方の芽生えを見るからである」（蔵本 2016：23）としている。それは、ガリレイやデカルトの自然学によって提示された近代科学的思考（線形科学的思考）は極微の素粒子から極大の宇宙のビックバンまで解明しつつあることによって、自然現象のすべてがそのスタンスで明らかになるように思われたが、そうではないというのである。

「天上界やミクロ世界と比べると、卑近な地上の現象はおそろしく複雑に見える。しかし、自然科学の盟主を自認する物理学はいつの頃からかそのような複雑さに付き合うことをやめてしまった。特に、20世紀に入って相対性理論と量子力学が発見されてこの方、時間や空間のスケールにおいても、エネルギーのスケールにおいても、人間の感覚世界から極度に隔たった世界に関する物理学こそ真の物理学である、という考えが支配的になってしまった。

地上世界の錯雑さに関わりあうことは、たとえ実用上は奨励されても、純粋物理学としては価値的に劣ったものであるかのようにみなされた。『もう基礎はわかっている、残るのは応用にすぎない』と」（蔵本 2016：27）。

確かに、古典物理学のみならず、相対性理論や量子力学によって極微、極大の世界の認識がもたらされただけでなく、20世紀には、工学的技術に大いに役立てられ、今日われわれが日常的に享受している様々な工業製品などが作り出されている。そして、日常の感覚世界の複雑さもいずれはそれらの科学によって解明されるであろうと考えられてきた。しかし、自然や世界にはそういった種類の科学によって解明される現象とは違った性格の現象があるのではないかということがわかってきたことが、非線形などを含む複雑系科学の登場なのである。[14]

このような池内や蔵本の議論をもとに工業労働と農業労働を対比的に考えてみると、工業労働が関わるのは、単純系の現象であり、農業労働はまさに複雑系の現象と言えよう。複雑系科学は、農業労働が工業労働などとは違った性格と意義をもつことを理解させてくれるのではないだろうか。たとえば、自然と切り離された工業団地の大工場のなかの工場労働と自然循環のなかの里や里山における農業労働を思い浮かべるとき、双方の働く者にとっての世界の現れ方はかなり異なると言えよう。里における農の営みは、季節の移り変わり、気象、土地、作物や家畜、取り囲む様々な動植物、それらが繰り広げるリズムや同期、こういった複雑系の世界なのである。それと対比すると、工場労働がいかに単純系の人工環境のもとで行われるかは一目瞭然と言える。さらにいえば、今後の自然共生農業とは、食料生産だけでなく、生物多様性など自然環境の保全もまた仕事にする営みであることを考えれば、それは一層複雑系の現象と深くかかわるものなのである。

複雑系科学が対象とするのは、池内や蔵本が指摘していた「気象（天気・天候）、地球環境、生態系」といった農業労働と深くかかわる現象である。そして、繰り返すが、最近のＡＩ技術は「ディープラーニング」を通じてこういった現象の気象（天気・天候）、地球環境、生態系についてシミュレーションをすることが得意であるが、ただ、その因果関係ははっきりしないのである。

さて、蔵本由紀によれば、「同期」や「リズム」といった現象は典型的な複雑系の現象であるが、改めてこういった視点からも両者の違いの考察を深めることができる。例えば、次のように外部の自然環境の周期と体内時計の周期が同期していると指摘している（農業労働はまさに外部の自然環境の周期と体内時計の周期が同期していると言える）。

「バクテリアから人間にいたるまで、およそすべての生物にはこのような体内時計が備わっていて、約24時間の周期で生理や行動、生化学的活動などを変動させています。人間を含む哺乳動物では、睡眠覚醒、血圧、体温、免疫機能などがこの周期で変化します…（略）…私たちの体内にあるこの時計は、ふつうの生活を営んでいる限り、もう一つの二十四時間リズムの影響下にあります。それは外部変化の二四時間周期の変化、つまり地球の自転に起因するリズムです。環境因子として最も重要なものは、光だと考えられています。明暗のサイクルが体内時計のサイクルと相互作用するのです。そして、体内時計のサイクルは、二四時間周期の明暗のサイクルに完全に同期しています」（蔵本 2007：131-132）

現在、農学は、近代以降主流の単純系科学の視点から工学部に比べて科学技術の周辺的な位置にあるように見なされており、大学の農学部は工学的技術を取り入れて工学部的色彩を強めつつあるように思われる。しかし、三木技術論で見たように、むしろ人類史的にみれば技術の本流にあることを認識して、新たな農学はこういった自然科学と人文社会科学にまたがる複雑系の科学をも導入して、情報デジタル技術を活用しつつ、より高次の総合的な科学・技術の学問を目指すべきではないであろうか。〈農〉の復権とはまた、農学の復権でもあろう。

【注】

1　この場合、私はかつて拙著『言語と人間』や『言語的コミュニケーションと労働の弁証法』で主張したように、この人間化では、労働とともに言語的コミュニケーションが大きな役割を果たしたこともまた忘れてはならないと思う。

2　コロナ禍は、「エッセンシャル・ワーク」という言葉で、物質代謝過程としての生活過程を支える医療、介護、ゴミ収集などいわゆる「物質的生産的労働」の範疇にみなされなかった労働の重要性を明らかにしたが、これについては、すでに述べたように、広義の生活過程及び物質代謝過程が社会の存立・維持にとって重要であることからすれば理解されよう。

3　「労働価値説」という言葉自身は、マルクス自身は使用していないこともあり多義的である。これについては、『マルクスカテゴリー事典』（青木書店）の関連項目を参照されたい。

4　労働価値説によって理解された価値法則が確立しえた必要条件のひとつは工業労働が社会に支配的になったことと無関係ではないだろう。工業製品の生産は労働時間とほぼ正確に相関するからである。一旦確立されれば、それから農業労働や情報労働の価値も労働の対象化として類推されうるのである。

5　三木の「行為の形」への村田純一による注目もまた興味深いが、かれは、三木の説は道具説を批判し、技術が目的と手段の「間」にあることを示すものというのである（村田 1994：10-11）。

6　じつは、技術を「行為の形」として捉える考えは、同時代のカッシーラーの見解でもあり、ここでは詳しく述べられないが、三木による「構想力」の強調とカッシーラーによる「シンボル」の強調は符号しているのである。

7　三木のこうした主張に近い考えをマルクスもすでに『資本論』の注で述べている。「ダーウィンは、自然的テヒノロギーの歴史に、すなわち動植物の生活のための生産用具としての動植物の諸器官の形成に、関心を向けた。社会的人間の生産的諸器官の形成史、それぞれの特殊な社会組織の物質的土台の形成史も、同じ注意に値するのではないか？」（MEW 23a：S. 392, ＊89）。これは、第３章で述べたホメオスタシスの考えと共振するように思われる。

8　またより詳しくは、文献（尾関 2006）を参照されたい。

9　農業経済学者の大谷省三は、マルクス主義の技術論を評価しつつも「技術は労働手段の体系であるという」労働手段体系説に異議を主張し、彼の技術についての考えを端的に「技術とは、人間の環境把握における実践的方法である」（大谷248頁）と言い表している。農業技術論と三木の技術論に親和性があることを示しているように思われる。

10　私は、拙著『言語的コミュニケーションと労働の弁証法』第1章で、言語的コミュニケーションが情報（知識）伝達的側面、行為遂行的側面、交わり的側面の三側面（知・情・意）をもっていることを指摘した。

11　私の最初の単著『言語と人間』の問題意識は、この言語の両面性にあった。

12　文字の獲得は、人びとの人格のあり方を大きく変えたと主張したのは、オングの『声の文化と文字の文化』である。「一次的な声の文化がはぐくむ人格的構造は、文字に慣れた人びとのあいだでふつうに見られる人格的構造と比べると、ある意味でいっそう共同的（communal）であり、外面的であって、内省的な面が少ない。口頭でのコミュニケーションは、人びとを結びつけて集団にする（それに対し）読み書きするということは、こころをそれ自身に投げかえす孤独な営みである」（オング1991：147）

13　生産技術としての「技術」概念の意味合いが“technique”から“technology”へと変化していったと思われる。次章でふれる19世紀後半のイギリスに生きたウィリアム・モリスはまさにこの過度期を反省するなかで豊かな労働論を生み出したと言えよう。

14　ここで重要な問題として、池内のいう「単純系科学」と「複雑系科学」はどう関係しているかは、大いに興味深い問題であり、池内と蔵本の考えはかなり違うと言える。特に、蔵本は、カントを想起させる判断論をもとに前者は「主語的統一」で後者は「述語的統一」という興味深い視点からその区別と連関を探求している。また、より哲学的な議論は、小林道憲『複雑系の哲学』や菅野礼司『複雑系科学の哲学概論』にあるが、このテーマの検討は別の機会に行いたい。また、複雑系科学の対象は、人文社会科学がこれまで対象にしてきた複雑な現象にも関わっていることがあり、その意味では文理横断的であることを指摘しておきたい。

【引用・参考文献】


- 池内了『科学・技術と現代社会』上・下、みすず書房、2014
- 今泉忠明『小さな生物たちの大いなる新技術』KKベストセラーズ、2014
- 岩城正夫『原始技術論』新生出版、1985
- 大谷省三『自作農・技術論』農文協、1973
- 尾関周二『多元的共生社会が未来を開く』農林統計出版、2015
- 尾関周二／武田一博編著『環境哲学のラディカリズム――3・11をうけとめ脱近代へ』学文社、2012
- 尾関周二「情報学と人間――高度情報化社会と人間存在」小林直樹編『総合人間学の試み』学文社、2006
- オング、W・J『声の文化と文字の文化』藤原書店、1991
- カッシーラー、エルンスト「形式と技術」（1930）『シンボル・技術・言語』法政大学出版局、1999
- 蔵本由紀『新しい自然学――非線形科学の可能性』筑摩書房、2016
- 蔵本由紀『非線形科学同期する世界』集英社、2014
- サーリンズ、マーシャル『石器時代の経済学』法政大学出版局、2012
- 椎名重明『農業にとって生産力の発展とは何か』農文協、1978
- ジェイムズ、グリック『カオス――新しい科学をつくる』新潮社、1991
- 菅野礼司『複雑系科学の哲学概論』本の泉社、2013
- 斉藤純一「技術の哲学」『現代思想13　テクノロジーの思想』岩波書店、1994
- 斉藤純一『技術の哲学』岩波書店、2009
- シュワブ、クラウス『第四次産業革命――ダボス会議が予測する未来』
- 田中正司『市民社会理論の原型　ジョン・ロック論考』お茶の水書房、1979
- 中島紀一『有機農業の技術とは何か』農文協、2013

・中島紀一他編著『有機農業の技術と考え方』コモンズ、2010
・中埜肇『現代の人間観と世界観』放送大学教育振興会、1990
・中村静治『技術論論争史』上下、青木書店、1975
・野口宏「情報革命の歴史的性格と物質的性格」政経研究、2016.12
・野口宏『情報社会の理論的探究――情報・技術・労働をめぐる論争テーマ』関西大学出版部、1998
・初山高仁「三木清の技術論と『技術の倫理』」『東北大学大学院国際文化研究科論集』第十二号、2004
・ハーマン、ジェイ『自然をまねる、世界が変わる――バイオミミクリーが起こすイノベーション』化学同人、2014
・フィーンバーグ、アンドリュー『技術への問い』岩波書店、2004
・ベニュス、ジャニン『自然と生体に学ぶバイオミミクリー』オーム社、2006
・ヘーリッシュ、ヨッヘン『メディアの歴史――ビッグバンからインターネットまで』法政大出版局、2017
・ベントン、テッド「マルクス主義と自然の限界――エコロジカルな批判と再構築」東京唯研編『唯物論』68号、1994
・三木清『技術哲学』（三木全集第7巻）1967a、（1941）
・三木清『構想力の論理』（三木全集8巻）1967b、（1937）
・モントゴメリー、デイビッド／ビクレー、アン『土と内臓』築地書館、2016
・ロック、ジョン『統治二論』岩波文庫、2010（1689）

# 第7章　デジタル革命と現代社会の分岐

## はじめに――「Society 5.0」にふれて

すでに前章でもふれたが、日本政府は、ドイツの「インダストリー4・0」やアメリカの「インダストリアルインターネット」に触発され、立ち遅れを挽回するかのように、産業政策にとどまらず人類史を通観するかのような、より大きく「Society 5.0」という将来社会の構想を打ち出した。この言葉は、日本の科学技術政策の司令塔である内閣府の総合科学技術・イノベーション会議が定めた「第5期科学技術基本計画」(2016)が初出である。ここでは、「Society 5.0」よりも「超スマート社会」が多用されており、現在をそこに向かう「大変革時代」と位置付けている。これを契機に経団連が「Society 5.0- ともに創造する未来」という提言を出したが、そこでは、「Society 5.0」は、「超スマート社会」でなく「創造社会」と呼称されており、まだ内実を表す言葉は一定していないようである。「Society 5.0」とは、狩猟採集社会(Society 1.0)、農耕社会(Society 2.0)、工業社会(Society 3.0)、情報社会(Society 4.0)に続く、人類史上5番目の社会形態ということである。この社会は、「デジタル革新」や「デジタル革命」と呼ばれる人工知能（ＡＩ）、ＩｏＴ、ビックデータや情報通信技術（ＩＣＴ）などのデジタル技術の利活用を通じて「経済発展と社会的課題の両方の解決」を実現する社会とされる。

内閣府のホームページの「Society 5.0」の説明によれば、それは「サイバー空間（仮想空間）とフィジカル空間（現実空間）を高度に融合させたシステムにより、経済発展と社会的課題の解決を両立する、人間中心の社会（Society）」である。そして、「Society 5.0」構想で実現する社会を理想的な社会として次のように述べる。

「Society 5.0 で実現する社会は、ＩｏＴ（Internet of Things）で全ての人とモノがつながり、様々な知識や情報が共有され、今までにない新たな価値を生み出すことで、これらの課題や困難を克服します。また、人工知能（ＡＩ）により、必要な情報が必要な時に提供されるようになり、ロボットや自動走行車などの技術で、少子高齢化、地方の過疎化、貧富の格差などの課題が克服されます。社会の変革（イノベーション）を通じて、これまでの閉塞感を打破し、希望の持てる社会、世代を超えて互いに尊重し合あえる社会、一人一人が快適で活躍できる社会となります」（内閣府ホームページ）。

これだけ聞くと何かまったくバラ色の未来社会のように聞こえるが、経団連の文書から見ると、現在はすでに情報社会（Society 4.0）が終わり、Society 5.0 が始まりつつあるという認識であることがわかる。そして、明確に米国や中国の巨大デジタル企業が念頭にあり、デジタル技術で日本が立ち遅れている現状を挽回することが「Society 5.0」のスローガンの背景にあることが窺える。[1] 実際、サイバー空間としてのクラウドとそこへ現実世界の各コンピュータ使用者がアクセスする現在の「情報社会 Society 4.0」に代わって、IoTから集められた様々な情報をビックデータとして統合し、それをAIで解析することを加えることによってシステムの機能を高める社会が「Society 5.0」実現の課題として語られている。アマゾンやグーグルなどGAFAがやっていることを思い浮かべれば、この「サイバー空間とフィジカル空間の融合」も理解しやすいであろうが、[2] 他にもいろいろな事例を意味させており、日立東大ラボ『Society 5.0』が詳しい。

従って、Society 5.0とは、人類史上、情報社会（Society 4.0）の次にくる5番目の社会というのは、ちょっと大袈裟と言わざるを得ない。これに関して岩佐茂も指摘するように、経団連の「Society 5.0 ――ともに創造する未来」から読み解かれるのは、情報社会（Society 4.0）がそうであったようにSociety 5.0も工業社会（Society 3.0）の延長であり、工業化のなかでのブレイクスルーに他ならないとも言える（岩佐 2019）。発案者の希望としては、工業化社会とはまったく違う新たな社会への変革であることが想定されているかもしれないが、財界にとってはおそらく、工業（産業）資本主義からデジタル資本主義への飛躍である。確かに前章で見たように、このデジタル革命は野口宏の言うように、機械制大工業の生産様式からデジタル生産様式への移行を意味するならば、デジタル資本主義のみならず、資本主義そのものを超えていく可能性も持っているとも言えよう（私は、工業化社会を超えていくだけでなく、資本主義を超えていくことにつながっていくと考えているが、デジタル生産様式だけでなされるわけではない。これは次章で議論する）。

関連するいずれの文書も人工知能（ＡＩ）、ＩｏＴ、ビックデータや情報通信技術（ＩＣＴ）などのデジタル技術の複合の利活用を「デジタル革新」や「デジタル革命」と呼んで「経済発展と社会的課題の両方の解決」を提起している。ただ、主たる狙いは「経済発展」にあり、「社会的課題の解決」の方は、多くの社会的課題は資本主義そのものの矛盾に起因するところが大きいので、対症療法的といわざるをえないであろう。

かつて「科学技術立国」のメインとして「原発立国」のスローガンのもとに原発推進にのめり込み、大津波到来の事前の検討の機会があったにもかかわらず、それを無視して3・11原発震災をもたらしたが、その科学技術政策をめぐるあり方の真剣な反省もなく、いままた、米国のＧＡＦＡや中国のアリババなどの巨大ＩＴ企業の先行による「周回遅れ」に象徴される危機を前に、「Society 5.0」という新たなスローガンが立ち上げられているのである。この意味では、豊泉周治が「イデオロギーとしての科学技術イノベーション」という論文で「Society 5.0」について端的に論文タイトルに示されたように、この将来構想はイデオロギー的性格がきわめて濃厚であると言っているのは、根拠のあることと言える（豊泉 2019）。

従って、すでに述べたように、「Society 5.0」構想のスローガンは、ドイツの「インダストリー 4.0」に触発されている面が強いが、それだけではなく、産業の新たな革命のみならず、社会生活全般の社会変革を主張している点が特徴であった。このスローガンは、政府の各省庁を通じて、すでに社会の各分野に浸透しつつある。この章では、この点を幾つかの分野で見てみるとともに、まずは、こういったデジタル革命の駆動力とも言える人工知能（ＡＩ）について、そもそも「人工知能とは何か」という点も含めて検討したい。そして、前章の最後で述べた〈情報〉的技術の補足も兼ねて、ＡＩやＩＣＴといったデジタル技術をどう社会に生かすかが現代社会の分岐に関わっていることにふれたい。特にまた「スマート農業」と呼ばれてＡＩやＩＣＴを農業分野へ応用することによってこの領域の課題を飛躍的に解決できるかのような言動の批判的吟味とともに、その中にある対抗関係を考えてみたいと思う。[3]

## １　現代の人工知能技術の特徴と問題性

### （１）ＡＩと労働

現在の人工知能ブームは第３次の人工知能ブームと呼ばれ、単なるブームでなく、いよいよ実用段階に入ったと言われ、関連する様々な本やメディアで取り上げられている。1956年のダートマスセミナーで「人工知能」（ＡＩ）という言葉がはじめて使われて第１次のブームを引き起こした。そして、80年代に「エキスパートシステム」で知られる第２次ブームを経て、ＡＩ研究は、様々な話題と論争を引き起こしながら、今日では、「機械学習」とりわけ「ディープラーニング（深層学習）」という画期的な発明によって飛躍して、第3次ブームをもたらした。これによって、労働をはじめ社会生活全般にきわめて大きな影響を及ぼすものになっていくのではないかと言われている。[4] そして、とりわけ、前章の最初でふれたように、労働分野でのインパクトは大きく大量失業を巡って様々に語られている。

懸念は、人工知能やロボットの飛躍的発展に関して、確かに、筆者も第2次人工知能ブームの際に起こった哲学的議論では、著名な哲学者が当時、人間との違いにふれて人工知能やロボットでは、顔認識やドアの取手を廻すことができないことを事例に挙げていたのを思い出すが、それらは今日のAIやロボットでは、容易にクリアーされているのである。こういった点からもAIによって置き換えられる可能性のある労働分野はかなり広がるのではと予測できるのである。

近代以降の労働のあり方の変遷をもう一度振り返ってみると、アダム・スミスの有名な針の製造に関して分業体制を導入することによって生産性を高める話しに始まり、それにマルクスが『資本論』で詳細に語ったように機械の導入、とりわけ機械制大工業になると、労働は単純な機械的労働、まさにチャップリンの映画で示された事態となる。フォードシステムがそれであるが、初期には車の値段は驚くほど安くなるが、その単調な労働のために多くの労働者が辞めて行ったために、賃金を二倍にすると、労働者が殺到する事態になったという。そして、これらの労働者がフォードのクルマを購入することによって、労働者もまた「豊かさ」を享受する大衆として資本主義社会が成長していく「大衆社会」になったと言われる。その意味で機械の導入は結果的に社会の構成員全体にメリットをもたらしたというのである。

このように科学技術の発展が雇用を奪う事例は、すでに19世紀の終わりの生産現場への機械の導入からみられるが、今回のＡＩに代表されるデジタル技術の導入はその延長上にはないのではないかという懸念が増大してきている。実際、今日のＡＩの登場は、これまでの自動機械と同じものと考えてよいのかどうかという点が大きな焦点であろう。生産力の増大という視点からすれば、ＡＩを導入することは労働生産性を高めるということで、たとえ既存の労働者の首が切られても他の新たな職種を見つけるよう援助できればということで肯定されるであろうか。

しかし、私はこういった判断の場合に労働の生産性増大ということが優先的に議論の前提になっていることに対して、生産性の観点のみならず、すでに述べた労働の本来的あり方、つまり、広義の生活過程（物質代謝）に位置づけられるようなあり方、自然循環の観点と自己実現の観点からＡＩの導入も判断すべきであろうと思う。この点で、労働組合や革新勢力が声を挙げ、社会的共同の力を発揮すべきと思う。

現在のＡＩをめぐる問題意識は大きくいえば、次の三つに分けることができよう。

第1は、上記のＡＩによる従来の労働の置き換えの問題であり、いわゆる「大量失業」の問題である。

第2には、これと連関しつつ、社会の格差問題と絡んで人間そのものが大きく二つに分化していくのではないか、という問題意識が「ポストヒューマン」の問題として語られている。これは、『サピエンス全史』で世界的に著名になったユヴァル・ノア・ハラリが続刊の『ホモ・デウス』で、人類は神のような人間とその他多数の「無用者階級」とに分裂するだろうと予言したことで広く知られるようになった。[5]

第3は、それと連関するが、労働を超えた問題で、AIが人間と対等に、さらにはレイ・カーツワイルの「シンギュラリティ（特異点）」という言葉で提起した科学技術の幾何級数的な発展によって、AIが人間を超える時点がまもなく来るのではないか、AIが心や意識をもつようになるのではという問題である。現段階でもすでにAIの「人権」なども語られており、これは環境思想での動物の「人権」を思い起こさせるものであるが、両者の性格はまったく違うと言えよう。

ここではまず、第1の問題を中心に考えてみることになる。これについては、オクスフォード大学のフレイとオズボーンの論文「雇用の未来――コンピュータリゼーションは仕事にどう影響するか?」（2013）が有名で、確率統計的な分析で、米国の労働人口の47％がAIやロボットに置き換えられる可能性が高いとして世界に衝撃を与えた。[6]しかし、その後の研究の積み重ねで代替されるリスクは、OECDの「先進国平均で労働人口の一割」程度ということになってきている。朝日新聞の編集委員（堀篭俊材）によれば、「OECDの最新の調査では、日本は労働人口の15％、約一千万人代替される恐れがある」としているとのことである（2020.1.13、特集記事「ＡＩブーム　光と影」）。

ところで他方、ＡＩやＩＣＴなどのデジタル革命が労働に及ぼす影響について、我々が注目すべき別の面は、障がい者とのかかわりである。最近、ＮＨＫのテレビ番組「目撃日本」（2020.5.30）で放映していた「ひとりではたどりつけない世界――分身ロボットと歩む世界」では、自宅で寝たきりの若者が介助者の援助を受けながらも分身ロボットを使って、「分身ロボットカフェ」などで働く姿である。頭以外の体を動かすことはできないが、口にくわえたスティックなどでパソコンのパネルを操作してカフェの分身ロボットを操作する二人の若者が紹介されていた。そして、彼らはこれによって人生の生きる目的が与えられたと語っていた。確かに、重度の障がい者にとって、デジタル革命は明らかに労働への参加の条件をつくりつつあることも見落とすことはできないのである。

## （２）コンピュータとは何か？

このような人工知能技術の大きな発展をもたらしたとされる「ディープラーニング」についてふれてみたいが、その前に、「コンピュータとは何か」ということについて簡単にふれておこう。

私は、以前に「コンピュータとは何か」という問いに対して、私なりに「記号操作機械」

と規定した（尾関 1993：27-39）。これによって、コンピュータはハードウエアとソフトウエアから成り立っているが、コンピュータという機械の主たる機能が、通常の機械のように、物理・化学的なその性質における物質的なものやエネルギーそのものを操作する機械でないということが明確にされるとともに、ソフトウエアが重要であることが示唆される。そしてまた、他方で、コンピュータを「思考機械」と呼ぶことからくる、ある種のフェティシズムをも避けることができるとした。なぜなら、「記号操作機械」という表現は、記号としてのモノを操作するのであって、思考の要素である観念や意味そのものを操作するのではないことをはっきり示しているからである。コンピュータは、記号（人工言語）によって記述されたアルゴリズム（手順）に則って、論理計算や統計的処理を高速にするわけであるが、結果的には、あたかも観念や意味を操作し理解しているかのように見えるのである。実際には、コンピュータでは、例えば、ハードウエアの電圧の「高い・低い」によって表現される「0」と「1」というデジタル信号によって「NOT 回路」や「AND 回路」といった論理回路が構成されており、これらの幾つかを組み合わせれば、任意の入力に対して任意の出力を得ることができる論理回路（ソフトウエア）が構成されているのである。

このように、この「記号操作機械」という規定はまた、コンピュータが、通常「計算機」と呼ばれることからくる誤解を避けることにもなろうと思った。この場合の誤解を、ジョンソン＝レアードは、早い段階で「デジタル・コンピュータは、数を『ガリガリ噛み砕く』機械、長い退屈な計算をする機械とのイメージが強い。しかし、これは二重に誤った考えである」（ジョンソン1989：28）として、次のようにわかりやすく指摘している。まず、彼によれば、コンピュータは、数ではなく数字を扱っているのである。数は抽象的なものであるが、数字は記号であり、それは数（他の物でもよい）を意味するものと解釈される。コンピュータは計算する機械と考えてしまう際の誤りのもう一つの側面は、数字は多彩な領域をシンボル化するのに使えるので、コンピュータは、視覚的光景、作文などにかかわる様々なデータに対処できることを見逃してしまうことである。

このように、われわれは、これまで「計算」（computation）という概念を、「数の計算」の概念と分かちがたく結びつけてきたが、20世紀初頭の記号論理学の確立を踏まえ、コンピュータの展開自身が、数値計算にとどまらない展開を示すことによって、「記号計算」（symbolic computation）と呼ばれる、数値計算とは異なる種類の記号操作の具体的イメージを与えるようになってきたと言えよう。そして、私見によれば、この「記号計算」という概念が、「人工知能」研究とそれが他の諸分野にインパクトを与えているキーワードのひとつと思われる。なぜなら、例えば、心の研究をする場合、もしわれわれの心が何らかの知識の構造と操作に基づいて働いていると考えることができ、さらにそれらの知識の構造と操作という抽象的な概念が、脳の構造と機能の研究を媒介して、記号の構造と操作というより具体的な概念で置き換えることができるとすれば、心の探究に「記号操作」からのアプローチが可能となるからである。

ところで、すでに第2回のブームの際に、人工知能研究は、心の研究のみならず、脳の研究に大きな刺激を与えていると言われた。当時議論を主導した安西祐一郎によれば、「これまでの人工知能研究がもたらした最大の貢献のひとつは、脳のはたらきのシンボルレベルにおける説明において、シンボルを操作するための手続き（procedure）という概念の重要性を認めたことであった」（安西 1986：45）つまり、安西によれば、脳の働きを説明する観点には、化学反応やエネルギー変換やパルス伝播といった様々なレベルの観点があるが、これまで、シンボル情報の生成、変換、消去の過程として見る「シンボル」（ここでの「シンボル」は上述の「記号」と同じ意味と考えてよい）のレベルの観点が抜けていたというのである。また、同様に、シンボル情報の処理をするシステム、つまり、「記号処理系」という観点は、脳の構造と機能に対する説明の観点として、抜けていたという（同上書、40）。そして、人工知能研究は、この観点を明確にしたことが大きな貢献だと考えるのである。

このように見てくると、私にとって興味深いのは、コンピュータ、心、脳といった三者が、「記号」概念の差異性を伴いながらも、何らかの「記号操作」という活動様式において、共通次元を部分的に共有している可能性が推測できることである。

たとえば、コラーズ、スマイズは、その名も「記号操作――心の計算説を越えて」という論文（佐伯胖編『認知科学の基底』所収）で、人工知能研究の主流の心の計算説を次のように批判していた。当時主流の認知科学における、心のモデルとしての「計算主義」、つまり、人間の心の働きはコンピュータと同じ意味での記号操作であるとする考え方を批判している。確かに、人間の心もまた記号を操作しているが、コンピュータにおける記号操作とは基本的に異なっているとする。つまり、コラーズらは、人間の心には、「記号」の多様な種類があり、例えば、「文節的記号」(articulated symbol)と「解きほぐせない記号」(dense symbol)、「共有的記号」と「個人的記号」などのうち、計算理論アプローチでは、もっぱら、「文節的記号」や「共有的記号」に関わっているにすぎないというのである。

## (3)「ディープラーニング」について

今日の第3次ブームにおける人工知能技術は、人間の脳の構造を模した「ニューラルネットワーク」による「機械学習」の進化を実現した。それによって「ディープラーニング」と呼ばれる水準へと飛躍的発展をなしたとされる。[7] こういった機械学習によって将棋や囲碁においても人間を凌駕することになってマスコミの大きな話題となった。また、画像認識では、2012年のグーグルによる「猫」画像の認識が有名であるが、それ以降急速に発展して、医療現場でのレントゲン写真からガン細胞などの発見率が医師よりも高いことなどで話題になったことはよく知られている。さらに最近では、科学・技術研究の様々な分野における活用によって、たとえば、天文学での新たな惑星の発見や銀河系の進化の研究において大きな成果が伝えられている。つまり、ＡＩ技術は科学・技術研究を加速化するのにも役立っており、このことが科学技術の急激な発展をもたらす可能性があると言えるのである。

人工知能の研究者の松尾豊によれば、「ディープラーニング」は「人工知能研究における50年来のブレイクスルー」であり、これが新時代を切り開いたというのであるが、これもあながち誇張とはいえないであろう（別の機会には、彼は人類史の農耕以来の技術革新とも言っているが、これは「Society 5.0」の影響で少し大袈裟になっているように思われる）。

彼は、「ディープラーニング」について次のように説明している。

「ディープラーニングの登場は、少なくとも画像や音声という分野において、『データをもとに何を特徴表現すべきか』をコンピュータが自動的に獲得すべきかをコンピュータが自動的に獲得することができるという可能性をしめしている。簡単な特徴量をコンピュータが自ら見つけ出しそれをもとに高次の特徴量を見つけ出す。その特徴量を使って表される概念を獲得し、その概念を使って知識を記述するという、人工知能の最大の難関に、ひとつの道が示されたのだ」（松尾 2015：173）

さきに述べたコンピュータに関する私の「記号操作機械」という規定にかかわらせて言えば、ここでの「記号」はあくまで「記号表現」であり、記号意味（概念）は人間が与えることが前提になっていた。しかし、ニューラルネットの多層化による「機械学習」であるディープラーニングの登場によって、コンピュータが画像や音声の特徴表現を自動的に獲得する能力を得たことによって、記号はたんなる「記号表現」(シニフィアン＝能記)だけでなく、ある種の「記号意味」(シニフィエ＝所記)と一体になったものをコンピュータが取り扱うことができるようになったというふうに言えるであろう。確かにこれは画期的なことで、人間が与える意味づけ(概念づけ)とは違うかもしれないが、人間の言語意味と重なることになり、これが私なりの上記の議論の延長からしてもその意義は理解できる(同時にまた、人間が進化の過程で得た身体や欲望、本能、意識がまた、コンピュータによる上記の「意味づけ」と人間による意味づけの違いを生むことも指摘しておきたい)。

ところで、人工知能に詳しい社会学者の稲葉振一郎は、第2次の人工知能ブームを支えるのが「論理学の機械化」とすれば、現在の第3次ブームを支えるのは「統計学の機械化」だとする。そして、ディープラーニングとは、「大がかりな回帰分析」だとするが、それは通常の社会科学や自然科学などで使用する回帰分析とデータの桁が全く違う「ビックデータ」を利用する点に大きな特徴があるとする。そしてまた、データである百万、億単位の独立変数を一度に直接に従属変数に結びつけるのではなく、何段階もの回帰分析を連鎖させる。このように中間層をたくさん挟んだ多段階の分析を行うところから、この機械学習が「ディープラーニング(深層学習)」と呼ばれることになるという。[8]

ディープラーニング以前の人工知能においては、手順が記号化・マニュアル化されプログラムとして書き出すことが必要で、それがなされれば、どんな労働でも人工知能によって置き換えられるということであったのが、ディープラーニング以後では、その仕組みが十分にわからず手順がマニュアル化できないものでも、機械が試行錯誤によるディープラーニングによって手順を近似して機械化することが可能になってきたと言えるのである。このことが置き換えることができる人間労働の範囲を飛躍的に拡大することになったと言える。

従って、松尾の次のような言葉も全く根拠がないわけではないように思われる。「特徴表現の獲得能力が、言語概念の理解やロボットなどの技術と組み合わされることで可能性としては、すべてのホワイトカラーの労働を代替しうる技術となる」（松尾 2016 : 175）。ただ、これはあくまで単なる「可能性」であって、実際に代替が起こりうる現実的可能性については経済的・社会的な様々な条件と関係しており、松尾はこの本の最終章にて慎重に個々の分野で議論をしている。

また、先の稲葉は、ＡＩによる労働への影響に関しては、人工知能機械化の進展と従来の機械化とは本質的にはそれほど異なるものではないのではないかとする。確かに人工知能の労働現場への導入によって過渡的には多くの仕事が失われ失業も発生するだろうが、長期的にみれば、生産性が上昇し、一人当たりの所得が増え、そうした所得が新規産業を含めた新たな需要、雇用を生むだろうとする。ただ、問題は、生産力が上昇した結果増えた所得が、人びとの間でどのように分配されるかであるとし、「20世紀の福祉国家が実現したような、政治的手段を通じての所得・富の再分配を目指した社会運動（労働運動を含む）の高揚も求められるでしょう」（稲葉 2019：132）という。こういった稲葉の見解は、この限りでは、ある意味での多数派的な中道的な見解と言えるかもしれない。

私は、いま必要とされているのは、これまでの私の立場から予想してもらえると思うが、先進資本主義国に住む者の批判のあり方に関して、資本の生産力としての生産力の増大は批判するにしても生産力の増大自身は肯定するという姿勢から、一度「生産力増大」は善いものだという前提をカッコに入れる必要があるのではないか。そして、人工知能技術のどういう導入の仕方が人間の労働や生活にとってよりヒューマンなものになるか、さらにいえば、自然との物質代謝の亀裂を修復するのをアシストするものになるのかを議論することが必要になっているのではないだろうか。すでにフットプリントから地球数個分の消費財を享受する生産力を産みだした先進資本主義国に住む我々は、これ以上成長戦略から生産力上昇を願望する必要があるのであろうか。「Society 5.0」構想の評価はこういった視点からもする必要があろう。

これまでも原子力や医療に関係する科学・技術に関して倫理を中心とする市民参加の公共的な議論の場の必要性が語られてきたが、ＡＩ技術をはじめとするデジタル技術に関しても生産力的視点からだけでなく、人間の存在そのものに関わる労働・生活や自然との健全な物質代謝の問題としてこのような議論の場が形成さえねばならないであろう。

## 2　人工知能と現代社会

### （1）AIと社会関係

さきに稲葉振一郎のAIと労働にかんする議論を少し紹介したが、彼によれば、ここまでの議論はあくまでAIが「道具」である見なされ得る限りだとして、さらに議論を展開する。いわゆる人工知能が人間の知能を凌駕する「シンギュラリティ」問題の議論やこの本の第1章でみた環境思想の諸概念の議論と絡めて、さらに重要な問題があるとして次のような見解を展開する。

彼によれば、「近代的」世界観は、「人」「物」二分法を前提にしているが、じつは、シンギュラリティ論者もこれを前提にしていることに変わりはないとする。しかし、問題は人工知能技術の発展がこの二分法を解体してしまうようだったらどうか、と問題提起する。そして、近代以前のアリストテレスの古代世界観では、神、人間、動物、植物、無機物などは連続した階層性のもとに理解され「人」「物」二分法は取られていなかったとする。そして、最近の環境思想における自然中心主義などでは、動物に人間と同等の主体や権利を認め、この二分法に反する傾向が強くなっていると指摘する。そして、同様な事態として、今日の自律型の人工知能やロボットの登場もまたこういった二分法の否定との関連でみられるのではないかという。これらを含んだ「ネットワークとしてのＩｏＴ（Internet of Things）とは、人間と、心（意志とか意識とか）を持つ人造人間が織り成す社会というよりは、意志を持たない自律的な機械としての人工微生物や人工植物たちの織り成す人工生態系としてイメージされるべきものです」（稲葉 2019：153）という。

ここで言われる「人工生態系」は、人間が自らを取り巻く自然生態系に働きかけ、それを改変することによる通常の意味での「人工生態系」ではまったくないが、稲葉はこれらを関係づけて議論するのである。

「人間が生存している環境を取り巻く生態系自体、家畜、役畜、ペットなどの動物や、農作物、栽培植物や人工林、さらに入会地、里山などは、人為的な介入によって作られ、いくぶんかは管理されている、すでに一種の人工物であることは言うまでもありません。もちろん、その中にも、家畜や農作物、それらを養うための土地など、わかりやすく『財産』として人によって所有・管理されているものもありますが、入会地や里山の場合には特定の人の私有財産ではなく、共同体に属していることが多く、しかもそうした共同体が自然人に対置しうるような明確な輪郭――たとえば法人格――を持っていないこともあります。このような生態系の総体は、いくぶんかは人間によって自覚的、意図的に配置され、管理されていますが、そうした管理は完全ではなく、相当な部分が、人間によって十分に理解されることなくその自律性に任されてもいます。

更にそこに重ね書きするようにして、ＤＮＡベースの生物ではない、金属やシリコンやプラスチックで構成され、その動力源も様々だが、情報伝達と制御は主として電気的・電子的に行われる機械群でできた人工生態系が展開される、と想像してみてください。たとえばいわゆる『サブスクリプション』の名のもとに進められているｅコマースの戦略はそのようなものではないでしょうか」(同上書 155-156)

「ｅコマース」という言葉は聞いたことがない方がいるかもしれないが、要するに「Electronic Commerce」、つまり「ネット商売」のことで、インターネットなどのネットワークを介して契約、売買、決済などを行う取引形態の総称である。稲葉は、この典型的な事例としてAmazonを取り上げ、特に書籍などでお馴染みのレコメンド機能に注目しつつ次のように言う。

「もともとは書店から出発したはずが、いまや書籍や音楽・映像ソフトはおろか、消費者が欲するようなものであればなんでも――それこそ食料品さえ供給するようになったAmazonをはじめとするｅコマース業者は、このような音楽・映像ソフトのストリーミングで成功しつつあるモデルを、ソフトではなくハードな実体のある商品にまで広げていこうとしています。つまりは、食料品でいえば、日々の献立を提案し、それに必要な食材を自動的に買い付ける、といったサービスまで展開しかねない所に来ているのです。つまり、従来は基本的には消費者の自由意志に基づく選択によって行われていた『買い物』の構造を作り替え、消費者の選択を不用とする方向へと、ｅコマースは向かいつつあります。更にこの仕組みの大変興味深いところは、顧客、消費者の意図的、能動的な選択や働きをかけの必要を減らしていくだけではありません。実はサプライヤー、企業の側でも、大枠の戦略が決まって以降は、能動的、戦略的な経営判断の負担をどんどん削っていく、という方向をも、我々はここに見て取ることができます」（同上書：158-159）

このように、ｅコマースなどのネットワークは、人工知能機械のディープラーニングによって消費者の自由意志に基づく判断も供給者の判断も不要なものにしながら拡大再生産していくものとされるのである。

ところで、稲葉の視点からすると、自然生態系に由来する「人工生態系」も全くの人工物である「人工生態系」も似たようなものとして捉えられることになり、さきの「近代的二分法」批判の運動と連動してくるものと捉えられるのである。しかし、誤解をおそれずに明確にいえば、前者は、生命の連鎖であり、後者は貨幣の連鎖である。両者はまったくその性格が違うにもかかわらず、「生態系」という一言であたかも同類であるかのように議論されるのである。

こういった意味での「人工生態系」とは、政府の掲げる「Society 5.0」と呼ばれる未来社会の一大特徴として「デジタル技術を応用してサイバー空間（仮想空間）とフィジカル空間（現実空間）を高度に融合させたシステムづくり」が主張されていたが、これに共振してくるものと言えるのではないだろうか。このことは、これまで我々が環境問題とのかかわりで見てきた自然生態系をめぐる議論を希薄化・攪乱していくことにつながっていくことになるのではなかろうか。「サイバー空間」と「フィジカル空間」の「融合」ではなく、「サイバー空間」は「フィジカル空間」（現実空間）をアシストするものとして捉えることが必要ではないだろうか。

### （2）AIと子どもの発達

「比較認知発達科学」を提唱する明和政子は、『ヒトの発達の謎を解く――胎児期から人類の未来まで』という本で、子どもの発達という視点から政府の「Society 5.0」構想が触発して「現実空間から仮想空間への傾倒」が起こっていることを懸念する。彼女は、先日、ある広告でAIが搭載されたモニターつきスピーカーを使って楽に子育てをする未来を描いたものを見たという。「赤ちゃんを寝かしつけて！」とスピーカーに向かって言うと、スピーカーから子守歌が流れ、モニターからは女性が笑顔で乳児に微笑みかけるというものだ。共働きで忙しい女性にとっては、便利なものであるが、ここには子どもが発達する上で欠かせない認識や理解がないのである。つまり、現実空間において育児者が乳児を抱き、目を見つめ微笑みながら声をかけるという、「親子の身体を介した多感覚からなるコミュニケーション」が欠落することによる発達に及ぼす重大なことが理解されていないのである。

「乳児は、養育者の顔（視覚）や声（聴覚）だけでなく、養育者がもたらす身体内部の心地よさ

（内受容感覚）を同時に感じます。それらが結びついて学習、記憶されることで、アタッチメントは形成されていきます。現実空間において他者との身体経験を積み重ねながら、ヒトは三つの身体感覚を統合させ、さらにヒト特有の主観的な感情の気づき、自己意識を創発・発達させていくことはすでに述べたとおりです。身体を介して他者と相互作用する経験は、発達初期の脳の感受性期にはとりわけ大切である」（明和 2019：216-217）

この短い文章には、明和のこの本で紹介された彼女の最新の研究成果が凝集された言葉が詰まっているので、少しわかりにくいかもしれない。より関心がある方はその本を読んで頂くことにして、ここでは二三解説して私の考えにつなぎたいと思う。

「三つの身体感覚」とは、「外受容感覚」「自己受容感覚」「内受容感覚」で、「外受容感覚」とは視覚、聴覚、触覚、嗅覚、味覚であり、「自己受容感覚」とは、筋・骨格・関節から生じる運動感覚や耳の前庭器官から生じる平衡感覚である。そして、「内受容感覚」とは胃が痛い、お腹がすいたといった身体内の内臓感覚である。特に、明和によれば、外受容感覚と内受容感覚からの情報が統合される過程が非常に重要で、この統合がヒトに特有な「主観的な感情の気づき」にかかわるものだという（同上書：92-93）。これはまた、他の霊長類にはない「物理的、身体的レベルの理解を超えた、記憶表象レベルの他者意識」を獲得することと関係しているとする。そして、この「表象レベルの他者意識」には、「コインの裏表と同じように自己という存在について理解すること（自己意識）が必要」（同上書：89-90）とするのである。

そして、こういった子どもの心の発達の背景には、ヒトの心の特性の獲得には、長い進化の過程で身体を取り巻く環境に適応しながら獲得してきたヒトの心の特性があると強調する。従って、こういった人間の心や身体の特性を考えることなく、ＡＩなどの新たな技術を経済発展や社会活動の手段にすることは危険であることを指摘する。

「新たな技術を応用した商品開発のターゲットは購買層、つまり、すでに完成された脳をもっている大人です。商品は売れることが第一ですから、その開発は買ってくれる大人を念頭に置いて進められます。しかし、ＡＩが、もはや現実空間そのものになってしまったとき、身体が環境と相互作用する仕組みは大きく変わります。その結果、そうした環境で育つことになる次世代の脳は、これまでとは異なる発達軌跡をたどり、心のはたらきにもその影響が現れることは疑いようがありません」(同上書：219)

このように、「経済的発展と社会的課題の両方を解決する」とされる「Society 5.0」による仮想空間と現実空間の融合を新たな時代とうたい上げる傾向に対して、人間の根本的なあり方への影響を子どもの発達を考える立場から懸念を示すのである。

さらに、私の立場からすれば、子どものみならず、大人の未来にも懸念が出てくるのである。さきに稲葉が主張した、ｅコマースの例示とともにＩｏＴと重ねられた「人工生態系」には同様の懸念を抱かざるをえないのである。自然由来の「人工生態系」とデジタル技術由来の「人工生態系」は、私の視点からすると、両者は全く似て非なるものとの認識が重要だと思われる。むしろ、この認識が現代人に希薄になって稲葉の言うように同一化してくることが問題と言えよう。以前の章で述べたように進化の過程で形成されてきた前者の「人工生態系」には生命の原動力であるホメオスタシスがあると思うからである。これに対して、後者の「人工生態系」(商品関係の網の目)の駆動力は突き詰めれば資本の自己増殖にあるからである。

このような稲葉の議論の仕方は、やはり資本主義による「物象化」について、彼がほとんど批判的な意識をもっていないからだと思われる。たとえば、「物象化」については次のように語る。

「市場の発展によって人による支配から解放される一方で、市場による非人格的な支配の下に置かれる、という事態が『物象化』という言葉で呼ばれているわけですが、そこに機械が入り込むと、非人間的な支配の主体が市場メカニズムだけではなく機械にまで見て取られる。それがどうして苦しいのか、はかなり微妙な問題です。ある意味で市場による非人格的支配は、人格的な支配からの解放のために支払わねばならないコストとも言えるからです」(稲葉 2019：130-131)

私には、「物象化」は「苦しいのか」どうかの問題ではなく、社会関係の基本が人格的関係に代わって物象的(商品)関係が支配的になることによって、やはり社会的共同性を本性とする人間にとって、人びととの共感力を喪失させ孤立化などの様々な問題をもたらす点で大きな問題性があると思われるのである。物象化の関係に馴染んでしまった人々はそれに対する苦痛はもはや抱くことがないかもしれないのである。

稲葉の言う「近代的二分法」の否定の事例は、すでに第2章でみたようにマルクスが近代的二元論の克服に生命的次元をみたのと違い、ある意味でソフトな機械論とも言える物象化の世界による一元化ではないであろうか。これは、豊泉周治が指摘したように、ハーバマスが言う「システムによる生活（生命）世界の植民地化」への進行がＡＩやＩＣＴの技術によって促進する事態を物語っているのではないだろうか。

## （3）デジタル技術と教育

文科省は、「Society5.0」時代を生きる子どもにとって必要だとして「ＧＩＧＡスクール構想」（ＧＩＧＡ＝Global and Innovation Gateway for All）を提起している。それは具体的には、児童一人一台端末（コンピュータ）及び大容量の通信ネットワークの整備を目玉とするものである。これはコロナ禍で前倒しされ、現在の40人学級から35人学級への移行の決定とともに、一人一台コンピュータは、今年度（2020）中に整備されることになった。「デジタル庁」の設置などの政権のデジタル技術化の促進への意欲と相まって、学校教育へのデジタル技術の導入は加速しつつある。確かに生徒一人一台コンピュータの実装そのものは一般論としては意義あることと言えようが、日本では様々な問題があることをタイムリーに発刊された『デジタル・シティズンシップ——コンピュータ一人一台時代の善き使い手をめざす学び』（2020）の著者たちは指摘している。「デジタル・シティズンシップ」とは聞き慣れない言葉であるが、日本ではこれまでの「情報モラル」という言葉に近い言葉だそうである。欧米諸国ではすでにデジタル・シティズンシップは様々に議論されており、この本では、その各国の議論の現状なども紹介されている。著者のひとりの坂本旬によれば、両者には次のような違いがあるという。「抑制的な『情報モラル』教育は、子どもたちにSNSの危険性や利用ルールを守らせようとする。一方、デジタル・シティズンシップは未来の市民としてのデジタル・アイデンティティを形成し、必要不可欠な資質や能力の育成を目的にしている。だからこそICT教育と融合しやすいのだ」（同上書：8）

確かにこれまで見てきたような現代社会の状況や課題のなかで、子どもたちが年齢に見合った仕方でデジタル技術を積極的に習得していくことは現代社会に不可欠と言えるだろう。そして、その点でデジタル・シティズンシップの観点からの教育が重要であることも確かであると言える。ただ、気になるのは、この本の著者のなかには、「学校と家庭とのデジタル・デバイド問題」として、日本の学校の対応をもっぱら批判する論調が強いことである。しかし、文科省のGIGAスクール構想には政財界の意向が反映していることを念頭に置くならば、デジタル・シティズンシップは名前からして主権者教育の一環という性格がある以上、そういった学校の対応の問題性の背景には、政府主導の構想とこれまでの文科省の管理主義的な学校への対応があり、それへの批判的スタンスが、もう少し議論されてもよいのではないかという感想を抱いた。

もちろん、たんなる「情報モラル教育」や「デジタル教育」という表現でなく、「デジタル・シティズンシップ」という表現で生徒へのこの方面の教育が議論されることは有意義と思われる。「シティズンシップ」は能動的市民の形成、主権者意識の拡大、参加型民主主義といったことと結びついているので、これを契機に日本の学校教育に欠けたこういった視点も深まれば良いと思う。

従って、デジタル技術に関わる議論も、やはり学校教育とは何かという基本的な事柄を押さえて考えていくことが必要であろう。私はかつて『言語的コミュニケーションと労働の弁証法』で教育問題を論じ、また、関連して「死に至る〈いじめ〉」や「過労死」の問題も議論したことがある。[9] すでに30年以上経つが、日本では、それらの問題はほとんど変わらず、むしろ常態化、深刻化さえしている。こういった問題の解決のために学校関係者から40年来訴え続けられてきた学校の30人学級の要望が、コロナ禍によって「デジタル化」の急展開が必要であることが明らかになったという政権の一声で、35人という部分的であるにしろ実現へ向かっている現状である。さきの『デジタル・シティズンシップ』で、ＯＥＣＤのＰＩＳＡ（生徒の学習到達度調査）のここ数年間の調査からＩＣＴ利活用スコアが毎回世界最低であったが、このことにいままでほとんど政府関係者の関心がもたれなかったことが紹介されているが、今回のコロナ禍で、この現実が政財界の首脳に認識されたことが、生徒一人一台コンピュータの実装という急な動きになったと言えよう。

これらを思い起こしながら、今日のデジタル技術の背景にある問題状況と関連させてもう少し議論してみることにしよう。また、経済学に通じた教育学者の佐貫浩の『「知識基盤社会」論批判――学力・教育の未来像』という時宜にかなった著書があるので、これをも適宜参照しながら議論をしてみたい。

佐貫によれば、現在教育分野で一番叫ばれているのは、さきの大量失業とも関連して、来るべきＡＩ時代における労働形成に貢献すべき教育はいかにあるべきかということである。この問題を議論する前に、いま一度現代日本における子どもをめぐる状況および学校や家庭とは何かということを少し考えておくことが必要であろう。かつては、主に子どもの状況をめぐって、いじめ、登校拒否、家庭内暴力、体罰、校内暴力、といった諸現象が語られたが、現在では、この「いじめ」は教師の間にも及んできていること、また家庭での子どもの虐待が大きな問題になってきている。さらにいえば、こういった学校、家庭の問題は、国際語にまでなった「カロウシ」と呼ばれる企業中心社会の問題ともつながっており、この過労死の問題もここ数年、電通やＮＨＫでの若者の自殺に見られるように一層の深刻さを増している。

こういった学校教育、家庭、企業の三者の連関に関しては次のことを思い起こしておくことが必要であろう。近代以降、ヘーゲルが洞察したように、商品経済システムの進展にともなって、生産労働の側面と教育の側面と愛情の側面を統合していた「家的社会」が解体され、生産労働の機能が市場経済機構に吸収・組織されていったように、教育の機能も学校制度に吸収・組織されていって、家的社会は愛情の側面を主とする核家族にまで縮小していったという歴史的背景である。従って、学校教育の問題を論じるには、じつは少なくともこの三者の関係、それぞれのあり方を問うことなしには、問題の真の解決はありえないということである。それを抜きにして学校のあり方ばかり問題にすることは問題解決をいっそう困難にするであろう。

なぜなら、財界の意向を受けた政府の審議会が打ち出した企業論理を官僚行政によって学校教育に持ち込まれるだけでなく、家庭が企業論理にからめとられているかぎり、父母の「要求」としても学校教育に鋭く突きつけられるからである。従って、父親と母親がそれぞれ企業社会の論理から解放されねばならないのであり、そしてまた、これがなされるためには、企業内民主主義や労働時間短縮の問題がかかわっているのである。つまりは、学校教育のあり方は、家庭と企業の関係のあり方に深くかかわっているのである。ようやく「働き方改革」や「教育無償化」の話しが出てきているが、ヨーロッパの先進資本主義国に比べると日本の対応はきわめて遅く、しかもこのスローガンを悪用するような意図も垣間見えるのである。

こういった深刻な学校や家庭の病理現象の背景には、ハーバマスの言葉を使っていえば、資本の利潤欲求によって肥大化された市場経済・官僚行政システムによる「生活世界の内的植民地化」問題があり、日本の場合、それはきわめて深く進行していて、いわば生活世界全体がシステムの論理に取り込まれつつあると言える事態が起きているのではないか。とりわけ学校教育の場は周知のような能力主義、競争主義、管理主義、権威主義によって、様々なレベルの共同的関係が破壊され、自主性と個性が抑圧され、あたかもミニ企業社会化、管理社会化している現状があるのではないかと疑われるのである。

もともと、近代初頭において、近代化・工業化を促進するために学校教育制度は、二つの相対立する方面からのネーション形成の役割を要求されたと言える。一つは、資本主義と国家主義の発達をささえる近代的な労働力形成と忠誠心養成の要求からであり、他面では、近代社会・国家の主権者、能動的市民、民主的人格の形成の要求からである。従って、近代以降この両方からの要求が学校教育の場で鋭く対決してきたと言えよう。つまり、突き詰めて考えれば、社会に支配と被支配がある以上、これまでの歴史から明らかなように支配層はたえず教育を支配の道具にしようとするのであり、従って、教育の場は、資本主義と国家主義の論理が民主主義の論理と鋭くぶつからざるをえない場であることは忘れることができない。戦後日本では、戦前の旧勢力が米国の政策転換で支配層の中に残存したことがこの傾向を一層強めることになった。

今日の日本ではグローバル競争のもとで、前者の要求がきわめて強まり、学校教育における一般的な意味での労働能力形成の過程が、特殊、グローバル大企業や情報産業が要請する労働力商品の生産過程の性格を強く帯びてくるまでになっている。さらに、教育だけでなく学問研究に対する要請もこういった性格が強くなり、最近の学問の自由・自律を脅かすような学術会議問題を引き起こすことになったと言える。このことは、ソ連・東欧の崩壊やインターネットなどのＩＴ革命を背景に資本主義の実質的なグローバルな展開・競争の激化が背景にあり、日本の政財界の危機感を伴う強い要求があるのである。それを表すのが、「Society 5.0」構想の学校教育での具体化としての「ＧＩＧＡスクール構想」であり、これは「知識基盤社会」論を引き継ぐものである。これらに基づく人材育成をさきの佐貫浩は詳細に紹介し批判しているが、その紹介の一部を引用しておこう。

「『ＡＩやビックデータ等の先端技術が、学びの質を加速度的に充実するものになる世界：Society 5.0』における学校（「学び」の時代）が間もなく到来する」（『「Society 5.0」に向けた人材育成』：8）とされる。そして『Society 5.0』という未来像は、ＡＩの発展と高度な情報社会、知識基盤社会に向けた新たな教育システムの構築に向け大胆な教育改革の根拠とされ、教育情報産業の公教育への参入が推進されつつある。その教育改革の基本的性格は「教育における情報通信技術、ＡＩ（人工知能）、ビックデータ、ＩＣＴ（情報通信技術）民間教・育事業者や産業界との連携のフル活用であり、公教育の市場開放（民営化）である。

その教育で獲得すべき能力や教育の方法については、『高い理数能力でＡＩ・データを理解し、使いこなす力に加えて、課題設定・解決力や異質なものを組み合わせるなどのＡＩで代替されないで価値創造を行う人材が求められ』（「未来投資戦略2018」：101）るとし、『その質と量が我が国の将来を決定づける』とされている。そこからコンピュータやＡＩを使いこなせる能力、そのための『基礎となるＳＴＥＡＭ（Science, Technology, Engineering, Art, Mathematics）教育を、全ての生徒に学ばせる必要がある。こうした中で、より多くの優れたＳＴＥＡＭ人材の卵を産みだし、将来、世界を牽引する研究者の輩出とともに、幅広い分野で新しい価値を提供できる数多くの人材の輩出につなげていくこと』（『「Society 5.0」に向けた人材育成』：13）と課題化される」（佐貫 2020：236-237）

そして、佐貫は、そのための教育方法として、まさにＡＩとビックデータ、情報技術を駆使した「公正に個別化された学び」ということが語られるとし、経済産業省の提示する「未来の教室」構想にふれながら、次のようにその問題点を指摘する。

「ＡＩがビックデータと個人の学習ログ（学習履歴）に依拠して学びのコンテンツや方法の『最適課題』を提示する。そこから提起されるカリキュラム、教育方法、教育課題のシリーズに即して、個々人が『個別最適化された学び』を段階を踏んで遂行していくという学習・教育像である。それは個に最も適合した学習のコースを提供するという宣伝にもかかわらず、その子ども固有の課題や学びの方法の発見を支える教師の専門性の指導のない、しかも共同の学びのない孤立した学びを生み出す。それは、もっとも安価で、校舎と教室空間が配備されなくてもよい――学校を統廃合しても可能な――教育システムとなる。それらは、市場化された教育として、いつでもインターネットでアクセスし、ダウンロード可能な、『個別最適化』された課題を提示してくれるバーチャルな公教育システムとなる。それは強大な教育ビックデータを占有する教育産業が商品として独占的に提供することができる教育の仕組みとし展開するだろう」（同上書：240-241）

以上、見てきたところから、政府・財界の未来ビジョンにもとづく教育構想が理解されるだろう。こういったことから、文系不要論や理系でも基礎的科学の分野の軽視が生まれてくることは容易に理解できよう。まさに知や技術の一面化が生み出される背景があるのである。

これに対して佐貫は、共同の学習の重要性の視点や「知の二つの回路」という視点でもって有意義な批判を展開している。これらについては彼の著書を直接参照してもらえればと思う。

端的にいえば、「Society 5.0」が要求している知や技術の育成は、生産力（とりわけ資本の生産力）増大や経済成長に役立つものであり、そういったものを効率的に生み出す教育・研究である。経済発展に並んで「社会的課題」の解決も挙げられているが、それらの解決は抜本的なものでなく、対症療法的レベルに留まるものである。たとえば、過疎化問題に対応するとして自動運転車を走らせるといった類いでデジタル技術を社会制度の変革と絡めて考えることはないのである。もちろん、ＡＩやＩＣＴなどのデジタル技術の研究の意義を否定するものではないが、それらの研究は多様な科学・技術の調和ある発展の中に、さらには〈農〉の復権を基礎にした農工共生社会に位置付けられねばならないと思うのである。そのためには、すでに述べてきたように、生産力志向を基調とする生産力史観から生活志向を基調とする物質代謝史観への歴史観の転換が必要であろう。それはさらに次章で述べることになるが、また、成長主義経済から定常型経済への転換を目指すことでもあろう。

私はこれまで述べてきたような視点から農業労働を重視してきたが、そのことは当然、農の知や技術を重視することでもある。同時にまた、「Society 5.0」構想においても、これまでの農業を「スマート農業」（或いは、ＡＩ農業）という表現のもとに重視しているので、次に節を改めて述べてみたい。

## 3　「スマート農業」と現代農業の分岐

最近、ＡＩやＩＣＴの活用による農業ということで、「スマート農業」という言葉が急速に広がっている。そもそも「スマート農業」という言葉は、２０１３年の秋に、安倍内閣が「攻めの農林水産業」というスローガンの中で提起したものである。そして、２０１９年に農水省は未来投資会議の席で「２０２５年度までにはほぼすべての担い手のスマート農業実践を目指す」と発表している。そして、約50億円の予算をあてて全国69か所で「スマート農業実証プロジェクト」が始まった。これにともなってベンチャー企業や研究者などの関係者からも様々な提案や本などが出版されてきている。[10]

その中にはこれですべての現代日本の農業問題が解決するかのような論調のものも見られる。ただ、実際、これを契機に担い手の高齢化や不足をはじめとする現在の農業の危機を打開する局面が切り開かれればという、現在の農業関係者の切実な願いが反映しているのも確かであるが、これを契機に大規模化、工業化を一層促進し、「成長産業化」の好機にしようという意図もみられる。これまでの農業が「3K（きつい、汚い、危険）」として若い人びとに敬遠されてきたのが、スマート農業によって「新3K農業」（かっこよく、感動があり、稼げる）に転換できるのでは、という声も聞かれる（渡邉 2018：134）。

他方、こういう中で、『季刊地域』（現代農業2019年11月号増刊）は、「スマート農業を、農家を減らす農業にしない」というタイトルの特集をして、スマート農業がもたらす否定的な面について警鐘を鳴らしているのは興味深い。実際こういった警戒の声が上がるのも当然で、「スマート農業」を主導している政府は、これまで、まさに農業の成長産業化をスローガンに規模拡大や省力化・効率化を進めてきたが、この一環として「スマート農業」を位置付けようとしているからである。その雑誌から批判の声を少し聞いてみよう。編集者はまず以下のようなことを語っている。

「無人で動くロボットが農業現場に導入され、農家の労力が軽減されるのは悪いことではない。集積した農地を管理するのにＩＣＴを利用できれば便利だろう。期待する農家も少なくないはずだ。ただ、ひねくれた見方かもしれないが、農家が減ることが前提になっているのが気に入らない。田んぼから人を省くことが目標になっているように映る。まして『農業構造改革の好機』とは、いったい誰にとっての好機なのだろう。この特集を『スマート農業を、農家を減らす農業にしない』と題したのも、『スマート農業』にそんな印象を受けたからだ」（同上書：14）

「スマート農業」が農家の減少に対応する農業や大規模経営のための農業でなく、高齢農家が少しでも長く続けられる農業、若者を引き付けて農家を育てる農業にしたいという編集者の気持ちはよくわかる。

農業機械と人との関係についての研究者である芦田祐介は、スマート農業に懸念を示しつつ、次のように述べている。たいへん大事なことが述べられていると思うので少し長いが引用しておこう。

「政府の想定するスマート農業推進の目的は、省力化や効率化を進め、生産性を高めるように、農業経営の改善を図ることにあると思われる。…（中略）…

そもそも農業においては、生産性を高めることだけが大事なわけでもないと思う。筆者が調査のなかで出会った農業者のなかには、『自分で決められるのが農業のよいところ』『金儲けを考えなければ、百姓ほど気楽な商売はない』というように語る人たちもたくさんいた。

農業という仕事や農家の生き方における『自律』という価値を大切にする人もいる。ある人は、農業機械を巧みに操作して圃場を四隅までならし、美しさにこだわって田植えやイネ刈りをする。またある人は、『みんなで食べたいから』と儲けにならない地域の伝統作物を育て、『気分があかるくなる』と畑の端に花を植える。このように多くの農業者は、決して『スマート』とはいえないような、独自のこだわりや創意工夫によって、農業を楽しんでいるようにみえるのだ。

農業はたんなる産業ではなく、自然や地域社会のなかでの『生き方』『生活の一部』であり、人々の『生きがい』でもあるのだが、これらの点は見過ごされやすい。すなわち、経済的な合理性だけでは測れない『人間らしさ』こそが、私が農業機械の研究を通して感じた農業の魅力である。ここの農業技術について調べるなかで、そうした『人間らしさ』が見えてくるのだ。政府の想定するスマート農業においては、こうした農業の性質が視野にはいっているようには見えない」(同上書：44-45)

「Society 5.0」の関連文書では、超スマート社会は「人間中心の社会」であるとしていたことを思い出すと、「スマート農業」への芦田の懸念は建前と本音を突くものと言えよう。

この雑誌の特集で、新たな農本主義を主張している宇根豊は「反スマート農業宣言」と題するエッセイを書いている。うっかり田んぼの水が干上がってオタマジャクシが全滅したという農家がよく経験する出来事を挙げて、農家はイネのために水をためてきたというが「可愛そうだ」と思う気持ちがあるのは、じつは無意識のうちにオタマジャクシのためにも溜めていたからだという。

「彼は無意識にオタマジャクシのためにも水を溜めていたのだ。普段は意識しないが、オタマジャクシの死という異常事態のときにそれが〝発覚〟する。この無意識の情愛が、百姓仕事によって蓄積され、私たち百姓の感性や経験や自然観・農業観を豊かにしてきた」（同上書：46）

農家は水とイネだけに目を向けているのではなく、それらを取り巻く生きものにも無意識のうちに目を向けている、或いは身体で感じているのだという。そして、ＩＴ化された「自動水門」を設置すると、うっかり水が干上がることはないかもしれないが、百姓の情愛や自然観・農業観を育むことはできないのではないかと懸念する。

また、編集者は、スマート農業を導入して不安になった農家の人たちの、次のような興味深い話しを紹介する。

「多くのスマート農業導入者の言葉を聞くと、『まあ、初心者並ぐらいの仕事はできるようになるだろう』という。しかし、待てよ、それじゃあ、初心者はどうやって育てるのか。まさか機械と一緒に作業させるのか。熟練したあなたと一緒に仕事をするから、初心者からさらに上達していくのに、これでは後継者が育たないのではないか。ではどうしたらいいのか。ある酪農家の話だ。給餌も搾乳の掃除もロボットを導入して、とても不安になった。牛とふれ合う時間があまりにも少ない、と。そこで、牛を見て回り、手入れをする時間を増やしたそうだ。同じようなことを、ハウスの水耕栽培の野菜農家も言っていた。『コンピュータに任せっぱなしが一番危ない。むしろ、労働時間を増やして、作物の観察にあてないと失敗する』と。せめてもの対処だろう」（同上書：47）

「Society 5.0」のスローガンのもとにスマート農業の推進を考えている者にとっては、古い農業者の戯言という感覚で受け止めるかしれないが、むしろ、そこにスマート農業を導入する際の貴重な視点を読み取る必要があるように思われるのである。

中島紀一も、以前に取り上げた『有機農業の技術とは何か』で次のように語っていた。「有機農業において労働の意味はたいへん大きい。人は農作業（労働）をとおして作物、土、自然と交流していく。農作業は農業者の感性を育て、作物や田畑を丁寧に観察していくプロセスでもある。有機農業においては、労働を単なる負担やコストとは捉えず、そこに積極的な意義をおいている。有機農業においては農作業が喜びと発見と充実のプロセスとして編成され運営されることを願っている。従って有機農業においては近代農業のような単なる省力技術は追求されない。もちろん多労であることだけに意義をおくものではないが」（中島 2013：127）

ここで思い起こしておきたいのは、中島にとって有機農業とは、「有機ＪＡＳ制度」に適った農産物をつくる農業のことでなく、まさに工業化された近代農業に対抗して農業の本来のあり方を取り戻す運動と考えており、じつは、「有機農業とは普通の農業だ」というのである。「スマート農業」とは、ＡＩやロボットやＩＣＴを活用して、農業を行うことであるが、いままで述べてきたことから、この活用の仕方には大きく二つの方向があることが理解されるであろう。つまり、デジタル化された工業型農業という方向と上記の意味での有機農業などの自然共生型農業という方向がある。もちろん、現実にはこの両方は交錯しているが、「Society 5.0」を掲げる政財界の意図としては、これまで述べてきた点で前者の方向の比重が大きいと思われるが、現在の状況では、この分野ではいろいろな思惑や希望や技術理解が交錯してこの両方が混在していると言ってよかろう。

前者に関しては、一層の省力化による規模拡大、成長産業化、担い手の高齢化などによる労働力不足を補うという視点が強い。つまり、「スマート農業」は、政府の成長戦略の一環として推進されているもので、農家の高齢化、減少を「農業構造改革の好機」と捉え、最新のＩＣＴなどを農業現場に導入したスマート農業で、日本の農業をグローバル競争に勝てる強い農業にしようというものである。

これに対して、後者では、省力化は、加重でつらい危険な労働を軽減することは良いが、担い手不足を補うだけでなく、労働人口そのものを一層減らすことになるのではないかと批判している。むしろ、方向性としては、次節で述べるが、デジタル技術によって有機農業への関わりを容易にすることによって、潜在的には多くなっている〈農〉に関心をもつ人々を誘う機会にしていくべきではないかと考える。たとえば、積極的な活用としては、有機農業などのこれまではいわゆる名人と呼ばれる農家しかできなかった技術を一般の農家でも、さらには関心をもつ初心者でも、ＡＩ・ＩＣＴ技術を利用して環境保全農業、自然共生農業が営むことができるようにするということである。

これと関係して、研究者の神成淳司の「ＡＩ農業」の捉え方も重要であろう。すでに見たように、スマート農業への懸念は人減らしになるという事と並んで大きかったのは、新就農者がこの技術に依存して未熟練のままで熟練の農家になることができないのではないかということであった。神成はまさにこの点にＡＩ農業の意義を見出そうとするのである。実際、神成も日本では、他の先進資本主義国と比較しても農業就業人口が急激に減少し高齢化しつつあり、現在、年齢構成のピークである高齢化した熟練農家が引退してしまうと、各人が持つ知識や技能が失われてしまうのではないかと懸念している。すでに見たように、工業と違って農業の場合には、生き物や自然を対象にしていることから工業の場合とは比較にならないほど技能や判断力の継承が難しいと言える。従って、重要なのは、熟練者、さらには達人の判断力を未熟練者が獲得できるようになるためにＩＴ技術を利用することだとする。従って、彼のめざすＡＩ農業は、「いつでも、どこでも、誰でも」がＩＴ技術を使用して単純に農作業が可能になることに留まることではなく、重要なのは次のことだという。

「筆者がＡＩ農業で実現しようとしていることは、人の価値そのものを高めるＩＴ活用であり、それは『いつでも、どこでも、誰でも』の正反対にある。『今だけ、ここだけ、あなただけ』です。本来ならば熟練農家のような熟練者の中にのみ閉ざされている卓越した技能や暗黙知を、ＩＴによって外に出せる状態にして、製品開発や市場創造などの産業化につなげようとするものです」（神成 2017：44）

「製品開発や市場創造などの産業化」という言葉に引っかかる読者もいるかもしれないが、協同組合を重視するスタンスと重ねれば、それほど目くじらをたてる必要もないであろう。

また、「植物工場」についての神成の評価も興味深いものと言えよう。

「ＩＴによって環境要素と農作業を一定化することで、安定して均質な作物を収穫できるというのが植物工場最大のメリットです。天候の影響を受けないように温度・湿度・光が徹底的に管理された屋内の農場で、マニュアル通りに作業すればいいので、経験の浅い人でも参入しやすく、農作物の本来の旬の時期とは関係なく収穫できるメリットもあります。しかし、植物工場によって徹底的な効率化と安定化が図れたとしても、熟練農家の生産性には遠く及ばないことが多いはずです。コストメリットなどを考えても植物工場が最善とはいえない場合が多いのではないでしょうか。

この状況を踏まえ、筆者らはもっと熟練農家の『現場』に目を向け、彼らの熟練性を引き出すことにＩＴを活用する『ＡＩ農業』を提唱したのです。『安定的な収穫量』や『安定的な品質（見た目）』などを目的とする従来の農業情報学とは別のアプローチで熟練農家のノウハウを可視化し、教育プログラムとして活用することにしました。『誰でもできる安定性』ではなく、『熟練農家レベルの高付加価値』の獲得が目的です」(同上書：50)

結局、植物工場は、個別の対応を排除して環境も作業も均一化するために作物のポテンシャルを十分に引き出すことができないわけである。工業製品の場合ならば、こういった環境でよいわけであるが、生命体である農作物の場合では、個別の違いを無視して育てることができないのである。

さらに神成の提案の興味深いのは、農家や協同組合を中心に関係者によって「農業ビッグデータ」をつくり、それをもとに社会基盤としての「農業プラットフォーム」をつくるための提案を具体的にしていることである。そして、そのことは、「新しい熟練農家」を創造することにつながるという。つまり、もともとは、A師匠から学ぶ期間を短縮できるという意味で、師匠としての熟練農家からの継承・教育という意味でのIT活用であったわけであるが、「農業プラットフォーム」構想は、複数の師匠から学ぶということで、熟練のノウハウの継承というだけでなく、複数の熟練を組み合わせたオリジナルなものを生み出す「新たな熟練農家」が生まれるのではないかと期待する。いずれにせよ、農業プラットフォームを財界やその意を受けた経済関係の行政が行うのでなく、農水省などの行政がサポートしつつ農業協同組合などが主導で形成することになれば、組合の活性化も伴って大きな意義あることであろう。

神成の次の言葉は、ＡＩに対する基本的な姿勢と思われるが、共感ができるものである。

テクノロジーの変化に伴って人間のやるべき仕事は変化するのは当然であるが、「仕事のうちどの部分を機械に任せるかという議論もあります。農業でいえば植物工場のように農作業そのものをロボットに任せてしまうのも一つの方法です。判断をＡＩにさせる考え方もあります。水やりに10年の経験が必要だったところを、教育ツールと適切なフィードバックで3年や4年に短縮できるのが人間です。結局のところ、ディープラーニング（深く学習する）に一番向いているのは、人間だという結論に達します。そのための情報を集めるのが機械だ、という認識でいいのではないでしょうか」（神成 2017：172）。

いずれにせよ、「スマート農業」や「ＡＩ農業」は、効率化によって農家の人びとを一層減らして「成長産業化」していく方向に位置付けられるのか、或は逆に、私がこれまで主張してきたように、より多くの人びとが〈農〉の営みに参加し自然共生型農業を実践していく方向に位置付けられるかが問われていると言えよう。前者は、農業や地域の解体へ向かう方向であり、後者は〈農〉の復権や地域の再生につながる道であると私は思っている。つまり、ＡＩやＩＣＴは使い方次第や社会的条件では、〈農〉の現代的な復権の重要な技術的手段を提供するものになると考えられるのである。次章ではそのことも議論することになろう。

## 4　工業化社会から農工デジタル社会へ

もともと「工業化社会（industrial society）」を超えていく社会のあり方については、米国の社会学者ダニエル・ベルによって1962年に提起されたが、ベル、そしてその後の未来学者アルビン・トフラーなどもそのイメージを「情報」や「知識」を主とする社会といった表現を中心に想定して議論している。トフラーは『第3の波』（1980）という世界的に話題になった本で、第1の波の農業社会、第2の波の工業化社会に続く、第3の波を情報化社会として主張した。その後の『富の未来』（2006）でも、「知識」が「明日の石油」というような言い方で強調している。[11]

また、世界的に話題になった『〈帝国〉』の著者ネグリやそれに近いマラッツィなどのイタリアのマルクス主義者なども情報化、デジタル化の傾向を「非物質的労働」の優位として捉えている。[12]「Society 5.0」という目指すべき将来社会とされている社会も「仮想空間と現実空間の融合」というフレーズや「知識基盤社会」という言葉で、文字通り「Society 4.0」とされる情報社会の延長に位置付けられている。

しかし、はたして将来社会は、知識、情報やサービス、一般に非物質的労働が優位になる社会であろうか。これは、ＧＡＦＡなどのＩＴ巨大企業に主導されたいわゆる「デジタル資本主義」の未来イメージではなかろうか。いままで述べてきた人間と自然の物質代謝を重視するわれわれの視点からすれば、人間も自然の一部であることから身体にかかわる生産物の生産である農業や工業、とくに農業の重要性は見逃すことはできないであろう。

ここで、ドイツ社会の研究者である豊田謙二の次のような言葉を引いておきたい。

「今日、自然環境と連携する農耕づくりが求められている。そうした農耕こそが産業および生活の基盤でなければならない。従来、産業構造は農業から工業へ、そしてサービス業へと『高度化』すると語られてきた。農業は次期産業を育て衰退していく産業として捉えられてきた。しかし、むしろ、農業はポスト・フォーディズム社会の基礎産業として、生産と消費との持続可能な循環をささえていくものなのではないのだろうか」（豊田 2004：125-126）

これまであまりに安易に情報・知識化や非物質化を基準に第１次、第２次、第３次産業へと順次移行していくことが進歩であるという観念を抱いてきたのではなかろうか。しかし、今日、人新世と言われ、自然との共生という大きな課題や人間社会はどんな社会になっても自然との物質代謝を免れることができない前提を考えると、これまでの発想にとらわれないことが必要と思われる。

「Society 5.0」構想における基調は「デジタル資本主義」をめざすものと言えるが、むしろ、そこで語られる技術的可能性を社会制度の変革と絡めて脱資本主義化を考える必要があろう。実際多くの研究者が語るように、デジタル革命は中央集権型システムから分散型ネットワークへ、一方向のコミュニケーションから双方向のコミュニケーションへグローカルな仕方で実現することなど、いくつかの大きな社会変革への転換の技術的可能性を与えるものである。この点で、現代日本社会は分岐点にあると言えるのである。脱資本主義化への前進については、次章で議論することにしたい。

さきの拙著『多元的共生社会が未来を開く』では、私は「脱工業化社会」を「〈農〉を基礎にした農工共生社会」と呼んで、この農工共生はデジタル技術によってアシストされるものとしてきた。ただ、この表現は、デジタル革命の意義を十全に反映していないとも受け取られるので、ここでは、「農工デジタル社会」と呼んでおきたい。つまり、私はデジタル革命によってもたらされるデジタル技術の複合体（デジタル生産様式）の民主的・エコロジー的利用によって、〈農〉の復権を前提に農業と工業のネットワーク的共生を実現する社会として「農工デジタル社会」と呼んでおきたいのである。農業や工業はデジタル技術にアシストされた自然共生型農業や自然共生型工業になり、社会の不可欠な構成要素となって、「人間と自然の物質代謝」の健全なあり方に貢献するものになるのである。このように考えると、正確には「自然共生型農工デジタル社会」となるのだが、長すぎるのでそれの略称として「農工デジタル社会」としておきたい。生産様式の関係で所有関係にも一言ふれておくならば、すでに述べてきたところから理解されるように、脱資本主義化の過程において近代の排除的な「私的所有」から「個人的―共同的所有」へ転換していくとともに、新たな物質代謝様式の形成につながっていくならば、技術的な意味の生産様式は社会的意味をもってくることになろう。

脱工業社会は「情報社会」「知識社会」「非物質社会」といった特徴付けが適正かどうかは、やはり人類史を物質代謝、つまり生活過程の視点、人類の基本的な生存・生命再生産の仕方を踏まえて考えることがまず必要だと思う。大工業化と資本主義的市場化を核とする近代社会（ウォーラーステインの言う資本主義「世界システム」）は、大工業や工業的農業や大量廃棄物などによって人間と自然の物質代謝にかく乱や亀裂をもたらし、自然との共生や循環を困難にしてきたことを直視すべきであると思う。デジタル資本主義がこの困難を抜本的に解決するのは難しいと思われる。私は、脱資本主義への前進するなかで、デジタル技術にアシストされた自然共生型農業と自然共生型工業を基礎にした新たな社会形成が、近代社会がもたらした様々な負の面を克服し近代文明を超えていく積極面があるのではないかと思う。デジタル技術は、従来の工業・農業が大工場や大農場にみられるような集中型の生産方式であったが、それから分散・ネットワーク型への生産方式の転換を進めていくのが特徴である。資本主義のもとでは、安価な労働力を求めて分散・ネットワーク化していく傾向があるが、これをエコロジーの視点から分散・ネットワーク化していくことへの転換が求められるのである。

「Society 5.0」構想では、狩猟採集社会（Society 1.0）、農耕社会（Society 2.0）、工業社会（Society 3.0）、情報社会（Society 4.0）に続く、人類史上５番目の社会が「Society 5.0」ということである。サイバー空間（仮想空間）とフィジカル空間（現実空間）を高度に融合させた人間中心の社会（Society）であるとされ、「超スマート社会」や「創造社会」と呼ばれているが内実ははっきりしていない。そのイメージのもとでの各分野での具体化は、社会的課題を解決するというよりもこれまで見てきたようないろいろな問題を引き起こしている。

私は、むしろ来たる将来社会は、デジタル生産様式を活用して自然共生型農業や自然共生型工業を実現していく社会という意味で「農工デジタル社会」と呼んではどうかと思うのである（もちろん、もっとすっきりした魅力的な表現があればぜひそれにしたい）。「サイバー空間」も、それを踏まえてはじめて有意義な位置づけを得るのではないだろうか。この場合には、1万年前以来の農業社会、それに続く近代の工業社会、さらに脱資本主義の「農工デジタル社会」という仕方で歴史の展開がはっきりし理解しやすいものになるだろう。

【注】

1　このへんの事情は、むしろ関西同友会の「世界で進むデジタル革命のインパクトを知る」（関西同友会ホームページ）という提言の方が率直でわかりやすい。

2　日立東大ラボ『Society5.0　人間中心の超スマート社会』は、「Society5.0」についていろいろな角度から論じているが、財界の意図を超える興味深い議論もあるように思われる。

3　ＡＩと同じくらい現代のＩＣＴについてもインターネットの登場以来、急速に発展し世界と社会を変えてきて、今またコロナ禍の下でオンラインの会議や集会が開催されていることから、その意味などを論じなければならないが、ここでは主にＡＩに代表させてデジタル技術を論じている。インターネットなどについての私の基本的な見解は、拙著『環境と情報の人間学』（青木書店、2000）を参照されたい。

4　さらには、「1億倍速いコンピュータ」である「量子コンピュータ」がカナダのベンチャー企業によって実際に製作され、人工知能の加速化が話題になり、一層夢と悪夢がふくらんでいる。ただ、『量子コンピュータが人工知能を加速する』（日経ＢＰ社、2016）の著者の西森秀稔はこのアイデアを出した本人であるが、その彼によれば、現在の量子コンピュータの機能はかなり限定された課題に対応するものと慎重である。

5　ハラリのこのベストセラーになった二つの本に関しては、拙稿「『ホモ・デウス』と『サピエンス全史』を読む」（『季論21』44号所収）、拙稿「現代の人間観・歴史観の構築へ向けて――『ホモ・デウス』と『サピエンス全史』の批判を機縁に」（『環境思想・教育研究』12号所収）を参照されたい。

6　この論文の問題点に関しては、友寄英隆が『ＡＩと資本主義』（本の泉社、2019：69以下）にて詳しく行っている。第1点は、技術的可能性による雇用予測であって、機械採用の経済的条件が考慮されていない。第2点は、労働時間短縮の可能性についてふれていないとしている。過労死がいまだに続いている現状を考えると、労働時間の短縮は賃上げ以上に重要な課題であることを認識する必要があろう。

7　ディープラーニングも、脳のニューロンを真似ているという意味では、すでにふれたように広義のバイオミミクリーと言えるだろう。しかし、同時にまた、脳のニューロンは生物進化におけるホメオスタシスを背景にしていることを忘れてはならないだろう。

8　稲葉振一郎『社会学入門中級編』第6章、参照。

9　私は30年近く前に『遊びと生活の哲学』や『現代コミュニケーションと共生・共同』で「死に至る〈いじめ〉」や過労死を議論したが、その現実は常態化しいまだに解決されていない。日本社会の構造的問題性に深くかかわっているからであろう。

10　ＮＨＫ番組「ＴＶシンポジウム　未来へのスマート農業」(2020.12.5放映)は、「スマート農業」についての基本的知識やいろいろな立場の関係者の見解がよくわかる。ただ、日本の農業が置かれている社会構造的な根本的な問題への言及はなかった。

11　トフラーが、第３の波で支配的になる傾向として「生産消費者(prosumer)」という概念を強調しているが、これは生産者と消費者を統合したもので、交換のために生産するのでなく、自分で使うものを生産するという、広義の「自給自足」の傾向を指摘している。情報デジタル化がこういったことを可能にする面はわれわれの視点からの「自給自足」の議論を補強する意味で重要であろう。

12　ちなみに、ネグリが主張する社会変革の「マルチチュード」という不特定多数者の闘争主体の概念に関しても「非物質的労働の優位」という考えが不特定さをもたらしているように思われる。やはり、その核は労農アソシエーションと考えるべきであろう。

【引用・参考文献】

・安西祐一郎『知識と表象——人工知能と認知心理学への序説』産業図書、1986
・稲葉振一郎『ＡＩ時代の労働の哲学』講談社、2019
・岩佐茂「財界主導のSociety5.0とマルクスの未来社会論」東京唯研編『唯物論』93号、2019
・尾関周二「3・11原発震災と文明への問いかけ」尾関周二・武田一博編著『環境哲学のラディカリズム』学文社、2012
・尾関周二『環境と情報の人間学』青木書店、2000
・尾関周二「人工知能問題と意識論の深化」『思想と現代』33号、白石書店、1993
・『季刊地域』特集「スマート農業を農家を減らす農業にしない」39号、農文協、2019
・神成淳司『ＩＴと熟練農家の技で稼ぐＡＩ農業』日経ＢＰ社、2017
・坂本・芳賀ほか『デジタル・シティズンシップ——コンピュータ一人一台時代の善き使い手をめざす学び』大

月書店、2020
・シュワブ、クラウス『第４次産業革命——ダボス会議が予測する未来』日本経済出版社、2016
・ジョンソン、レアード・フィリップ・Ｎ『心のシミュレーション』新曜社、1989
・友寄英隆『ＡＩと資本主義』本の泉社、2019
・豊泉周治「イデオロギーとしての科学技術イノベーション」東京唯研編『唯物論』93号、2019
・中島紀一『有機農業の技術とは何か』農文協、2013
・日立東大ラボ『Society5.0 人間中心の超スマート社会』日本経済新聞出版社、2018
・松尾豊『人工知能は人間を超えるか——ディープラーニングの先にあるもの』ＫＡＤＯＫＡＷＡ、2015
・明和政子『ヒトの発達の謎を解く——胎児期から人類の未来まで』筑摩書房、2019
・渡邉智之『スマート農業のすすめ』産業開発機構株式会社、2018

# 終章　脱資本主義化と将来社会へ向けて

## はじめに

この章では、これまで述べてきたことを踏まえて、「Society 5.0」構想の主軸になっているデジタル資本主義化の方向から転換して、脱資本主義化、つまり、資本主義システムからの脱出（また、民主的統制）していく条件の形成を考えてみたいと思う。そしてまた、これまでの議論を踏まえた将来社会の構想とともに、それに至る過程のポイントを述べてみたいと思う。このためには、労農アソシエーションを軸にした様々な社会運動や国民国家のあり方への働きかけが必要である。それによってまた、国際的な諸国家の関係の変容や世界的課題の解決のための諸国家の連合などの形成を通じて国際諸機関の民主的改変・強化とともに世界政府を展望していくことが必要であろう。

トランプ現象などの逆流はあるが、この間の出来事によって世界的課題がはっきりしてくるとともに、様々なレベルの連帯・協力による解決の必要性が深く意識されるようになってきている。実際、今回の新型コロナ禍はとりわけその点を全世界の良識ある人々に強く意識させるものになった。国家レベルを超える国家間の協力・連携や国際諸機関の重要性が明らかになったのである。

２０１９年に亡くなったウォーラーステインは、資本主義のシステムはもともと誕生からして一国的なものでなく、世界システムであったということによって、一国的な歴史発展の考察だけでは不十分であることを強調した。そしてまた、来るべき社会も世界システムとして考えるべきであることを説得的に展開した。ウォーラーステインは、未来の世界システムをこれまでの世界史における第１と第２の世界システムである「世界帝国」と「世界経済」（資本主義システム）の後にくる「第３の世界システム」という言い方で展望している。これについてその内実は明瞭でないが、私なりに考えてみるに、第１と第２の「世界帝国」と「世界経済」という、彼の世界システム論が提起する区分にもとづいて、「比較的小規模な、高度に自立的で自給的な経済」を基礎にしつつ、グローバルな仕方でネットワーク的に補完しあう世界システムの形成と理解できると思う。要するに、ローカルとグローバルを共に基軸とし、ネットワークによってある種のグローカルなガバナンスが展望されると言えよう。

こういったいわばグローカルなネットワークの技術的基盤は、前章までで述べてきた、まさにデジタル革命によって形成されつつあるのではないかと思う。そして、この世界システム（ネットワーク）の現実性は、次節でより詳しく述べるように、⑴核戦争の脅威、⑵地球生態系を脅かす環境・エコロジー問題、⑶生存手段の安全保障の問題、⑷貧富の格差拡大の問題、

⑸人口問題等が、いずれもグローバルな仕方でしか抜本的に解決できないこと、世界の「資本主義システムの拡大再生産」に関わりがあることによって与えられる。

それゆえ、構築されるべき「第3の新たな世界システム」は、⑴国連再構築と国際立憲主義によるグローバル資本主義の統制、⑵主権主義国家から平和、環境、農業、福祉を共同して目指す国際連帯国家への転換、⑶地域的な自給的・半自給的な平等コミュニティの自治の形成とネットワークなどを通して形成される。これらが「移行期」を形づくり、新たな世界システムへの入口となるが、肝要なのは単にユートピア的に構想するのではなく、ここでも現存システムを前提として、大きな方向を見定めそれが提起する諸問題を解決する方途を深めていくことである。

以上、この章で述べたことを概括的にふれたが、以下により詳細に議論してみたいと思う。

## 1　資本主義システムの漸次的脱出／統制に向けて

これまで議論してきた方向性のもとで将来社会へのプロセスについてさきの拙著『多元的共生社会が未来を開く』でも語ったが、ここでは、これまでの章で議論してきた諸論点との関係を主に念頭においてポイントについて議論してみたい。

## （1）現代資本制工業社会とデジタル革命

前章で述べたように、20世紀後半に始まるコンピュータやインターネットなどの革新の連続的展開が、21世紀の30年という大きな区切りに向けて20年代が始まろうとしている今日、人工知能、ロボット、IoT、ビックデータや3Dプリンターなどのデジタル技術の成熟に辿り着いている。すでにふれたが、情報経済学者の野口宏によれば、この過程全体を「デジタル革命」と呼ぶことができ、この革命の性格は、ポスト機械制大工業としての「デジタル生産様式」の登場であるとする。[1] すでにふれたように、このデジタル革命は労働のあり方や生活様式にとって大きな変化をもたらすものと語られている。この点を考察する前に、20世紀最後の四半世紀における情報化とグローバリゼーションの絡み合いが社会を大きく変化させたことを見ておこう。

高度情報化に関しては1990年代に、特にインターネットの普及が急速に拡大して社会を変容させていった。新自由主義によって主導された市場経済のグローバリゼーションは、1990年前後のソ連・東欧圏の崩壊を機縁に、中国の「開放改革」による市場経済化とも相まって一層拡大していく。そして、グローバル・サプライ・チェーンによる先進資本主義国の企業による低賃金を求めて途上国への進出が一般化し、アウトソーシングが広範に起こってくる。それを可能にしたのはまさにインターネットに代表される高度情報化である。

その結果、新興国など途上国の経済成長が進展するとともに、先進国での労働者の賃金の低下や雇用の不安が生じる。そして、さらにこの事態は、情報産業そのものにおいても、アメリカなどのＩＴ企業がインドの情報関係の労働者へと仕事をオフショアリングしていくことになる。この高度情報化（デジタル革命の中盤）の期間に、大量生産の重厚長大の機械制大工業型工業資本主義は、情報型工業資本主義へと急速に転換していったわけであるが、デジタル革命の終盤において、先進資本主義国においては、工業資本主義そのものからデジタル資本主義へと脱皮しようとしていると考えられるのではなかろうか。トランプ大統領の出現の背景には、この二つのタイプの資本主義の相克もあるように思われる。

さて、このようなデジタル革命の進展を踏まえて、21世紀の今日、経済成長の鈍化を前に資本主義の新たな成長が期待され、すでに述べたように、ドイツなどでは「第４次産業革命」と呼ばれ、特に日本でも前章でふれたように「Society 5.0」と呼ばれる将来社会のスローガンを掲げて、デジタル資本主義などの一層の資本主義の「超（スーパー）近代化」が追求されている。それと同時にまた、２００８年のリーマンショック以降は、資本主義の評価は大きく様変わりした。このことはこの間に発刊された本のタイトルが政治的スタンスを超えて「資本主義の終焉」「ポスト資本主義」など資本主義の限界を示すものが多くなってきたことに示されている。[2] いずれにしても資本主義世界システムが、色々な意味で「フロンティア」を失い利潤を生みだす価値増殖システムとして機能困難に直面しつつある。にもかかわらず新たな「フロンティア」を見つけようと、或いはつくりだそうとすることが人びとの生活との矛盾を深刻化して様々な問題を引き起こしている。そういう中で、特に米国や中国の巨大デジタル企業が「サイバー空間」を利用するプラットフォーマーとして、デジタル分野に特有な総取り方式で巨万の富を蓄積している。「Society 5.0」にはいろいろな要素があるが、しかし、こういった刺激が背景にあることは確かであろう。しかし、長期的にみれば、資本主義は「デジタル革命」によっても衰退していかざるをえないのではないか、という問題意識があると言える。デジタル革命が資本主義の機能強化になるのか、機能統制になるかは、人びとの社会運動とそれを背景にする国家の役割にかかっている。

ジェレミー・リフキンによれば、IoTや3Dプリンターなどはまた、モノやサービスを1つ追加で生み出すコスト（限界費用）を限りなくゼロに近づけ「限界費用ゼロ社会」に導いていくという。そして、リフキンは、かつて『第3の波』で話題を呼んだアルビン・トフラーと同様に、工業製品に関して生産者と消費者の結合を意味する「プロシューマー（生産＝消費者）」の登場を語る。近代以降の市場経済によって生産が、自ら消費するものを生産する代わりに他者が消費するものを生産することに転換したが、デジタル革命は再び自ら消費するものを生産する方向へと向かっていく可能性を与えると考えるのである。すでにふれたように、IoTや3Dプリンタは工業生産の形態をも大きく変化させる可能性をもっているのである。

ちなみに、今回のコロナ禍は、ICT（情報通信技術）の活用によるテレワーク、リモートワークと呼ばれる「在宅勤務」という働き方を世界的規模で引き起こすことになったが、これは、今後の社会的労働を考える上で様々な示唆を与えるものと言えよう。近代以降の資本主義の発展は、労働する人々を工場・オフィスへ都市へと集中してきたわけであるが、それを逆転して分散化の方向の可能性を示しているからである。或いはまた、人びとの労働を家庭生活の場から引き離したわけであるが、いま逆に家庭生活の場に労働を埋め戻す可能性の方向を示しているからである。

そしてまた、伝統的な農業社会で大きな役割を果たした「コモンズ」に似た仕方で、情報インフラとしての新たな「コモンズ」が「共有型経済（シェアリング・エコノミー）」の基盤として登場しつつあり、資本主義システムにとって代わる条件を準備するとされる。もしリフキンの議論にリアリティがあれば、私の関心に引き寄せていえば、食料やエネルギーだけでなく、高度工業製品に関しても高度化された3Dプリンタなどの活用によって地産地消的な半自給的コミュニティを形成することが可能になろう。これまでの近代化・現代化の過程はまさに地域コミュニティの自給機能を崩壊させながら、生産・流通が国家的規模に、さらには国際的規模、グローバルへと拡大再生産していく過程であったが、デジタル革命はこれを反転させて物質的生産・交通に関しては地域コミュニティ化へと向かう可能性を開くことができ、それは地球環境保全にも適合的である。同時にまた、精神的生産・交通に関しては、ＩＣＴやＩｏＴ等によって多様なアソシエーションを可能にしつつ世界的規模へとますます開いていくことができるのである（実際、今回のコロナ禍によって物質的生産のグローバル・サプライ・チェーンの破綻が大きな問題になったことは周知の通りである）。

ところで、データサイエンスの研究者で医療関係者でもある宮田裕章は、近著『共鳴する未来―データ革命が生み出すこれからの世界』で関連する興味深いことを語っている。「産業革命以降の世界を駆動してきた石油や石炭は、使用すると財としての価値を消失する『消費財』です。有限かつ消費によって消失する資源については、所有権を確立することが決定的に重要になります。…（略）…それに対して、データは利用してもデータそのものはなくなりません」「データはその性質上、所有財というよりも『共有財』としての側面が強いのです」（宮田 2020：28-29）。そして、データの生命線は「信頼」だとして、相互信頼のなかでデータを共有してどのように価値をつくるかという思考が今後の社会にとって重要だとして次のように述べる。

「新しい社会へのパラダイムシフトについて『一言で表すとそれは何か？』という質問をたびたび受けます。技術的な点に注目すれば、それはデジタル・トランスフォーメーションやＡＩ化、データ駆動型社会というキーワードで表現されます。しかし、これらは手段であって社会変革の本質を示すものではありません。」「これからの社会変革は、一人ひとりの『生きること』を原点にしながら、『co-being（共にあること）』のなかで実現するものだと考えるからです。そのとき人は、また人は『human being』から『human Co-being』という存在にな

るのだと思います」（同上書：203-205）

少し曖昧で飛躍したところもあるが、社会変革の性格については、デジタル分野の研究者がともすれば技術万能になりがちであることを考えると、センスの良い直観があるといえよう。こういった傾向の関係で興味深いのは、今日、スマホはほとんどの若い人々にとってなくてはならない生活手段であるが、同時にまたそれを労働手段として活用する若者も増えていることである。インターネットは、基本的に社会的インフラ（さらにいえば人類的コモンズ）であることを考えると、ここにも将来社会の生産手段の所有の問題として私が語ってきた「個人的―社会的所有」（個人的―共同的所有）に関して、もうひとつのタイプが生まれてくる可能性が推測されるであろう。

さて、ここで留意しておきたいのは、今日言われるデジタル革命の発想は主には「サイバー空間」のアマゾンのようなプラットフォーマーとしてイメージされたり、或は大工業との結合において理解されており、特に農業との結合の場合、政府が語る「スマート農業」の場合は、工業化された農業の一層の省力化・効率化のイメージで議論されているように見える。しかし、私はむしろ自然循環に位置づく環境保全型、自然共生型の農業との結合をイメージしていくことが、脱資本主義化を進め新たな未来社会を開いていく上で重要と思われる。これはデジタル革命によって超（スーパー）近代化でなく、むしろ脱近代化の技術的基盤の形成を目指すということを意味しているのである。「人間と自然の物質代謝」を重視したマルクスが、その労働観の中で農業労働を、歴史を貫く基底においていたことを思い起こさせるのである。これまで第1次産業から第2次へさらに第3次へと産業労働が展開していくことを「発展」と考えていたこれまでの発想を大きく転換させねばならないのである。第1次、第2次、第3次への展開は移行ではなく、下支えとなる積み重ねと考えるべきであろう。

### （2）資本主義システムからの漸次的脱出／統制へ向けて

すでに見たように、資本主義システムは市場経済の全面化と労働力の商品化を大前提にしている。K・ポランニーが『大転換』において述べた「自然と人間の商品化」という定式が表現しているように、自然、人間、貨幣といった本来商品化に不適合なものが擬制的に商品化されることを背景に出現してくるのが、資本主義の社会経済システムである。とりわけ、「人間の商品化」と言われる、「労働力の商品化」は資本主義的生産の存立にかかわって重要であり、このことは、再度引用するが、マルクスによる次の言葉からも理解できる。

「資本主義的生産の全システムは、労働者が自己の労働力を商品として売る、ということに基づいている」（マルクス『資本論』第1巻第四篇第十二章）

こういった資本主義的商品化が、（そして、以前にふれたように、これは人々の土地からの切り離しと不可分であるが）、すでにみたように近現代社会の様々な問題性の根源にあるのである。つまり、以前にふれたように、生存のために労働力を売らねばならない人々の出現は、人々の土地（つまりは生産手段）からの切り離しと不可分である。そして、マルクスはこういった人びとを二重の意味で「自由な」人びとと考える。つまり、一方では、土地（生産手段）から切り離され封建諸制度に縛りつけられていない意味で「自由」であり、他方では、自らの労働力を自由に売ることができる意味で「自由」なのである。こういった「自由な」人びとを資本主義システムは前提することによって成り立っているとマルクスは言うのである。そして、資本主義システムは、人間と人間の社会関係をモノ（商品）とモノ（商品）の物象的関係として表現し、個々人をシステムの役割として位置づけることによって機能し、マルクスによって「人格の物象化」と「物象の人格化」と呼ばれる事態が引き起こされる。労働者も資本家も「人格の物象化」としてはそのシステムを離れることはできない、とりわけ労働者は自らや家族の生存確保のためにシステムから離れることはできない。そして、資本主義システムは自然と社会の間の物質代謝過程を主導する主体として立ち現れるのである。

従って、自然と人間の「脱商品化」ということが可能になるような条件づくりの運動や政策を様々な視点や局面において展開していくことが重要ではないかと思う。[3] これが脱資本主義化の根幹にあるべきであると思うのである。

もちろん、資本主義システムがこの社会を主導している以上、脱資本主義化ということは容易なことではないと思うが、この点でも、長期的展望のもとで、漸次的脱出をはかるという視点が必要で、その第一歩という意味で〈農〉への着目は重要であると考える。〈農〉の営みへの参加はひとびとの生存手段を提供することにおいて、脱「労働力商品化」を可能にする条件形成の一助になるとともに、すでに再三指摘してきたように、自然生態システムと生活基盤としての物質代謝を直接に媒介するものであるからである。つまり、環境保全農業、自然共生農業への参加は、後述の共生型の持続可能社会の土台を構築するとともに、環境意識を涵養することになるのである。以下で、脱商品化、脱資本主義化への過程におけるポイントとなる諸点を述べてみよう（これらは、じつは、次節で述べる国民国家の民主化と相乗作用にあるが、ここではこの点は捨象している）。

**（i）〈農〉の復権、地産地消、自給的共同体の形成**

「食の安全」「地域おこし」「自給」などのキーワードとともに地域コミュニティ、共同体への関心が〈農〉の復権とともに高まってきている[4]。従って、たとえば、すでに述べたように、地産地消、半農半X、市民菜園、週末農業、田舎暮らし等々、〈農〉への関心が様々に語られている[5]（今回のコロナ禍で在宅勤務を機会に「小さな農業」をはじめた人びとも少なくないと聞く）。

実際、何らかの仕方で多くの人々が農業に直接関わり、食のような直接生存にかかわる条件に関して市場経済の雇用を通じて貨幣を取得する必要が少なくなっていけば、「労働力商品」というあり方から部分的にも漸次解放され、市場経済の論理に振り回されることが少なくなっていくわけである。これと関連して、生産者が市場を介することなく消費者とインターネットなどで直接結びつき、消費者が前もって生産者に作物の購入費を支払う「ＣＳ

A」(Community Supported Agriculture) という取り組みも興味深いものである。この欧米で広がっている「CSA」は、日本では「地域支援農業」と呼ばれているが、じつはこれは30年前に日本で始まった「産消提携」にルーツがあると言われている。消費者が生産者に代金を前払いして、定期的に作物を受け取る契約を結ぶ農業のことで、生産者は市場に振り回されることなく環境保全農業を営むことができ、また消費者は安全・安心な作物を得るというメリットがある。

また、食と並んで社会の成立の基本であるエネルギーに関しても、現代の科学技術を利用した自然再生エネルギーの利用は、各家庭やコミュニティにおいてエネルギー自給を可能にして、巨大企業としての電力会社からの商品としての電力を購入する必要を縮減していく展望を与えている。6

従って、上記にみられる食やエネルギーの〈地産地消〉には脱資本主義へ向けて重要な位置づけを与えることができよう。

こういった点で、すでにふれた塩見直紀の「半農半X」の提起や小貫雅男による「週休5日制による3世代『菜園家族』を基盤に構成される社会」の提起は、〈農〉を基礎にした将来社会構想を考える上で、様々な刺激的なアイデアを与えてくれると言えよう（小貫・伊藤 2004）。とくに小貫の場合は、モンゴル研究者として過去のソ連型社会主義の様々な問題の克服を念頭において構想されている点で興味深い（小貫・伊藤 2013）。

同時にまた、近代以降の工業化、都市化、情報化の中で自然生態系から疎遠な生活の傾向が拡大してきているが、その中で農業労働など〈農〉の営みに携わることによる人間の動物・ヒトという生命体の感受性の回復をも考えられる。つまり、資本主義・工業化社会の進展のなかで、ウェーバーが指摘したように、自然のみならず、社会や人間の機械論的理解が広がり、また高度情報化の進展のなかで「仮想空間」増大による生命感の希薄化が進んでいるが、こういった傾向に抗していくためにも〈農〉の復権は重要と言えよう。こういった視点からすると、改めて「Society 5.0」の「仮想空間と現実空間の融合」というキャッチフレーズについては、その解釈如何で疑問を抱かざるをえないのである。すでにふれたが、今回のコロナ禍で、テレワークやリモートワークが語られ、実践されてきた結果は、たとえば、大都市で遠い郊外から職場に通う多くの人びとにとって、自宅近くでのいわば「半農半X」が、労働時間の短縮など社会的条件さえ整えば、技術的には容易に可能な状態にあることが明らかになったことは大きい。さらに、「スマート農業」は多くの若者が関心をもつ切っ掛けになることも十分に考えられよう。ただ、前章で見たように、現状の農業をめぐる問題の対症療法的な用い方でなく、農業の社会的位置づけを変革していく過程に位置付ける必要があると思う。

**（ii）農民協同組合、労働者協同組合、ディーセント・ワーク、連帯型ワークシェアリング等**

労働組合一般の問題性に関しては様々に語られているので、ここでは省略したいが、一言強調したいのは、やはり非正規労働者の権利や利益を守るために闘うかどうかが労働組合のあり方としてきわめて大きい試金石だということである。

さて、農民協同組合とその運動の今日的状況に関しては、世界的には、すでにふれたように2018年の国連総会で圧倒的多数の賛成で「小農の権利宣言」が可決されるような事態が生まれている。そして、私の問題意識もこういった運動が、先進資本主義国と途上国の農民の間の連携や労農アソシエーション形成へのインパクトにならないかというものであり、それらについてはすでにふれた。それで、ここでは、労働者協同組合に関連して少し述べておこう。

労働運動ももちろん重要であるが、もっぱら賃上げに集中するならば、成長主義の罠に絡め取られることもありうる。重要なのは、今日の「非正規労働」を縮減し人間的な働き方（ディーセント・ワーク）や労働時間の短縮を要求していくことである。そして、労働のシェアを進め連帯をめざして、人間的な関係、アソシエーションをつくっていくことが重要であろう。労農アソシエーションもその中に位置づけられるであろう。ディーセント・ワークとは、人間らしい労働の仕方のことであり、人間の尊厳と健康を損なうものでなく、人間らしい生活を持続的に営めること労働のことであるとされる（伍賀 2014）。

また、企業の性格の変化に関しても重要で、様々に今日生まれてきているソーシャル・ビジネス（社会的企業）や種々の協同組合などのような、もっぱら利潤拡大を追求していくものでない非営利的なものの拡大を考えていく必要があろう。企業や会社の社会的責任論などの議論も企業活動の変容をもたらしている面があるが、こういう様々な流れを脱資本主義の大きな方向に位置づけていくことが重要だと思われるのである。

さらに資本主義システムからの漸次的脱出にとって、とりわけ労働者協同組合は有意義で重要であろう。経済学からこれを研究している津田直則は、『連帯と共生』という本で、海外の経験も踏まえて多面的に興味深く語り、労働者協同組合は労働者が企業を100％所有している企業のことであり、組合員が一人一票で民主主義を基礎にして自主管理している企業であるとしている。[7] また、津田は、労働者協同組合にかんして、ヨーロッパなどに比べると日本は法制的にも非常に遅れており、いまだに「労働者共同組合法」がないことの問題性をこの本では再三指摘している（津田 2014：247, 279-281）。ただ、日本でも、日本労働者協同組合連合会等の20年以上にわたるこれまでの運動が実って、2020年の6月に超党派の議員立法として国会に提案され、審議・可決された。これを踏まえた今後の展開が注目すべきであろう。

労働者協同組合は、脱「労働力商品化」の観点から重要であるだけでなく、マルクスが未来社会を「自由人のアソシエーション」として、この「協同組合」に言及している観点からも重視すべきであろう。マルクスは『資本論』で「資本主義的株式企業も、協同組合工場と同様に、資本主義的生産様式からアソシエイトした生産様式への過度形態とみなしてよいのであって、ただ、一方では対立が消極的に、他方では積極的に廃棄されているだけである」（MEW 25a：561-562）と述べて、「共同組合工場」を「アソシエイトした生産様式」とみなしているのである。

ところでまたマルクスは、パリ・コミューンの経験から「協同組合の連合体が一つの計画にもとづいて全国の生産を調整し、こうしてそれを自分の統制のもとにおくこと」（『フランスの内乱』MEW 17：319-320）として将来社会の構想の核を描いたことを思い起こすことができる。容易に予想されるように、現代のデジタル情報技術の発展はこれを一国的だけでなくグローバルに可能にしていく技術的条件を与えるものと言えよう。従って、我々は現在、「デジタル革命」が資本主義的生産様式を強化する方向で活用されるのか、或いは「資本主義的生産様式からアソシエイトした生産様式」へ転換する方向で活用されるかの岐路にも立っていると言えるのではなかろうか。

同時にまた、消費にかかわる、もうひとつの協同組合である「生活協同組合」もまた、労働者・農民協同組合と連携・補完して資本主義システムのネットワークとは別のネットワークを形成していく上で重要な役割をはたすことになろう。

そしてまた、資本制生産による生産物が売られる場、つまり「消費」の場は労働者が「買う立場」に立ちうる点で、資本に主体として相対して影響を与えることができる場である。実際に、多くの資本主義的企業が環境重視へシフトしつつある傾向を見せているのも、消費者のこういった影響があると思われる。

以上、労働者協同組合を中心に協同組合について述べてきたが、労働者協同組合は農業協同組合と並んで、共同的所有（社会的所有）を背景にもつ「個人的所有」という形態で資本主義的私的所有の次にくる将来社会の所有形態を実現していくものであると考えられうる。私はこういった所有形態をすでに「個人的・共同的所有」（「個人的―社会的所有」）と呼んだ。そして、こういった所有形態を基礎にした様々な協同組合は、お互い分散的でありながらもローカル、ナショナル、グローバルなネットワークをもって機能するものである。デジタル・ネットワークの発展は技術的には、こういったことを可能にさせている。機械制大工業の生産様式からデジタル生産様式への技術的転換は、資本主義的私的所有から「個人的―共同的所有」への転換と平行していくのではないかと思う。

### (iii) 自己確証的な労働の拡大、労働時間の短縮と自由時間の拡大

いくつかの脱資本主義へ定位しうる活動・営みを挙げたが、これらに共通するのは、賃労働のような資本主義的生産のシステムによって拘束された労働から部分的・全面的に解放されることをめざすことである。上記に述べた〈農〉への様々な可能な仕方での関わりにせよ、農業協同組合、労働者協同組合、ソーシャル・ビジネスなどの設立にしても、それ自身が自己確証的な活動、あるいはそれを成立させる条件になるということである。[8]

これらは、私なりの将来構想の長期的な視点からは、資本主義システムのもとでの雇用労

働からそのシステムにとらわれない自己活動・自己確証としての労働の比重を拡大していくことが脱資本主義につながっていくと思われるのである。[9]

マルクスは、いまから150年ほど以前に『資本論』において、自己確証や労働時間の短縮の重要性を将来社会の展望にも絡ませて語っている。物質的生産労働の領域としての「必然性の国」における自由を語るとともに、さらにこの「必然性の国」を土台にしてのみ開花しうる「真の自由の国」を語っている。従って、ここには二つの種類の自由が語られている。おそらくマルクスは、現在の2020年頃にはもうすでにここで予測したことは実現していると思っていたのではなかろうか。少し長いが、示唆に富む大変興味深い言葉なので、以下に引用しておきたい。

「じっさい、自由の国は、窮乏や外的な合目的性に迫られて労働するということのなくなったときに、はじめて始まるのである。つまり、それは当然のこととして、本来の物質的生産の領域のかなたにあるのである。未開人は、自分の欲望を充たすために、自分の生活を維持し再生産するために、自然と格闘しなければならないが、同じように文明人もそうしなければならないのであり、しかもどんな社会形態のなかでも、考えられるかぎりのどんな生活様式のもとでも、そうしなければならないのである」(MEW 25 : S. 828)。

「自由はこの領域のなかではただ次のことにありうるだけである。すなわち、社会化された人間、アソシエイトした生産者たちが、盲目的な力によるように自分たちと自然との物質代謝によって支配されるのをやめて、この物質代謝を合理的に規制し、自分たちの共同的統制のもとに置くということ、つまり最小の力の消費によって、自分たちの人間的本性に最もふさわしく最も適合した条件のもとでこの物質代謝を行なうということである。

しかし、これはやはりまだ必然性の国ではある。この国のかなたで、自己目的としてみなされる人間的な力の発展が、真の自由の国が始まるのであるが、しかし、それはただかの必然性の国をその基礎としてその上にのみ花を開くことができるのである。労働日の短縮こそは根本条件である」(MEW 25: S.828)。

見られるように前者の「必然性の国」における自由は、まさに「人間と自然の物質代謝」を媒介する労働に関してアソシエイトされた労働者にかかわって語られた自由である。社会生活の維持・存立にとって不可欠な「人間と自然の物質代謝」を媒介する社会的労働が、疎外されたあり方から解放された、諸個人にとって自己確証を与えるものでありうるのは、「アソシエイトした生産者たち」すなわち、主体としての「自由人のアソシエーション」を前提とするということである。従って、この「必然性の国」とされた物質的生産的労働の領域に関しても諸個人の自己確証はあるのであり、諸個人の多様な個性をも考慮するならば、労働が「第1の生命欲求」となりうる場合もありうるということである。しかし、マルクスはまた、同時に「真の自由の国」を提起することによって、こういった性格の労働について、その労働時間の短縮を提起することを通じてそれを生活全体の一部に限定し、それ以外の生活時間において、自己目的的な性格をもった自由な人間諸活動のより多面的な発展を展望しているのである。

こういったマルクスの展望は、実際先進資本主義国の生産力の現実と富の極端な偏在を考えると、人々が大きく連帯して脱資本主義化が進めば、近未来において実現できる条件はすでに熟しているのではなかろうか。

### (iv) ベーシック・インカムの適切な活用

ベーシック・インカムは論者によって様々に理解されているが、一般的には、すべての人に対して最低限の生活を送るのに必要とされている額の現金を無条件で定期的に支給するという考えである。そして、その目標は一定の所得を無条件で保障することで、すべての国民が最低限以上の生活を送れるようにすることである。それは「基礎所得保障」、「最低所得補償」、「基本所得保障」、「生存権所得」などとも呼ばれニュアンスの違いもある。

これの発想が生まれたのは、フランス革命を背景にしたトマス・ペインのアイデアとされている。彼は、アメリカ独立革命では『コモン・センス』を発刊し、フランス革命では、『人間の権利』を書いて、保守主義者バークの『フランス革命の省察』を批判して、フランス革命を徹底して擁護した。ペインはフランス革命の平等主義と国民主権を背景にして、かつて土地はすべての人の共有物であったことを前提にすべての人への「権利としての給付」を主張した。私は別稿で、マルクスの所有論にもその考えと共振する面があることを述べた。[10]

私は、ベーシック・インカムを日本国憲法の第25条が規定する「健康で文化的な生活」を営む権利と関係させて捉えることが良いと思っている。人工知能による大量失業などと関係させて「労働からの解放」という視点が議論されることが最近多いが、私はまず、すでに見たように、労働過程は、再生産（生殖・育児）過程とともに広義の生活過程（物質代謝過程）に含まれており、それによってはじめて成立する。近代以降、国民国家は、国民主権を徹底する運動を通じて所有権の保護から生存権の保護へとウエイトを移してきたと言える。そして、その主体である生活者がネーションの平等な構成員（また、国籍はなくともそれに準ずる住民）である。従って、ベーシック・インカムは、ネーションの構成員である生活者の生存権に与えられると考えることができよう。今の日本では、生活保護が支給されず餓死する事態も生じて生活保護の捕捉率の低さ（20％程度）が問題になっているように、ある意味で生存権は条件付きになっていると言える。その意味では、憲法に基づいて生存権を無条件に認めるということにベーシック・インカムを関係づけることは意義がある。

同時にまた、富裕層の富の圧倒的部分はまた国民共同体（ネーション）の営みによって形成された様々な社会的インフラがあってはじめて獲得されたと考えられるのであり、その部分は社会的給付として共同体の成員に与えられても良いと考えられよう。

また、すでにふれたように、「人新世」（また「資本新世」）と言われるような地球環境問題の深刻化がある。こういうなかで、労働のあり方を含む生活のあり方を自然破壊型生活から自然共生型生活へと転換していくことが人類と他の生命体の生き残りをかけて要請されている。こういう状況のなかで、価値増殖を原動力とする資本主義システムと「生きるための労働」という仕方でそのシステムに巻き込まれざるをえないようなネーションの生活様式を転換していくためにベーシック・インカムは意義あるものと言えよう。

実際、文字通り右から左まで様々な立場の論者がこのベーシック・インカムについて様々な議論を展開しており、新自由主義的な方向でベーシック・インカムを定位付けて社会保障制度の改悪・解体を引き起こすことになるような議論も少なくないので、複雑で要注意と言える。ベーシック・インカムが憲法に基づく「生存権」の無条件保障を意図するものであり、現在の国民国家をどのように変革していくかというヴィジョンや運動と連関させてベーシック・インカムは構想される必要があろう。従って、私にとっては、資本主義システムからの漸次的脱出という視点で位置付けられるならば、有意義と思われるのである。

私は、次節で述べるように、これまでの福祉国家をバージョンアップさせた「環境福祉平和国家」が形成されることが当面重要と考えている。そして、この福祉国家は、これまで強調してきた〈農〉の復権を主たる課題の一つにすべきと考えている。従って、たとえば、私は、経済学者の本田浩邦が彼の著書の最終章「現代尊農論――ベーシック・インカムによる地方再生」で、次のように述べていることに、共感できるものである。

「ベーシック・インカムはまた、都市から地方への移住を促進するであろう。現在多くの農家では、高齢者が年金収入を支えに農業を続けているが、ベーシック・インカムによる定期的な現金収入の保証は若い人々にも、地方での農業その他の経済活動に道を開く。また逆に、そのことが都市の過密を緩和することにもつながる」（本田 2019：194）

それで、半農的生活、ベーシック・インカム、農業・労働者協同組合といった諸要素の組み合わせが興味深いと思うのは、これらの要素の組み合わせを工夫した政策を長期的視点から考えていくならば、脱商品化を核とする脱資本主義への漸次的過程における条件づくりの具体的イメージを描き出すことができるように思われるからである。

また、私は、今日ベーシック・インカムを、AI・ロボットなどによって労働・仕事が無くなるのと対応させる仕方でBIを意義付ける議論にはあまり共感できない。私は、人間にとって物質代謝を媒介する労働のもつ意義は重要であって、あくまでも前項で述べたように、何らかの仕方で〈農〉の営みに参加したり、農民・労働者協同組合をつくったりして、人間と自然の物質代謝の根源的過程への関わりを持続していくことは有意義であろう。この方向性において、また、自己確証的な労働を見つけ、それへと移動していくことが容易になる条件を提供するものとしてベーシック・インカムを意義付けたいと思っている。

また、次に述べる、対抗的公共圏との関わりでは、ベーシック・インカムによる生きるための賃労働からの一定の解放は、対抗的公共圏への参加をより可能にしていくであろう。やはり、脱資本主義への漸次的過程と国民国家の変容・進化過程を促進する運動とのかかわりでベーシック・インカムを位置付けて考えていくことが重要であろう。

**（ⅴ）対抗的公共圏の形成・強化と国民主権の徹底による国民国家の進化へ**

「公共圏」ということでは、ユルゲン・ハーバマスの「市民的公共圏」が有名である。これは、18世紀以降にブルジョアが国家権力との対抗で勝ち取ったものであり、誰もに平等が確保されアクセスできる開放された空間とされた。しかし、実際には、それが、階級、ジェンダー、民族などによって制限されたもので形式的平等にすぎないということで、ナンシー・フレイザーなどによって「対抗的公共圏」の考えが提起されることになる。この意味で排除される者たちの共同・連帯が重要になると言えよう。ただ、さらにいえば、実際、極度の貧困などで日々の生活そのものが困難な状況にある者にとって、いくら「対抗的公共圏」といっても自らの参加は難しいであろう。こういったことを考えると、私は、この点でも前述のベーシック・インカムは有意義であると思っている。

他方で、インターネットは、マスメディア主導であった公共圏の形成を様変わりさせた。SNSなどの多様なICT（情報通信技術）は、フェイクや監視強化など様々な問題を含みながらも、グローバルな仕方である種の国際的公共圏を形成しつつあり、そのなかで対抗的公共圏も強化されつつある。インターネットのメディアとしての根本的な意義は、マスメディアでは、テレビやラジオを思い浮かべれば容易にわかるように、一方向的な性格であるが、インターネットは双方向を普通の人々に世界的に可能にするメディアであり、これはメディア史のなかで画期的な意義と言える。さらに各自がインターネットを様々に利用して各自の意見を表明することもできるといった公共圏への参加にも関連していく大きな意義があると言える。

グローバル資本や覇権国家の論理に対抗して、上記の課題を実現するための条件を形成するような国家をつくっていくために、選挙や社会運動に強力な影響力を発揮する対抗的公共圏を形成していくことを目指す必要があろう。

そういうなかで、「序にかえて」でも少しふれたが興味深い経験をした。ピースボートがコロナ禍のためにリアルな会議が開催できないために「勝手に開催！『オンラインＮＰＴ再検討会議２０２０』」というオンライン会議を催したが、様々な核兵器反対活動にかかわっている被爆者の諸団体や高校生の小さなグループや議員などが主張や意見を述べた。６００名を超える参加があったとのことであった。コロナ禍は災難だけでなく、ＩＣＴの創意工夫をもたらし、それは対抗的公共圏や市民社会の発展の可能性を垣間見させてくれるもので、大変有意義なものと思われた。

## （３）成長主義社会から共生型持続可能社会への転換

グローバル資本主義を背景に競争と欲望を駆り立てる成長主義戦略が推し進められ、さらにいま「Society 5.0」や「第四次産業革命」のスローガンのもとに一層の経済成長、生産力増大が推し進められようとしている。しかし、すでに述べてきたように、少なくとも先進資本主義国では、すでに生活の基本的ニーズを満たしうる生産力は十分に達成されていると言われる。正当な分配が行われず富が偏在して格差が拡大していることによって見えにくくされているが、社会の富の総体としては、エコロジカル・フットプリント（人間生活の地球環境へ与える負荷）の指標に象徴されているように、日本や米国の現在の生活を途上国の人びとともすれば、各々地球2・4個分、5・3個分が必要ということになるような状態なのである。また、日本の場合のように、先進資本主義国は発展途上国などの他国から農林水産物を大量に輸入することによってフード・マイレージ（食料輸入重量×輸送距離）問題によって地球環境に深刻な影響を与えている。地球環境や国内外の〈農〉を守る観点からも広義の地産地消のコミュニティ経済を考えることは持続可能な社会を考える上でも不可欠と言えよう。[11]

私の立場はいままで述べてきたところから推測してもらえると思うが、デジタル革命を巡る議論は、先進資本主義国における生産力の水準は、社会構造さえ変革すれば、すでに労働時間の短縮を伴う労働の人間的なあり方、そして労働から解放された自由時間の確保、そしてこの両者のバランスを実現することができる社会レベルに達していることを示していると言える。今こそ労農アソシエーションを基軸にした民衆・人民の団結によって、将来社会のあり方を見据えてデジタル情報技術によって現在の生産様式の変革を通じて地球生態系の自然循環に定位させる物質代謝様式を実現し、上記の労働のあり方や充実した生活を実現する自由・平等・友愛の社会へ向けて発展させていくことが重要であろう。こういった共同社会を私は「共生型持続可能社会」（略称、共生持続社会）とも呼びたいが、この共生型持続可能社会は、〈農〉の復権とそれによる農業と工業の自然共生的なあり方をデジタル技術のアシストによって実現する、以前の章で述べた「農工デジタル社会」でもある。そこでは、大規模工業技術依存型ではなく、それを必要最小限にしつつ、ＩＴ、人工知能にアシストされた小規模高度技術（手工業や有機農業技術などをも含む）を基礎にした自己確証的な労働・活動の単位のネットワークが主流になるであろう。他方、このような科学・技術の転換は、それに適合した共生社会の経済システムの構築と結びつけられ、経済成長主義を脱してコミュニティ経済を基盤とする「定常型経済」（ハーマン・デイリー）[12]への移行である。このシステムは、具体的には、一極集中型巨大都市を漸次解体して、中小規模の多極分散のネットワーク型の農村と都市の結合した「農村都市共生社会」となろう。これの形は色々考えられるが、その内実の重要な原理のひとつをいえば、コミュニティ（共同体）的発想とアソシエーション（協同組合）的発想の結合をはかるということである。

この点で、すでに少しふれたが晩年のマルクスの傍にエンゲルスとともにいたウィリアム・モリスの労働・生活観が参考になるように思われる。それはまた、共生持続社会の基本的センスを考える上でも有意義である。モリスは、当時の産業発展による悲惨さからだけでなく、「産業発展への信仰」から抜け出した社会をイメージし、未来社会は労働そのものを限りなく縮減することでなく、労働の苦痛をできるだけ軽減することを目指すイメージであることを強調した。つまり、欲望の拡大とそれに応える生産力の増大の追求をもっぱら肯定するのでなく、ある程度の物質的充足を要求しながらも、労働の喜びや自由な個性の発揮できる自己確証の条件をより重視するものであった。モリスは工場での労働を1日4時間の目標としたが、これは先駆的で後にイギリスでは哲学者のラッセルなども社会の目標とすることとなった。モリスは、労働の苦痛を軽減するような機械の導入の意義は認めつつも、工場労働だけでなく、手工業や小規模な農業における労働の喜びやそれを通じての「生活の芸術化」を考えることであった。[13]

## 2　世界的課題と国民国家の変容・進化

前節で述べた資本主義システムからの漸次的脱出は同時に、世界的課題を解決していく運動と連動していることが必要である。対抗的公共圏の国際レベルでの形成については、すでにふれたので、この節では、特に世界的なガバナンスを行う国際的諸機関の形成・強化とそれとの関係における国民国家のあり方に言及しながら述べてみることにする。議論をわかりやすくするために、あらかじめ将来の方向性を述べておけば、近代以降、国民国家と一体化した国民共同体（ネーション）が「想像の共同体」（アンダーソン）として立ち現れてきたように、展望としては、国際諸機関の統合体である「世界政府」とそれと一体である「世界共同体」がある意味での「想像の共同体」として立ち現れてくることが長期的には想定できるように思われる。メディア論の草分けであるマーシャル・マクルーハンはかつて『グーテンベルグの銀河系』で「グローバル・ヴィリッジ（地球村）」という言葉を使ったが、その言葉が適切かどうかはともかく、メディアの発達によって地球規模での共同体意識が形成されてくるとした。SNSやオンライン会議などで地球の裏側の人々ともコミュニケーションが容易に可能になっている現在、マクルーハンの頃よりも一層実感ができる環境になっていると言える。

もちろん、地球規模での共同体においても、国民共同体（ネーション）の中で階級意識と闘争が存在するのと同様に、階級意識と闘争もまた伴うのであろう。[14] 国民国家を主体とした物質代謝様式は、国家間の協働によって次の項で述べるような世界的課題の解決を志向するなかで、次第にローカルな、ナショナルな共同体の集合体を基礎にした地球規模のガバナンスを主体とする物質代謝様式へと転換していくであろう。

## （1）世界的課題の解決に向けて

さて、現在のわれわれの視点から、人類史を通観しつつ、人類の生存にかかわる大きな問題をこれまで述べてきたことを踏まえて考えるとき、いくつかの世界的課題を指摘できよう。そして、こういった大問題に関して、現在の資本主義「世界システム」が全体として解決できないことが「第3の世界システム」を到来させると考えられる。

第1は、直近の差し迫った課題である、今回の新型コロナにみられるような感染などパンデミックの危機であろう。グローバリゼーションの進展もかかわって、パンデミックが起こる頻度が増え、この半世紀に10年毎に様々な「感染爆発」が起こっている。そして、ちなみに、これは人間が生物的存在であるという次元の「人間と自然の物質代謝」の基層で起こっていることであることを認識させるものである。

第2は、人類絶滅を短期間にもたらす核戦争の脅威の問題である。

第3は、いまや地球生態系を根底から脅かしている環境・エコロジー問題である（原発問題はこれと第2の両方にまたがる「核」問題と言えよう）。

第4は、第3の問題と密接に絡む食をはじめとする衣食住といった生存手段を安全・安心に確保していく問題である。「北」の飽食と「南」の飢餓は象徴的問題である（他の生物の生存にかかわる生物多様性問題は、これと第3との両方にまたがる問題と言えよう）。物質代謝史観からすると、これが最も根源的な課題の一つである。

第5は、一国内的に、またグローバルな「北」と「南」の間の貧富などの生活・生存条件の格差（不平等）の拡大である。グローバル資本主義をどう規制していくかという問題である。

第6は、急速に発展するＡＩ、ＩＣＴなどのデジタル技術や遺伝子操作などの科学技術が人間と社会にもたらす否定的な影響をいかにコントロールするかという課題である。

第7は、人口問題である。21世紀の遅くない時期に100億人を突破することは確実と言われているが、これが、上記の幾つかの問題にもかかわって深刻な問題となっている。

そしてまた、これらの解決への基本的な方向もこれまで述べてきたことからいくつかの特徴を指摘することができよう。

第1に、これらいずれの課題も国際的、あるいはグローバルな仕方でしか抜本的に解決できないことである。つまり、諸国家の連合はじめ国際諸機関、また国際NGOなどの世界的なアソシエーション活動や社会運動をつうじて話し合いの醸成と合意形成が不可欠であるということである。

第2に、上記のいずれの課題も、直接、間接にグローバル化した資本主義システムの拡大再生産にかかわっており、それに対する様々な規制が不可欠ということである。

第3は、長期的な視点から、ローカルな半自給的共同体の形成・強化が第3、第4の問題にかかわって重要であるということである。

おそらくは、上記の人類を含めた地球生命体の生存にかかわる複雑に絡み合う諸課題を克服していく努力のなかで、ウォーラーステインの言葉をヒントに私なりに構想した小規模な共同体のローカル、ナショナル、グローバルなネットワークによって実現される「第3の世界システム」が立ち現われてくると思われる。そしてきわめて残念に思うのは、じつは、この課題への努力において日本は先頭にたちうる可能性をもっているのにもかかわらず、現在の日本の国家権力の中枢の動きは逆方向に向かっていることである。

第1の感染症のパンデミックへの政府の対応のあり方については、国民が日々経験しているところである。国際的どころか、国内的にもリーダーシップを発揮できない状況であり、これ以上詳しく述べる必要はないであろう。ただ、一言述べておくならば、2020年9月に首相が引き起こした学術会議新会員任命拒否問題は、新型コロナ対策に向けて学術界が大きくまとまって研究協力を実現すべき、まさにその時に、科学者・研究者の萎縮と分断をもたらしたということである。

第2の核廃絶でいえば、世界で唯一の被爆国であり、戦争放棄の平和憲法と経済力をもつ日本は、世界課題の解決へ向けて誰が見ても大きなイニシアティヴを取れる位置にいるはずである。多くの平和諸団体、被爆者や国々が核廃絶に向けて努力し、「核兵器禁止条約」は2020年10月25日に批准国が50か国に達し、2021年1月22日に核兵器禁止条約が発効し、「核なき世界」への人類史的な画期的第一歩が踏み出されることになった。それにもかかわらず、残念ながら対米追随の日本の現政権には、その意欲がまったくないようである。

第3の環境の課題にかんしても、世界に先駆けて、水俣などの公害問題の経験を通じて国民の環境意識の高まり、またそれに応える技術力の高さをもっているにもかかわらず、京都議定書以降は、その積極性を鈍化させてきた。とりわけ、日本で起こった3・11原発震災によってドイツをはじめヨーロッパの幾つかの国々は脱原発の方向に舵を切ったのと呼応して日本は本来、脱原発・自然再生エネルギーで国際的にイニシアティヴを取れたにもかかわらず、政権は、逆に原発再稼働や原発輸出へ向けて画策を続けているのである。さらにはすでに指摘したように、火力発電を継続し、途上国への輸出も実行していることで、２０１９年のスペインでのＣＯＰ25では「化石賞」のレッテルを貼り付けられる不名誉を被ることになったのである。

こういった状況への批判の高まりもあってか、２０２０年10月に菅政権は２０５０年に国内の温室効果ガスの排出を実質ゼロにすると宣言したが、同時に再び原発に力を入れていくのではという危惧も大きい。実際、かつての「原子力ムラ」が息をふき返しつつあるとも言われる。こういった動きへの対抗としては労農アソシエーションは大きな役割を果たしうるだろう。

第４の課題は、すでに再三ふれてきたように、他の先進資本主義国にはみられないような37％以下という食料自給率にもかかわらず、自国での耕作放棄地を拡大しつつ、発展途上国などの他国から農産物（水産物、材木等を含む）を大量に輸入することによってフード・マイレージ（食料・輸送距離）問題などの地球環境問題を引き起こしている。それとともに、発展途上国では、伝統農業をプランテーションなどの換金作物へ転化させることによって、世界経済の価格変動や気候変動にさらされ飢餓の危険性を増大させているのである。従って、この課題で日本が大きなイニシアティヴを発揮することによって国内外に大きな局面の変化が現れる可能性が大きいのである。

第5の課題は、当面大きいのが「グローバル・タックス」を実現するために、諸国が協力して「課税権力」をどうグローバルに構築していくかということである。これに関しては後に少し詳しく述べたい。

すでに様々にふれたように、また科学技術の発展が資本主義の価値増殖の手段にされ、人間と社会に大きな負のインパクトを与えるのか、それとも自然との物質代謝を健全なものにして人間と社会の真の豊かさをもたらすことに貢献するようになるのか、これをめぐる国内的、国際的な公共的議論が緊急に必要とされていると言えよう。かつて石油危機のときにその危機を乗り切るために環境技術を飛躍させ、またノーベル賞に関係する科学・技術の分野でも世界に貢献してきたが、最近の日本の科学・技術研究は、政府・財界の「選択と集中」などの政策によって、その基本となる大学の研究教育の劣化が著しく憂うる状況になってきている。そういう中で、さきにもふれたが、菅政権による学術会議の新会員の任命拒否が起こるという「学問の自由・自律」をめぐる深刻な問題が生じている。

第6の課題は、まさに世界の人口増加の趨勢とは逆に、人口減少という事態に日本は直面しているが、このことは必ずしも否定的な事ではない。資本主義の「成長神話」にとらわれている限りは、これはもっぱらマイナスの事態と捉えられることになるのである。脱成長主義社会への移行の探求の機会と捉えれば、むしろ日本は課題解決の世界の先頭を走ることになるのである。

以上の述べてきた世界的な諸課題を解決していくために、共通して〈農〉の復権を基礎にした地域的共同体（コミュニティ）の強化・再建が重要であるが、この点でも日本の現状はすでにふれたように、先進資本主義国においては異常な状況で、「地方消滅」が語られ、きわめて深刻であるがゆえに、地域共同体の再建に真剣に取り組むことによって、この方面でも世界的なイニシアティヴが発揮できると言えよう。しかし、政権は地方圏におけるミニ「都市化」「工業化」の促進によって、周辺の、特に中山間地の多くの地域共同体を見捨て消滅させようとしているといわざるをえないのである。

## （２）世界的課題をめぐる資本主義と国民国家

さて、そうはいっても上記の絡み合う世界的課題の解決の難しい背景も直視しておく必要があろう。これらの問題の解決が難しいのは、「北」の先進資本主義国と「南」のいわゆる「発展途上国」、「新興国」ではスタンスが相当に違い、当面の利害関係を考えるとき、共同歩調がきわめて難しいからである。つまり、誤解をおそれずに簡単にいえば、「北」の先進資本主義国では脱資本主義を軸とした「脱近代化」が問題になっているのに、「南」の発展途上国、新興国ではまさに「近代化」が問題になっているといった状況である。

こういった状況は、国連などの国際諸機関の課題設定にも反映されていると言える。たとえば、1987年の国連の「環境と開発に関する世界委員会」（ブルントラント委員会）が打ち出した「持続可能な開発（発展）」という理念の理解を巡って様々な議論になったのは、上記の事情が反映されていると言えよう。また、最近の2015年の国連総会で「持続可能な開発のための2030アジェンダ」で示された「持続可能な開発目標」（SDGs）もそういう一面をもっていると言えよう。[15] SDGsの評価もいろいろあるが、ただ、これらは、やはり大きくみれば、上記の世界的課題の解決に向けて前進していくなかに位置付けて考える必要があろう。

ところで、資本主義という「近代世界システム」による課題解決の困難さによって、第3の「世界システム」、つまりは脱資本主義の「世界システム」が模索されざるをえないことは立場を超えて感じられはじめられていると言える。ただ、しかし、中国、インドなどのいわゆる「新興国」の資本主義的な急成長もあり、また、GAFAと呼ばれる巨大IT企業の拡大成長が続いており、その意味では、「資本主義の自壊」や「資本主義の終焉」はいまだ言い過ぎであろう。資本主義の「中核諸国、半周辺、周辺」というシステムの構図を基本とする「世界経済」システムからして、この新興国、特に世界第2の経済大国・中国の出現と米中対立は、資本主義「世界システム」のなかの中核諸国家の移動の始まりとみられるのかもしれない。それは定かでないが、いずれにせよ、かなり長期的にみればもはや「周辺」が希少化され、消滅しつつあることは確かであろう。そして、そのことが、地理的な意味での「周辺」

だけでなく、先進資本主義国という中核諸国の内部においても、様々な軋轢や精神病理を引き起こしながら、「規制緩和」「民営化」「女性の活躍」「農業の成長産業化」「感情労働」などという言葉とともに内なる「周辺」の商品市場化が図られつつあることの背景にあるように思われる。

これに対抗していくためには、労農アソシエーションを基軸とする様々な社会運動とともに、さきに述べたように、国連などの国際諸機関の性格をめぐる闘い、またその際の国家の役割、イニシアティヴが大きいであろう。そして、すでに見たように、近代以降の国民国家は、資本主義システムの形成とともに発展してきた面をもち、その点で限界をもつ。しかし、同時に近代以前の国家や帝国と違って、国民国家の国民主権の原理は「想像の共同体」としてのネーションの動向が多かれ少なかれ国家のあり方に影響を与える面があるからである。それを次節で少し考えてみよう。

## 3　国際連帯国家とグローバルなガバナンスの形成へ向けて

### （1）国民国家の進化と限界

国民国家はその誕生以来、自由主義国家、帝国主義国家、ファシズム国家、社会主義国家、福祉国家など、幾つかの形態変化を経るなかで様々な経験を通じて、国民国家を担うネーションが経験、学習、変容するなかで変化・発展してきているのである。

たとえば、典型的なフランスという国民国家は、「自由・平等・友愛」の旗を掲げる「政治革命」としてのフランス革命を通じて形成されたが、それは、約1万年前の農業革命以来の国家における支配―従属関係を打破するものとして登場した。紀元前500年頃の「枢軸時代」の宗教者や哲学者のように、思想家や哲学者を伴って精神世界における自由、平等を主張しただけでなく、現実世界にそれを政治的・法的に実現しようとした点が人類史における大きな転換をなしたわけである。確かにフランス革命は複合的な性格をもっており、フランスの国民国家形成は、ウォーラーステインが言うように、資本主義「世界システム」の中でのイギリスに対抗する「中核国家」への志向と連動しているが、民衆レベルでの平等主義の噴出でもあったと言える。これが普遍的価値として法制度化された「個人の尊厳」、「人権」などの基本的人権を背後からしっかり支えたことも事実であろう（同時にまた、男女平等が法制度化されるのは19世紀以降ということも忘れてはならないだろう）。

そして、すでにみたように、フランス革命やそれに先行するイギリス革命は、ブルジョアの革命でもあり、資本主義経済の拡大発展がもたらされ、それは新たな支配・従属関係を生み出すことになったが、これに対抗する民衆の平等意識が、その後の社会主義、共産主義、アナーキズムをはじめとする反資本主義の社会運動の核になった。1917年の革命によって成立したソ連型社会主義は、世界の労働者・民衆に大きな希望を与えたが、当初の平等主義を実質化しようとする志向性は様々な外的・内的条件によって歪曲された。その結果、「ノーメンクラツーラ」と呼ばれる新たな特権的な官僚層を頂点とする支配・従属関係をもたらすとともに様々な困難に行き当たり、１９８０年代の「ペレストロイカ」「グラスノスチ」というスローガンを掲げた再生のための改革も遂行できず崩壊した。そのことによって、ソ連をはじめとする共産主義政府が行った数々の人権侵害によって社会主義と人権は対立するようなイメージが広がった。しかし、米国の人権学者のイシェイが『人権の歴史――古代からグローバリゼーションの時代まで』という大部の本において、確かに共産主義政府が人権破壊の残虐な行為をしたことは忘れることはできないが、マルクス主義者が人権論争において重要な貢献をした事実もあることは忘れてはならないとしている。つまり、「世界人権宣言の第十八条から二一条や１９６６年の二つの国際人権規約に書かれている諸原則が、社会主義者の主張に起源がある」のに、それは今日ほとんど無視されていると述べている（イシェイ 2008：42）。確かにソ連型社会主義においては、言論・表現の自由を抑圧し人権抑圧が常態化することになったが、ある意味で皮肉なことに、ソ連が抑圧国家として批判していた世界における国民国家のネーションの多くにおいては、長期的に見れば、試行錯誤を繰り返しながらも人権意識や国民主権の意識は、定着・深化することになったと言えよう。

## （2）国際的公共性の進展と国際立憲主義の確立

20世紀前半の二つの世界大戦は、各国ネーションにとって大きな学びの機会となったと言えよう。帝国主義や全体主義を産みだした弱肉強食の主権国家の国際関係は転換されねばならないということを学んだのである。そして、第1次世界大戦の後には、カントの『永遠平和のために』で提起された理念を基に国際連盟（League of Nations）が、そして、第2次世界大戦の後には、国際連合（United Nations）という名前が示しているように、ネーションの連合、連帯によって平和へ向かうことが志向されているのである。

確かに第2次世界大戦後も、近代国際システムは基調においては、ホッブズ的な弱肉強食世界の一面を持っているが、しかし、細居敏明の論文「現代グローバリゼーションと国際公共性」によれば、長期的視点からすると、むき出しの軍事力による圧力から議論による正当化を必要とする「国際的公共性」の生成過程という仕方で、ある種の変化を捉えることはできるのである。細居によれば、戦後の植民地体制の崩壊とともに、列強による世界の領土分割が認められなくなり、市場分割の舞台は大きく変化していくことになる。つまり、軍事的な力による露骨な領域的な市場分割に代わって、開放された市場における競争戦を有利にすすめるための、国際的な制度、ルール、政策の設計をめぐる争いが登場する。貿易摩擦はこうした市場分割の主戦場となり、強国による制裁や報復をちらつかせた市場シェア要求の圧力とそれに対応する自主規制などがあらわれる。しかし、同時にこうした一方的な露骨な押し付けを排除するルール（WTOなど）もまたつくられてくる。少なくとも表向きは自由競争をめぐる国際的な公共性の論争として展開していかざるをえないとする（細居2005：212-214）。

かくして、第2次世界大戦後、「貿易の自由化」や「資本の自由化」をめぐって国際的な制度、ルールの議論が進行していくことになる。こういうなかで、金融のグローバル化を背景に金融資本の立場に立ったルールづくりが大きく進められてきた、しかしまた、国際公共圏が形成されていくなかで、逆にそれを規制し、国際金融の社会的責任を問うような議論、たとえば、投機を抑制し税収を途上国開発に投入する趣旨の「グローバル・タックス」の導入が主張されてくるのである（この点への人々の関心の高さはトマ・ピケティの『21世紀の資本』が世界的なベストセラーになったことにも示されている）。つまり、資本主義のグローバル化にともなって、内実はともかくも形式としては、露骨な無法地帯ともいうべき弱肉強食世界からたとえ建前であれ自由競争をめぐる国際的公共性の世界へと転換していかざるをえないということである。やがて、民衆的な立場からの公正や正義が、強力な国際的市民運動の連帯などを通じて反映されるようになれば、自由競争のあり方を巡る規制から自由競争そのものを規制することをめぐる国際的公共性の比重が拡大していくことも考えられる。

20世紀の80年代以降、グローバリゼーションの急激な進展とともに、資本と労働の階級的妥協によって形成された福祉国家が困難をかかえ、さらに90年前後のソ連・東欧の「社会主義」崩壊以降、新自由主義の市場原理主義が大きな勢いを得て、あらゆる国家が多かれ少なかれ新自由主義的政策を採用せざるをえず、今日多国籍企業などのグローバル資本主義の威力に翻弄され、様々な格差が拡大していると言えよう。それに対して、インターネットなどを活用した市民・労働者・農民の世界的な抗議行動も活発になりつつあり、核兵器廃絶をめぐる様々な諸団体や「アグロエコロジー」や「世界社会フォーラム」のような、様々な抵抗・抗議運動をつなぎ包括していく組織的な動きも生まれ活発になっている。

### （3）国際連帯国家と地球的ガバナンスへ向けて

こういったなかで、いまなお現在は、アメリカを先頭とする新自由主義的な国家群が支配的であるが、リーマンショック以後は、グローバル資本主義の中核である金融資本主義への不信感が「ウォール街占拠運動」にも見られたように広範に生まれつつある。しかも、皮肉なことに、新自由主義的グローバル化を推進してきた米国でトランプ大統領が誕生したり、英国でEUからの離脱という事態が生じており、新自由主義的グローバル化に対する不信や困難も複雑な仕方で拡大しつつある。

今回のコロナ禍は、新自由主義的な経済グローバリゼーションが大きな危うさをもっていることを露呈したと言える。多国籍企業では、各国にまたがるサプライチェーンが寸断されて企業全体が機能不全に陥ったところも少なくなく、それによって大量解雇も引き起こしている。すでに述べたが、食料供給の面においても特に日本のような自給率の極端に低い国では、大きな不安を抱かせる事態が起こりうることを示した。

そしてまた、すでに述べてきたように、国際的な金融資本の動きへの規制やトービン税の発想に由来する「国際連帯税」や「グローバル・タックス」などもＥＵの諸国を中心に提起され、現在ではＧＡＦＡなどの巨大ＩＴ企業が進めるデジタル資本主義へ抵抗する動きが各国家に生まれつつあると言える。財政学者の諸富徹は、近著『グローバル・タックス――国境を越える課税権力』にて、こういった動きを踏まえて、「課税権力のグローバル化」を提起する。グローバル化とデジタル化によって、多国籍企業が低税率国への移動やタックス・ヘイブンによる租税回避が容易になったこともあり、従来の国民国家の主権を前提にした一国単位の課税が十分に機能しなくなってきている。従って、国民国家の連合による課税か、或は国民国家を超えた課税権力を構築する必要が出てきているとする。

多国籍企業が、国民国家の敷居をグローバリゼーションの拡大・進行によって超えていくなかで、国家の地位というのも相対的に低下していっているが、私はそこからただちに国民国家の役割を軽視して、単純な地域主義（ローカリズム）や世界主義（コスモポリタニズム）を主張するだけでは不十分だと思う。地域主義や世界主義の視点を押さえつつ、すでにふれたように、国家のあり方、これの今日的な役割を適正に位置づけ、もっぱら国益中心の国民国家的な発想で国家を捉えるのでなく、国家を従来の主権主義的国家から脱皮させて、まさに他国と連帯し世界的課題に挑戦する国際連帯国家に転換していくことが重要である。その意味で、国際連帯国家は、脱国民国家へ移行しつつある国民国家と言えるであろう。そういった国際連帯国家群と様々なレベルの市民活動・労働運動の連携で国際的な法規制を強化し、次に述べるような「国際立憲主義[16]」の確立を志向していくことが重要である。

ある意味で、カントの『永遠平和のために』以来、二度の世界大戦を経て国際連盟、国際連合といった国際諸機関を形成して大きくは「国際立憲主義」に向かって試行錯誤しながらも前進してきたと言える（最上 2007）。しかし、現実には、「9・11同時多発テロ」以来、米国はテロ対策を名目にイラク侵略など国際立憲主義を無視する行為を重ね、さらには最近では、ロシアのウクライナへの軍事侵略、また中国の南シナ海での行為などの国際立憲主義の方向性からいえば、逆流とも言える事態も起こっている。同時にまた、国連などの国際諸機関の動きを見ると、環境、農業、平和などについて画期的な総会決議が為されてきているように、試行錯誤しながらも多くの国々が覇権国家を批判し、未来を見据えて国際連帯の志向を強めていることも事実であろう。国連のＳＤＧｓに対する否定的な批判の声もあるが、すでにふれたように、弱点を指摘しつつもこういった大きな歴史の流れのなかで評価することが必要であろう。

こうしたなかで先進資本主義国の国民国家の立ち位置は非常に重要なものとなる。さきにふれたような覇権主義的国家の行為を黙認しグローバルな金融資本主義やＧＡＦＡＭの傀儡的存在になるのか、ぎゃくにそれを強力に統制するような諸国家連合をつくりだす国際連帯国家としてのイニシアティヴをとるものとなるかである。こういった国際連帯国家になるには、やはり、カントが主張したように対外政策と対内政策とは連動しており、すでに述べたように、これは今日的次元では、労農アソシエーションを基礎に資本主義システムから漸次的脱出をしつつ、資本主義をコントロールできる体制をつくりつつある国家であろう。

こういった国際連帯国家を「環境福祉平和国家」（簡略化して以下、「環境福祉国家」）と呼びたいと思う。[17] 最近は、新たな福祉国家や福祉社会の構想が種々提起されているが、私が特に強調したいのは、世界平和と地球環境保全などの世界的課題でイニシアティヴを執り、国内的には経済成長主義を脱し格差を是正し、〈農〉の復権とともに労農アソシエーションを基礎にした「農工デジタル社会」を目指す国民国家のあり方である。[18]

以前の章でみたように、日本が無批判に「工業立国」、「自由貿易立国」を推し進めてきたことが国内外のサブシステンスを破壊してきたことを直視する必要があろう。平和、農業、環境は密接に連動しているのである。

従って、日本の果たす役割は大きいものがあろう。日本国憲法は、象徴天皇制などの問題はあるにせよ、人類が近代以降、フランス革命や社会主義運動や反戦運動などによって獲得した様々な積極的な成果がここにこめられていると思われる。私は日本国憲法の第9条の戦争放棄（非暴力）という徹底した平和主義や第11条の基本的人権（第3章の中の様々な人権規定がこれまでの世界史的な運動の結晶と言える）といった平等主義が、半世紀近くを経て国民のなかに定着してきたことも世界史的背景のなかで考える必要があると思う。それは確かに人類の歴史的成果を継承しているのである。たとえば、基本的人権のみならず戦争放棄の第9条にしても、世界が第2次世界大戦という壊滅的な戦争に突入する前の1928年、「パリ不戦条約」（ケロッグ＝ブリアン条約）という形で結実したものを継承するものであったのである。

このパリ不戦条約は、当時の様々な政治的思惑も絡んでいることからあまりその意義が評価されてきていないが、イェール大学法学部のハサウェイとシャピーロによる『逆転の大戦争史』によれば、きわめて大きな世界史的意義があるのである。彼らによれば、パリ不戦条約以前は、戦争は国家間の紛争を解決する手段として合法とされていた。これは、「国際法の父」とされるオランダのフーゴー・グロティウスの『戦争と平和の法』によって17世紀以来根拠づけられたものであった。パリ不戦条約はこの戦争を合法とする「旧世界」から戦争は違法であるという「新世界」への大転換を象徴するものと意義付けたのである。その意味では、『戦争論』を著わし、「戦争とは、他の手段をもってする政治の延長である」という言葉で良くしられているカール・フォン・クラウゼヴィッツ（1780-1831）もまた「旧世界」の人間であったことである。さらにいえば、マルクスやエンゲルスはもちろん、レーニンもまた1929年のパリ不戦条約による戦争観の大転換を知らなかったことに留意する必要があろう。

日本の平和憲法はまさにこの不戦条約を継承するものである。従って、日本の平和運動に参加するとともにマルクス思想を重視する人びとは、マルクスの思想とこの戦争観の大転換を思想的に統合する努力が求められることになろう。[19]

従って、日本国民は、戦後に定着してきた憲法精神に含まれる人類史上の積極的価値を踏まえた上で、その内実をさらに具体的に発展させていくものとして、日本国家を国際連帯国家にし、国際連合（United Nations）が文字通りに国際連帯国家のネーションの連合となり、国際立憲主義に基づく地球的ガバナンスが実現できるように努力すべきであろう。「平和を愛する諸国民の公正と信義に信頼して、われらの安全と生存を保持しようとした決意した」という憲法前文を掲げる日本が、その先頭にたつことは世界史的な使命であり、そうすれば、それは世界の人々に共感を持って迎えられ高く評価されると確信するのである。

【注】

1　すでに述べたことを繰り返すことになるが、私が理解する「デジタル生産様式」は、「デジタル情報技術によってアシストされた農工共生・総合の生産様式」の略称として捉えたい。注意すべきは、『〈帝国〉』で著名になったネグリやそれに近いマラッツィなどのマルクス主義者のように、デジタル化を「非物質的労働」の優位として捉えるのは正確ではなく、その理解は結局、資本が目指す工業化発想の延長でのデジタル化に行き着くと思うからである。後述するように、私は、重要なのは、〈農〉の復権とそれを基礎にした農業と工業の共生・総合的なあり方（物質代謝に適合的な）をデジタル技術によって実現することを根幹とするような生産様式と考えるからである。

2　すでに一部ふれたが、たとえば、「資本主義の終焉」（水野和夫 2014）、また、「資本主義以後の世界」（中谷巌 2011）、「ポスト資本主義」（広井良典）などのタイトルの本が多く出版されている。

3　「脱商品化」に関しては、北欧などで種々のレベルで議論が行われており、以下の論文が参考になる（田中 2011）参照。ウォーラーステインもまた「脱商品化」の運動を重視していた（ウォーラースティン 2004）。

4　〈農〉の復権のための哲学的価値論については、文献（尾関・亀山他編 2011）で詳しく述べたので参照されたい。

5　最近「半農半X」に少し似た興味深い若者の半自給生活の動きで、テレビでも取り上げられた「山奥ニート」が話題になっている。限界集落に十数人の若者が廃校になった小学校で、生活費ひとり1万8千円で共同生活を送っている。インターネットが利用できるので、不自由することはないという。特に農業をやっているわけではないが、村人は70歳以上なので、山の高いところにある神社の掃除などをしてくれるのが助かるという。参照、新井あらた『「山奥ニート」やってます』（光文社）。

6　次第に多くの論者が、3・11は現代文明が分岐点に立っているという視点から、地域のエネルギーを地域で自給するという「エネルギーの地産地消」（ＥＩＭＹ）を提起している（新妻 2011）。

7　労働者協同組合と似たものとして「従業員所有企業」があるが、これは、株式会社（有限会社）で従業員（労働者）が全株式の相当割合を所有しているもので、一株一票の株式民主主義である。

8　また、私は以前に『遊びと生活の哲学』という本のなかで、マルクスの労働観に関して、疎外された賃労働から解放された労働の実現と、労働そのものからの解放、すなわち自由時間の拡大という二重の問題意識があると述べたが、自己確証的な労働や活動を実現するためには後者も重要と思われる（尾関 1992）。

9　こういった点では、ジェームズ・ロバートソンが『未来の仕事』という本で、他者によって雇用される労働から「自己雇用（self-employment）」、つまり自己自身の労働になるという意味で「自身の仕事（OWNWORK）」の拡大が、社会を変えていく上で重要だとしていることとも通じるであろう。似たような問題意識は、フリオ・ヒスベールもまた『雇用なしで生きる』で語っている（『世界』２０１４年７月号）。

10　『日本の科学者』（2021 Vol.56 2）の特集「持続可能な社会のためのベーシック・インカム」における拙稿「人類史におけるベーシック・インカムの意義」も参照されたい。

11　この項で要点を述べている「持続可能な社会」については、拙著『多元的共生社会は未来を開く』で「共生型持続可能社会」や「多元的共生社会」と呼んで詳しく論じているので参考にしてほしい。

12　コロナ禍でこの間、テレワークが多くの企業や団体で実践され、都心の職場に行かなくても仕事ができることを多くの人びとが体験する機会をもった。そして、すでに幾つかの企業は今後もテレワークを続けていくとしているが、こういった傾向を推進していけば、働き方の問題とともに、この「一極集中」問題の解決の方向性も出てくるかもしれない。この問題の解決もまた脱資本主義へ動きと連動していると言える。

13　ちなみに、文化経済学の提唱者の池上惇は、モリスを参照しながら、個性的な人間の形成のためにということで、以下の三点を論文「日本企業社会の転機と文化」（『文化中心社会の条件』所収）で述べている。⑴労働の人間化へ向けて、労働時間の短縮、⑵生活の質を高め、「生きがい」につながる「生活の芸術化」、⑶地方自治や住民参加による地域の再生。

14　すでにふれた、国連総会における「小農の権利宣言」（2019）や「核兵器禁止条約」（2017）などは、国際レベルにおける階級闘争の反映とも見ることができよう。

15　ＳＤＧｓに関しては、『環境思想・教育研究』12号、２０１９年の特集「ＳＤＧｓ時代の環境思想・教育」を参照されたい。また、文献（古沢 2020）を参照されたい。

16　「国際立憲主義」あるいはそれに類する言葉が用いられるようになったのは、最上敏樹によれば、２００１年のアフガニスタンへの攻撃の頃からで、特に２００３年のイラク攻撃以来、国際法の核心的部分が根底から崩されようとしているのではという懸念から、それへの批判として明瞭に使用されるようになったという（最上 2007：4）。

17　環境と福祉の関係については、ここでは述べることができないので、広井良典編著『「環境と福祉」の統合』（有斐閣、2008）を参照されたい。

18　労農アソシエーションは、以前にもふれたが、労働者と農民のアソシエーションというだけでなく、半農半労、半労半農といった性格の働く人びとのアソシエーションでもあることを思い起こしておきたい。

19　教育学者の堀尾輝久などが中心になって日本国憲法9条を「世界憲章」にする運動が「9条地球憲章の会」としてなされているが、これまで述べてきたことからその意義が理解されよう。

【引用・参考文献】


- イシェイ、ミシェリン・R『人権の歴史――古代からグローバリゼーションの時代まで』明石書店、2008（2004）
- ウォーラーステイン、イマヌエル『脱商品化の時代』藤原書店、2004
- 内橋克人『多元的経済社会のヴィジョン』岩波書店、1999
- 萱野稔人『ベーシック・インカムは究極の社会保障か――「競争」と「平等」のセーフティネット』堀之内、2012
- 尾関・亀山・武田・穴見編著『〈農〉と共生の思想』農林統計出版、2011
- 小貫雅男・伊藤恵子『森と海を結ぶ菜園家族』人文書院、2004
- 小貫雅男・伊藤恵子『静かなるレボリューション――自然循環型共生社会への道』御茶ノ水書房、2013
- 伍賀一道『「非正規大国」日本の雇用と労働』新日本出版社、2014
- 佐々木・志賀編『ベーシック・インカムを問いなおす』法律文化社、2019
- 鈴木敏正『「コロナ危機」を乗り越える将来社会論』筑波書房、2020
- 田中拓道「脱商品化とシティズンシップ――福祉国家の一般理論のために」『思想』3月号、2011

- 津田直則『連帯と共生』ミネルヴァ書房、2014
- 豊田謙二『質を保証する時代の公共性――ドイツの環境政策と福祉政策』ナカニシヤ出版、2004
- 新妻弘明『地産地消のエネルギー』NTT出版、2011
- ハサウェイ、オーナ／スコット、シャピーロ『逆転の大戦争史』文芸春秋、2018（2017）。
- ハーバマス、ユルゲン『市民的公共性の構造転換――市民社会の一カテゴリーについての探究』未来社、1973
- ヒルシュ、ヨアヒム『国家・グローバル化・帝国主義』ミネルヴァ書房、2007
- 古沢広祐『食・農・環境とSDGs――持続可能な社会のトータルビジョン』農文協、2020
- 細居俊明「現代グローバリゼーションと国際公共性」1世紀理論研究会編『資本主義はどこまで来たか――脱資本主義性と国際公共性』日本経済評論社、2005
- 本田裕邦『長期停滞の資本主義――新しい福祉社会とベーシック・インカム』大月書店、2019
- 最上敏樹『国際立憲主義の時代』岩波書店、2007
- 山森亮『ベーシック・インカム入門』光文社、2009
- 宮田裕章『共鳴する未来――データ革命が生み出すこれからの世界』河出書房新社、2020
- 諸富徹『グローバル・タックス――国境を越える課税権力』岩波書店、2020

# あとがき

21世紀になって「変革」という言葉が様々な立場の人々によって様々な機会に語られるようになった。バラク・オバマの「チェンジ」という言葉とともに、「イエス　ウィ　キャン」という言葉が耳に残っているひとは多いであろう。ただ、オバマは大統領になってからは、あまり「変革」ということは言わなくなったが…。気候変動問題、貧困・格差問題、南北問題、AI問題等々との関係で、様々に「変革」が多くの人々によって語られるようになった。

確かに、このように多くの人々によって「変革」が語られる現状は、20世紀末にソ連・東欧の崩壊とともにフランシス・フクヤマによって「歴史の終わり」が語られた頃やポストモダンのリオタールが「大きな物語の終焉」を語った頃を思い起こすと、まさに隔世の感がある。実際には、ソ連・東欧の崩壊とともに、新自由主義のグローバリゼーションが一挙に進展して大きく世界を変えてしまい、様々な矛盾や閉塞感が深まり、「歴史の終わり」どころか、実際、この本で述べてきた切実な社会的課題や世界的課題が噴出してきた。21世紀には、大きな「変革」の必要性が多くの人々に実感されるようになったわけである。「革新」や「保守」、「右」や「左」にかかわらず、どちらの側も「変革」を語っている現状である。しかし、変革の構想の違いは、資本主義の問題性にふれているかどうか、或はまた、弱者の視点が基本におかれているかどうかが、大きな分岐点になっている。こういった点は詳しくは、この本を読んで頂ければ理解できるであろう。

今日、日本で主流の「変革」構想は、経済成長のための変革で、本文でもふれた政財界主導の「Society 5.0」構想による産業・経済・社会・生活のあらゆる分野の変革を目指すものである。産業・経済に中心を置く日本では、経済成長は「進歩」の言い換えのようである。ここで、かなり若い頃に読んだ哲学者・市井三郎の『歴史の進歩とは何か』を思い起こす。市井はこの本を高度成長が一段落した20世紀の70年代初頭に書いた。その中で、市井は「歴史の進歩」は、富の増大、人びとの快の総量の増大よりも、むしろ「各人の責任を問われる必要のないことから受ける苦痛」、つまり「不条理な苦痛」を減らして行くことではないかと問題提起した。成長のための変革に対抗する変革思想はこういった市井三郎のような「不条理な苦痛」を被る人々への眼差しを基軸におくことが必要ではなかろうか。

さて、この本の「序にかえて」でも書いたが、じつは、この本をほとんど書き終えたころに新型コロナの中国・武漢の感染爆発が伝えられた。感染はまたたくまに世界中で蔓延し、WHO（世界保健機構）がパンデミックの宣言をする事態になった。そして、各国で非常事態宣言が出されるとともに、このコロナ禍がもたらす社会的インパクトやアフター・コロナについて様々に語られるようになった。大きかったことは、コロナ禍によって様々な社会的出来事に光があてられ、これまでよく見えなかった社会構造の問題性が明るみに出てきたことである。ここから「エッセンシャル・ワーカー」という興味深い言葉も生まれた。私にとって幸いだったことは、このコロナ禍によって暴かれた現実を前にしても、この本を書き直さねばならないことはほとんどなく、むしろこの本で主張したいことを補強するものであると思われた。

この本は、簡単にいえば、地球環境問題、農業・食の問題、AI・ITなどデジタル問題などの視点を統合しつつ20世紀の変革構想を脱皮して21世紀の新たな変革思想を構築しようとするものである。これら三つの視点に関して、20世紀には語られなかった言葉が21世紀にインパクトをもって語られるようになった。環境問題では「人新世」であり、農業問題では、「小農の権利宣言」であり、デジタル問題では「デジタル革命」であると私は受け止めた。本文を読まれれば理解されるように、まさにコロナ禍はこれらの問題にも深くかかわるものであった。

その意味で、今回のコロナ禍は私が取り扱ったいずれの問題・論点ともふれあうものとなっている。ただ、しばらくは、コロナ禍の推移を見守りつつ本の内容を深めることにした。そして、1年あまり経ったが、やはり論旨を大きく変える必要はなく、コロナ禍を考える中で、より内容を深めることができたと思う。

上述の三つ視点で農業問題が挙げられていることには、いぶかしさを感じた読者も少なくないかもしれない。その学問的理由は本文に譲るが、おそらくこのような農業問題を社会変革の軸のひとつとして重視した本を書くことができたのは、私が東京農工大学の農学部に在職したことも大きいと思う。もともとは、農業とは無縁の家庭に育ったこともあり、また若い頃は研究関心も言語やコミュニケーションといったテーマであったことも農業への縁は薄かった。若い頃、たまたま言語哲学で戸坂潤賞を得たのを機縁に農工大学農学部に職を得てからも、その前半は一般教育部で哲学や教職の授業を担当していたこともあり、あまり農業に関心をもたなかった。ただ、一般教育部解体の後、農学部の学科に実質的に属することになり、その後、連合大学院の博士課程も担当するようになって、農学系の先生方と交流をもつなかで農業への関心を深めていったと思う。本文でもふれたが、農業のあり方や食料システムが環境問題と深くかかわっていることを理解するようになったことは大きかった。

この本を書くようになった切っ掛けについて言えば、もともとは、総合人間学会という学会の設立にかかわり、その主要な役職をやってきたこともあり、2、3年前から人間学関係の少しまとまった著書を書きたいと思っていた。若い頃に最初に私なりの人間観を語った『言語と人間』を著わしてから40年近くなるのを機縁と考えたのである。ちょうど、世界的なベストセラーになったハラリの『サピエンス全史』や『ホモ・デウス』が人間学的な内容を多く含んでいたこともあり、その関係の論文もいくつか書いたことも刺激になった。従って、この本の叙述の中には私なりの人間観が含まれており、それがこの本の変革思想を形づくる一つの特徴になっていると思っている。

それとともに、若い研究者とともに「環境思想・教育研究会」の設立にもかかわり、その雑誌には多くの論文を書いてきた。環境思想に関しては大学での研究・教育のテーマであったこともあり、全般的な関心を持ったが、特に環境思想と農業問題との関係について考えてきた。そして、この関係を考える上で、マルクスの「人間と自然の物質代謝」という考えが大きな意義があると思うようになった。この概念におそらく日本で最初に注目したと思われる椎名重明教授が農工大農学部に非常勤講師で来られる機会があったので、これについてお互いの趣味の魚釣りの話しを交えて楽しく話し合う機会が持てたのは幸いであった。

そういうなかで、2018年が「マルクス生誕200年」ということで、その関係で講演や論文を頼まれたりした。特に龍谷大学で開催された「マルクス生誕200年フォーラム」での講演の準備が最初のステップになった。このなかで、日本社会の深刻な問題状況を改めてマルクスの思想と絡めて真剣に考える機会をもち、これが刺激となって、人間学に関わる本よりも社会変革に関わる本をまずは書くべきではないかと思うようになった。21世紀の世界は、様々な側面で20世紀の世界から大きく転換しつつあり、今、それに呼応する変革思想の構築を提起することが重要ではないかと思ったのである。そして、こういった関係で、ちょうど東京唯物論研究会から「現代資本主義批判」にかかわる特集論文の執筆を依頼されたことは本の骨格をまとめる上で役に立った。

私なりに新たな変革思想を表現する言葉として、この本では、「物質代謝様式」とか「労農アソシエーション」とか、「個人的・社会的所有」や「農工デジタル社会」と言った新たなキーワードの造語を試みることによって、新たな変革思想や社会理論の議論のための手掛かりを自分なりに試みた。この本では、私はこういったキーワードとともに幾つかの重要な問題提起をしたつもりである。ぜひこれらについて議論がなされ、多くの人々に共有される21世紀の変革思想を構築する過程の一助となれば望外の喜びである。とりわけ、この本が若い方々の問題意識を触発する切っ掛けになれば、こんなうれしいことはない。

ところで、歴史観の深化ということでは、歴史における物質的なもの、自然的なものにかかわって、生産力史観や物質代謝史観を巡る議論を主にやったので、精神史的なものはどのように考えているのかという疑問をもたれた読者がいるかもしれない。じつは、人類の精神史というテーマに関しては、ちょうど妻の夢子と共著で『こころの病は人生もよう――統合失調症・ユング・人類精神史』（本の泉社）という本を最近著わしたが、その本の後半で、私は「人類の精神史の素描―こころの病にふれて」というタイトルで書いている。歴史における自然的なものと精神的なものとの関係について私なりの考えが示唆されていると思うので、関心のある方々に参照してもらえればありがたい。

この本は、これまでに書いた諸論文の一部を様々な仕方で取り入れているが、本の特定の章・節と特定の論文の対応はないために、ある意味では全体が書き下ろしといっても良いと思っている。従って、全体に筋が通った内容になっていると思っているので最初から読み通してほしいが、環境思想に通じている方は第2章から読まれてもよいと思う。この本に関連する最近の主な拙稿を以下に記して、執筆の機会を与えて頂いた方々に感謝の意を表したい。

・「人類史におけるベーシック・インカムの意義」『日本の科学者』Vol. 56、2021年。
・「21世紀の新たな変革思想へ向けて――農と環境の統合的視点から」東京唯研編『唯物論』94号、2020年。
・「マルクスの脱近代思想とエコロジー的潜勢力――エコロジーをめぐる連帯の拡大へ向けて」伊藤・田畑・大藪編『21世紀のマルクス――マルクス研究の到達点』新泉社、2019年。
・「人類史における労働の意義―未来社会を構想しつつ」基礎研編『経済通信』No. 148、2019年。
・「〈農〉を通じて人間と社会を考える」総合人間学会編『〈農〉の総合人間学』12号、2018年。
・「晩期マルクスの歴史観と農業・環境問題」『環境思想・教育研究』11号、2018年。

また、辞典・事典関係では、尾関・後藤他編『哲学中辞典』（知泉書館、2016）、『マルクスカテゴリー事典』（青木書店、1998）を参照する機会が多かった。

最後になったが、現在の厳しい出版事情のなか、本の泉社の新船海三郎社長には快く出版を引き受けて頂き、励ましのコメントとともに丁寧な編集作業にあたって頂いたことに心から感謝したい。

著者略歴

尾関 周二（おぜき しゅうじ）＝岐阜県生まれ。京都大学大学院文学研究科博士課程哲学専攻満期退学。社会学博士（一橋大学）。2012年まで東京農工大学大学院教授。現在、東京農工大学名誉教授。総合人間学会会長、環境思想・教育研究会会長。

著書に『多元的共生社会が未来を開く』（農林統計出版）、『環境思想と人間学の革新』（青木書店）、『現代コミュニケーションと共生共同』（青木書店）、『増補版 言語的コミュニケーションと労働の弁証法』（大月書店）、『遊びと生活の哲学』（大月書店）他。

共編著に『こころの病は人生もよう―統合失調症・ユング・人類精神史―』（本の泉社）、『「環境を守る」とはどういうことか』（岩波書店）、『環境哲学と人間学の架橋』（世織書房）、『〈農〉と共生の思想』（農林統計出版）その他多数。

# 21世紀の変革思想へ向けて

## —環境・農・デジタルの視点から—

2021年4月20日　第1刷発行

著　者　　尾関 周二
発行者　　新舩 海三郎
発行所　　株式会社 本の泉社
〒113-0033 東京都文京区本郷2-25-6
TEL. 03-5800-8494　FAX. 03-5800-5353
印　刷　　音羽印刷 株式会社
製　本　　株式会社 村上製本所
ＤＴＰ　　木椋 隆夫



ISBN978-4-7807-1993-2　C0030
Printed in Japan